新潮文庫

# 模倣犯

(五)

宮部みゆき著

新潮社版

7824

新潮文庫

# 模倣犯

（五）

宮部みゆき著

新潮社

# 模倣犯

㈤

# 第三部（承前）

## 15

その週の水曜日のことである。

足立好子《あだちよしこ》は、夕食の支度のために、夫と二人の従業員よりも一時間ばかり早く作業場から家の方へと引き上げた。まだときどき疼《うず》くように痛む左膝《ひざ》をかばいながら、台所へと入る。作業場の方は十年ほど前に改築してコンクリート造りになったが、住まいの方は築三十五年の古い木造家屋だから、この季節にはすきま風がひどい。火の気のない台所は冷え切っていて、よちよち歩きながら、好子は大きなくしゃみをした。

急いで石油ファンヒーターのスイッチを入れ、やかんに水を満たしてガスコンロにかける。火の色が暖かい。このまま座り込んで一息いれたいところだが、家に戻ってくれば一家の主婦となる好子には、そんな贅沢《ぜいたく》は許されない。冷蔵庫や収納庫を開けて、夕食の材料を取り出す。今日はひときわ寒かったから、粕汁《かすじる》をつくる。午頃《ひる》から献立は決めてあった。三人分の食事である。

去年の九月の初め頃、好子は納品の途中で交通事故に遭い、左膝を複雑骨折してしまった。入院生活は二ヵ月近くに及び、治療は痛くて辛《つら》く、リハビリはさらに過酷だった。

しかし、唐突にひとり暮らしを強いられることになった夫も大変だったことは同じで、好子を欠いた彼の食生活は、いきなり貧弱きわまるものへと転落した。

昔気質《むかしかたぎ》の夫は、一人きりで食事をとるということそのものを、恐ろしく嫌っている。夫がその親から継いだ家業《かぎょう》の印刷屋は、今でこそ赤字でひいひい言っているけれど、昔は相当に盛業だった時代もあり、好子が嫁に来る以前には、従業員慰安旅行に揃《そろ》ってハワイへ繰り出したこともあったそうだ。当然、使っている人の数も、今とは比べものにならないほど大勢だったし、日曜祭日もなければ深夜までの残業も当たり前だったから、従業員たちはみんなここで昼と夕の食事をとっていた。夫はそういう環境で生まれ育ったものだから、そもそも、一人きりで食事をしたこと自体がないのである。

好子が入院している時も、ぽつんと寂しくテーブルに向かっていると、独房に入れられたような気分になるとか言って、しきりに寂しがったものだ。娘たちは二人とも遠方に嫁いでいるし、まだ子供も小さいから、当てにはできない。好子は病院のベッドにくくりつけられたまま、どうしようもないことでグチをこぼす夫の顔をながめているしかなかった。治療の次に、これがしんどかった。

しかし、そうこうするうちに、夫は自力で解決法を編み出した。二人の従業員のうち、一人は立派な所帯持ちだが、一人は定時制高校に通うまだ二十歳の若者である。増本《ますもと》君という、今時珍しいような真面目《まじめ》な青年だ。夫はその増本君と、一緒に食事をとるようになったのである。増本君も一人暮らしだし、なにしろ安月給だから、食費が浮くのは大いに助かったらしく、快くこの習慣を受け入れてくれた。むろん、男二人の不慣れな自炊だから、つくる料理は珍妙なものばかりだ。それでも、ひとりぼっちで砂を嚙《か》むような食事をするよりは、ずっと楽しくて良かったらしい。

十月の二十日に、好子がようよう退院したときには、増本君はすっかり足立家の台所になじんでいた。退院したばかりの頃には、好子の方も、家事を手伝ってくれる手があるのは有り難かった。その結果、好子がほとんど元通りの元気な身体《からだ》になった後も、増本君が一緒に食事をする習慣だけは残ってしまったというわけだ。

台所がだいぶ暖まってきた。好子は野菜を洗い、鍋《なべ》をかけ、慣れた手順をてきぱきとこなしていった。そのうちに、茶の間の古いボンボン時計が鳴った。七時だ。好子は鍋の火をとろ火にしておいて、茶の間に入ってテレビをつけた。そろそろ夫と増本君があがってくるだろう。

テレビ画面には、平日の夜十時からのニュース番組に出てくる女性キャスターが映っていた。好子は曜日を勘違いしそうになった。おや？　と思って見ていると、どうやら特別番組であるらしい。去年の九月から十一月の初めまで、世の中をさんざん騒がせた連続誘拐殺人事件を扱った報道番組だ。

――おやまあ。

好子はちゃぶ台の前に座り込み、テレビ画面に見入った。二人の若い男の顔写真が映し出されている。今や、日本国民ならこの二人を知らない者はいないだろう。

右側の、ちょっと面長の顔だちが整っている方が、栗橋浩美《くりはしひろみ》だ。左の、太っていて目が小さく、眉毛《まゆげ》の下がっているのが高井《たかい》和明《かずあき》である。この二人が、わかっている限りでも三人だか四人の人を殺した――しかも、面白半分に殺したものであるらしい。

好子は、高井和明の方を知っている。栗橋浩美は知らないが、その母親の栗橋寿美《すみ》子《こ》なら知っている。入院中、短い間だが、同じ病室で隣り合わせのベッドにいたことがあるのだ。寿美子は家の階段から落ちて怪我《けが》をして入院していたのだが、少し頭のネジがゆるんでいたというか、心が壊れかかっており、外来患者の子供をさらうという事件を起こして、病室を移された。その後、彼女の個室を高井和明が見舞っているところを、好子は見かけたことがある。

それどころか、彼とは話をしたこともあった。エレベーターの前で、ほんの二言三言ではあったけれど、気持ちの優しい良い子だなぁと感じたものだ。病棟の婦長もそう言っていた。好子は、高井和明と栗橋寿美子の息子が幼なじみで、母親に冷たい息子に代わり、高井和明が寿美子の見舞いに来ているのだということも、婦長に教えてもらった。実際、好子の漏れ聞いた会話のなかでも、高井和明は栗橋寿美子に「おばさん、おばさん」と親しげに呼びかけ、思いやりをかけている様子が窺《うかが》われたのだ。

だから好子は、退院して家に帰って間もなくの十一月六日の臨時ニュースを見て、冗談でなく心臓が停まってしまいそうなほどに仰天した。まず最初に、高井和明が栗橋浩美と一緒に交通事故で死んでしまったということに驚かされた。だが、その驚きなんて、次に来た本物の驚愕《きょうがく》に比べたら、癇癪玉《かんしゃくだま》の破裂したぐらいの衝撃しかなかった。だって、あの高井和明が、栗橋浩美と組んで、若い女の子を何人も誘拐し、閉じこめてさんざんいたぶった挙げ句、死体を捨てたり、女の子の家族に電話してからかったり、自分たちのしていることを自慢げに吹聴《ふいちょう》するためにテレビ局に電話したりしていた張本人だ——というのだから。

最初はまさかと思った。栗橋浩美の方はともかく、自分の知っている高井和明が、あの大きな身体にはにかんだような笑顔のお兄ちゃんが、そんな大それた残酷なことをやるはずがない。何かの間違いだろう。

しかし、その後の報道は、好子のそんな気持ちを裏切るような材料ばかりを続々と提供し続けた。二人が事故死した車は高井和明の自家用車で、トランクには木村庄司《きむらしょうじ》という川崎の会社員の死体が押し込められていた。事故を起こす直前に、グリーンロードという有料道路の近くのガソリンスタンドで給油した際、二人が親しげにやりとりをしているのを、スタンドの従業員たちが目撃している。前夜には氷川《ひかわ》高原駅近くのレストランの駐車場で密談しているところを、これまたウエイトレスに見られている。どう考えても、二人は気を揃えて行動していたとしか思えない――

栗橋浩美の初台のマンションからは、おぞましい写真が山ほど出てきた。そこに写されている女性たち七人のうち、三人は身元がわかった。皆、行方不明の女性たちだった。そのマンションは栗橋浩美の住まいだったが、高井和明がその近くで目撃されていたことも、近隣の住人たちの証言で確かめられている。栗橋浩美の携帯電話の通話記録には、高井和明への電話の記録がいっぱいある。

共犯――という言葉が、どのニュースでもどのテレビでもどの新聞でも、この二人の関係を説明する単語として使われていた。

病院の婦長の言葉に間違いはなく、二人は幼なじみだったのだという。だが、その関係は対等なものではなく、栗橋が親分で、高井和明は彼の子分か、せいぜい腰巾着《こしぎんちゃく》みたいなものだったという。栗橋は成績優秀なクラスの人気者で、高井はオチこぼれの虐《いじ》められっ子だったのだという。

だからこの残酷な所業も、積極的に始めたのは栗橋で、高井は彼に引きずられ、感化され、ずるずると深みにはまっていったのではないかという。

好子にはわからない。そんなことがあるものだろうか？

人間というのは変わるものだ。子供のころには優等生でも、大人になったら箸《はし》にも棒にもかからないろくでなしに成り下がるということだってある。子供のときには手の付けられない不良だったのが、立派に成人して地域のまとめ役になるってこともある。子供のころの高井和明が栗橋浩美の腰巾着だったからといって、二十歳過ぎても同じだとは限るまい。人間は成長するのだ。変わらないでいることの方がずっと、難しいのだ。

誰だって子供のころには、怖い虐めっ子から逃げ回ったり、特定の友達に頭が上がらなかったりするものだ。逆に、自分より気が弱かったり立場が弱かったりする友達を虐めることだってあるものだ。だがそれらの力関係が、大人になっても色濃く残っているなんて、そんなに頻繁にあることじゃない。少なくとも好子はそう思う。

好子は男の子を育てたことがない。子供は娘ばかりだ。しかし、増本君たちのような若い従業員の世話を焼いてきた経験なら豊富にある。小さな町工場の親父《おやじ》とおかみさんは、若い従業員たちの日頃の交友関係や金の出入りや女関係について、彼らの親よりも身近に見聞きする機会があるものなのだ。その経験則から判断する限り、高井和明が二十歳過ぎても栗橋浩美に逆らうことができなくて、次々と人殺しを重ねたなんて説は、たとえそれがどれほどもっともらしく、立派な評論家やキャスターやジャーナリストの口から出たものであっても、好子にとっては本当におハナシ、作り話にしか聞こえないのであった。

十一月五日以降、好子の入院していた病院には、警察の人も大勢来たし、マスコミも大挙して押しかけてきた。今でも好子は、十日に一度は外来で診察してもらうので、入院中に親しくなった婦長や看護婦たちが、仕事にならないとこぼすのを何度となく聞いた。それでもその一方で、みんななんとなく興奮し、日頃は縁のない世界の人びとと話をしたり、カメラやマイクを向けられることを楽しんでいるような風情《ふぜい》もあるのだった。実際、看護婦たちは好子などより、栗橋寿美子や高井和明についての情報を豊富に持ち合わせているわけで、話す材料なら山ほどあるのだ。

好子と同室だった患者たちのなかには、まだ同じ病室に入院している者もいる。外来に来たついでにと見舞いに寄ってみると、やっぱり彼女たちも興奮していた。病室が活気づいていた。

話によると、警察が興味を持っているのは、高井和明が栗橋寿美子とどんな話をして、彼がどんな態度だったかということだった。何月何日の何時頃に訪ねて来たかというのも問題だった。また、栗橋浩美自身はここに来たことがないか——寿美子が最初にかつぎ込まれたときは別として——ということも、しつこく確認していったらしい。

マスコミの興味の焦点も、最初のうちは警察と同じようなものだったが、患者のひとりがうっかりと、寿美子の起こした子供誘拐未遂事件のことを漏らしてしまってからは、俄然《がぜん》様子が変わってきた。実は、病院側からは、当院の管理不行届きの問題にもなるので、この子供誘拐未遂事件については外部に漏らしてくれるなという要請があったらしいのだが、やっぱり、こういうことは隠しておけるものではない。

寿美子の起こした事件など——しかも、実際にはそれほど大げさなものではなかったのだから——大騒ぎして取り上げなくても良さそうなものだと、好子は思う。本筋の大事件とは何にも関係ないのだから。だが現実はそういうふうにはいかなくて、寿美子の頭がおかしかったことが、そのまま栗橋浩美のやった大それたことの裏付けのようになってしまって、ワイドショウなど、これだけで一週間以上も騒いでいた。

ほんのちょっと前まで同室だった患者たちも、口々に好子の考えは甘いと言うのだ。好子の前のベッドにいた中学生の女の子は、賢くていい子だと思っていたのだが、心理学だかなんだかの難しい言葉を振り回して、ナントカは遺伝するとか、幼児期のナントカがカントカすると人は犯罪者になるとか、いろいろ言っていた。彼女の世話をしている母親が、誇らしそうな顔をしてその口上を聞いているのを、好子は憮然《ぶぜん》と見守った。

好子が聞いている限り、彼女たちの話題のなかでは事実と空想と作り話と噂《うわさ》がごっちゃまぜになっていた。腰骨を折ってベッドから動くことのできないおばあさんまで、トイレに行った帰りに高井和明とすれ違ったことがあると言い出すに及んで、好子はいささか哀《かな》しくなった。その時点ではまだ、好子の自宅には警察もマスコミも訪れてはいなかった。おっつけ誰かが行くよ、何を訊《き》かれたか教えてねと言われて、重い気持ちで帰宅した。

それから数日後、本当に刑事が二人やって来た。栗橋寿美子と同室だった患者を順番に当たっているらしかった。二人ともきちんと背広を着てネクタイを締め、ドタ靴なんかじゃない、履き良さそうな上等の革靴を履いていた。テレビの刑事ドラマはウソだと、好子は思った。

刑事たちの話し方は丁寧でわかりやすく、好子はあまり緊張せずに、知っていることをきちんと話すことができた。刑事たちは事前にいろいろ調べてきたのだろう、好子の言葉にいちいち驚いたりしなかったが、話が進み、退院の日にロビーで、三度目に高井和明を見かけたとき、彼が心ここにあらずという様子で、たいそう蒼《あお》い顔をしていたというくだりにさしかかると、つと目を厳しくした。

「本当に様子がヘンだったんですよ。まるで、何かに後ろから追っかけられていて、逃げようとしているみたいに見えました」

刑事たちは好子の話を手帳に書き留めた。きちんと書いてくれたようなので、好子は意を強くした。

「何があったんだかわかりません。それは栗橋寿美子さんにお聞きになればいいと思いますけど、刑事さんたちは寿美子さんには会ってるんですか」

ニュースでは、栗橋夫婦は家を出て所在がわからないと言っていた。しかし警察なら居所は知っているだろう。

年長の方の刑事が、寿美子からも事情を聞いていること、しかし、彼女は精神状態が良くなくて、証言があまりはっきりしないことなどを簡単に答えてくれた。好子は栗橋寿美子も気の毒なことだと胸が痛んだ。

二時間ほどで話は終わり、刑事たちは引き上げていった。以来、二度と来ないし連絡もない。好子は次第に後悔を感じるようになった。もっともっと言葉を強くして、しつこいくらいに訴えればよかった――高井和明は悪人には見えなかった、大きな丸い身体の、気の優しいお兄ちゃんだった、と。せっかくのチャンスだったのに、無駄にしてしまった。

ドタドタと足音がして、夫と増本君が茶の間の入口に顔をのぞかせた。

「今日はしまいだよ。おい、夕飯は何だ?」と夫が訊いた。

この人は、もう孫までいる歳《とし》だというのに依然として子供みたいなところがあり、毎晩のようにこう尋ねるのだ。今晩のおかずは何だ? 俺の好きなものかな?

好子が「粕汁《かすじる》ですよ」と答えると、夫は喜んで手と顔を洗いに洗面所へと行った。後に続こうとした増本君が、テレビをちらりと見て、好子に訊いた。

「おかみさん、これって、あの事件の特集ですか?」

「そうみたいだよ」好子は台所の方へと戻りながら肩越しに返事をした。「ごはん時に暗い話はイヤだから、チャンネル替えちゃっていいよ」

増本君は返事をせずに、突っ立ったまま興味深そうにテレビを観《み》ている。好子はおひたしを小鉢に盛ったり漬け物を切ったり、冷蔵庫からビールを出したり、こまごまと動き回っていた。

「おかみさん」増本君がテレビから目を離さずにまた呼んだ。「これ、ちょっとヘンですよ」

「ヘンて？　人殺しの話なんか嫌いだから、ほかの番組にしてちょうだいよ」

「いえ、いえ、そうじゃないんです」増本君は台所の方に近づいてきながら、「この報道番組は、ほかのとちょっと違いますよ」

「テレビでやることなんか、みんな同《おんな》じだわよう」

「違いますよ。だってこのキャスター、真犯人はほかにいるって言ってる」

増本君はパッとテレビを指さした。「ホラおかみさん、見てくださいよ」

好子はテレビの方に目を向けた。それと同時に、大写しになったキャスターが発言した。

「現在の警察の見解に、本当に間違いはないのでしょうか。見落としはないのでしょうか。我々HBSは独自の取材を重ね、そして、ある推論に到達しました」

一瞬、思い入れたっぷりの間があいて、そしてカメラが切り替わった。画面いっぱいに、大きな文字が躍る。

〝連続殺人事件の主犯は生きている〟

その夜の夕食は、食べた気がしなかった。一緒に食卓を囲んでも、好子はずっとテレビを観ていた。夫や増本君にただ機械的に給仕をしては、また画面に釘付《くぎづ》けになってしまう。

「テレビでこれと似たような特番をやってるときに、犯人から電話がかかってきたよなぁ。あれはどこのチャンネルだったっけ」

「確か、あれもＨＢＳでしたよ」

二人の会話がわずらわしい雑音に聞こえる。
1　一連の事件の裏には、今までまったく捜査線上にあがってきていない第三の人物が潜んでいる。この人物をＸと呼ぶ。
2　事件の真犯人は、このＸと栗橋浩美であり、主犯はＸである。
3　高井和明は、一連の犯行には一切荷担していないが、栗橋浩美と事件の関わりに気づいており、そのためにＸと栗橋に脅迫されていた可能性がある。
ＨＢＳの主張は、大きく分けてこの三つになる。それを裏付ける根拠として、

①　高井和明には、彼が積極的に事件に関わっていたことを示す物証が少ない。
②　犯人たちによって誘拐・殺害されたと思われる被害者たちのうち、身元が確定しており、かつ失踪《しっそう》日と場所を絞り込むことができるのは、以下の五名である。
・古川鞠子《ふるかわまりこ》
一九九六年六月八日　午前一時頃
東京都内
・日高千秋《ひだかちあき》
一九九六年九月二十三日　夕方？
東京都内新宿駅周辺
・木村庄司
一九九六年十一月三日　午後？
群馬県氷川高原もしくは湖畔地帯
・伊藤敦子《いとうあつこ》
一九九五年三月十五日　午後？
群馬県渋川市山中
・三宅《みやけ》みどり

一九九四年六月一日　午後？
東京都田無市

現在わかっている限りでは、いずれのケースでも、栗橋浩美にはアリバイが無い。無いということが確認されている。しかし高井和明は、アリバイが確認できていない──つまり、あるかもしれないが無いかもしれないという段階で留まっている。

③　高井和明の遺族は、彼が事件とは無関係であることを根強く主張している。

④　HBS独自の調査で浮かび上がった、同一犯人による未遂事件の被害者の証言によると、その際の二人組の犯人のうち、一人の歳格好・人相は、高井和明とはまったく異なった特徴を備えており、同一犯人とは考えられない。

こうして並べられた四つの根拠のうち、やはり衝撃的なのは③と④だろう。キャスターは、四項目の順を追って説明すると言うが、そうなると自然、③と④は番組の後半に登場することになる。視聴者を最後まで惹《ひ》きつけておこうというテクニックだろう。

栗橋浩美は犯人であっても、高井和明は犯人ではない。しかし犯人が二人組であることは、事件がまだ進行中である時に、HBSの特番にかかってきた犯人からの電話の声紋分析によってはっきりしている。そこで、第三の人物Xの存在が浮上する。そこまでは、好子にもスムーズに理解することができた。実際、好子は嬉《うれ》しくて仕方がなかった。そうだ、そのとおりだ、あの高井和明は犯人じゃない。あんなに気だての優しい青年が、残酷な人殺しなどするものか。

さてHBSは、なぜこの謎《なぞ》の人物Xが、栗橋を押さえて主犯の座にあるのか、それについても推論を展開する。普通に考えれば、栗橋の初台のマンションからはあれだけ大量の写真と被害者のものと思われる白骨化した遺体が出ているのだから、栗橋こそ主犯だという結論が出てきそうなものだ。だがしかし、HBSは、ここでも例の特番にかかってきた電話を引き合いに出す。

あのとき、コマーシャルで犯人のおしゃべりが中断される前の会話と、その直後の怒って電話を切ってしまうまでの声の持ち主は、声紋分析によって、栗橋浩美であるということが判明している。そうすると、そのあともう一度かけ直してきた方の電話の声は、Xの声だということが推定される。ちなみに、高井和明の場合は、彼の声を録音したものが残されていないため、声紋を比較鑑定することができず、ここでもひとつ大事な物証が落ちこぼれていた。

さてXによるものと思われる後半の通話からは、先ほど電話を切ってしまったことに対する遺憾の意と、HBSとの話を先に進めようとする意欲が感じられる。もしも栗橋が主犯であり、Ｘが彼に従うだけの従犯であるならば、こういう態度をとることは難しいだろう。栗橋の方は自発的に通話を打ち切っているのである。

さらにもうひとつ、従来は見落とされていた注目すべき事実がある。このＨＢＳの特番が放映された直後に、古川鞠子の祖父である有馬《ありま》義男《よしお》氏のところに、ボイスチェンジャーを使って、ある人物から電話がかかってきているのだ。この電話は録音がされていなかったために、通話内容については有馬氏の記憶に頼るしかないが、捜査本部でも、この電話は栗橋からかかってきたものだと、ほぼ断定している。

そして有馬氏が捜査本部に証言したところによると、このときこの電話の主すなわち栗橋浩美はたいへん怒っていた。ＨＢＳの電話を切ってしまったときと同じように怒っていたという。

有馬氏はＨＢＳの特番を観ていたので、事実経過を知っていた。また、これは非常に慧眼《けいがん》であるが、声紋云々《うんぬん》の事実が出てくる以前に、この時リアルタイムで既に、前の電話と後の電話が違う人物によってかけられているということを察知していた。当時はまだ、犯人複数説でさえ、仮説としては脆弱《ぜいじゃく》なものだと考えられていたことを鑑《かんが》みると、これは大変鋭い洞察だと言わねばならない。

そこで有馬氏は電話の相手に向かい、おまえたちは二人組ではないのか、おまえ一人で全部のことをやってのけているわけではないのだろう、むしろおまえは誰かに使われているだけではないのかというようなことを発言した。栗橋浩美と思われる人物は、すると、有馬氏を罵《ののし》って電話を切ってしまったという。

捜査本部では、この事実にほとんど着目していない。黙殺していると言ってもいい。なぜならば、栗橋浩美と高井和明の二人組が犯人であるという仮説に沿って動いている捜査活動の上では、この事実は非常に厄介なものになってくるからである。捜査本部が完成させようとしているジグソーパズルには、この断片はけっして収まることがない。

捜査本部は「栗橋主犯・高井従犯」説を組み上げようと躍起になっている。それなのに、有馬氏のこの小さなエピソードは、小さいながらも、この仮説を根底から覆《くつがえ》してしまうだけの力を持っている。これは、捜査本部にとっては存在してはならないパズルのピースなのである。

もしも捜査本部が描く想像図のとおりに、栗橋が主犯で高井が彼の言うなりに従うだけの腰巾着《こしぎんちゃく》であったならば、立腹した栗橋によって一旦《いったん》切られた電話は、その番組中ではかけ直されることはなかっただろう。また、百歩譲って、仮に〝共犯者〟高井和明がこのときだけは勇気を奮い起こし、ＨＢＳとの交渉を続けようと彼の独断で電話をかけたとしたら、その場合は栗橋だって黙っていなかったに違いない。

犯人たちは常に携帯電話を使用していた。その上で用心を重ね、通話する場所も移動している形跡がある。HBSや有馬義男氏を始めとする被害者の家族に電話をかけるとき、犯人たちが必ず二人一緒に揃《そろ》っていたかどうかもわからないし、極端な場合、被害者の家族への電話のうちには、どちらかが独断でかけていたものさえあったかもしれない。

だが、少なくともこのHBSの特番の際は、栗橋が怒って電話を切った後の共犯者の迅速な対応を見る限り、二人は同じ場所にいて、栗橋が電話をかける様子を、共犯者が見守っていたという可能性が非常に高い。そうなると、たとえばこの共犯者が高井和明で、彼が蛮勇を奮って電話をかけ直したのだとすると、栗橋浩美は、なぜそれを黙って見過ごしにしたのだろうかという疑問も出てくるのだ。

足立好子は食い入るようにテレビ画面を見つめ、キャスターが説明してゆく事柄の、一言半句も聞き落とさないようにと力んでいた。夫が少しばかり呆《あき》れたような顔をしているのも平気だった。なにしろあたしは高井和明に会っているのだ。話だってしているのだ。あの子は人殺しなんかする子じゃないって、ずっとずっと思っていたのだ。だけど警察もニュースもそんなふうには考えてくれなかった。ここへ来て、やっと味方が現れたのだ。好子は拳《こぶし》を握りしめていた。

「おかみさん、大丈夫ですか?」

増本君が心配そうにのぞきこむ。二時間の番組はちょうど前半が終わって、スポンサーの紹介が始まった。好子はふうとため息をつくと、台所へ立って茶をいれた。

「おまえ、あんまり熱くなるんじゃないよ」

夫が少しばかり怒ったような顔をした。

「人間なんて、外っ面《つら》を見ただけじゃ、なかなかわかるもんじゃねえ。ニコニコしてたって悪いヤツはいるんだ」

「そんなことぐらい、あたしだって百も承知ですよ」

コマーシャルが終わり、またキャスターが登場した。

「我々HBSは、いたずらにこの事件の新解釈を持ち出し、社会に不安をもたらすことを狙《ねら》って、このような主張を展開しているわけではありません」

捜査本部がすべてを栗橋・高井のせいにして、早々に事件簿を閉じようとしているのは、こういう残酷で被害者の多い事件の解決に手間取ると、いろいろな点で社会によくない影響を及ぼすからである。お騒がせでいたずら好きの模倣犯の登場も懸念《けねん》される。この手の犯人が法の網の目を逃れることができるという前例をつくれば、事件の残虐性《ざんぎゃく》に触発されて行動を起こす、模倣犯よりもさらに危険な本物の犯罪者の予備軍を刺激することにもなりかねない。

だから解決を急ぐ気持ちはわかる。わかるが、真実をなおざりにしてまで社会の平穏を優先することはできない。キャスターは勇ましくそう言い切って、おもむろにゲストを紹介した。

また評論家とか学者が出てくるものと思っていた好子は驚いた。キャスターの隣には、見たところ大学生のような青年が、少し緊張した面もちで座っている。彼一人だけだ。

青年はキャスターと挨拶《あいさつ》を交わした。初めまして、と言う声は、意外なほど落ち着いていた。

「こちらにお迎えしたゲストは、網川浩一《あみかわこういち》さんとおっしゃいます」キャスターはカメラに向かって言って、それから青年の方に振り返った。

「現在のお仕事は、学習塾の講師ということでしたね？」

「はい、そうです。小中学生を教えています」と、網川という青年は答えた。きちんと上着を着ているが、ネクタイは締めていない。シャツは清潔そうだ。髪は長めだが、きちんと櫛《くし》が通っている。顔立ちの整った、なかなか好感の持てる青年である。

「網川さんは、死亡した栗橋浩美と高井和明の同級生でいらっしゃいます」

眠そうな目をしていた好子の夫が、げえっというような不謹慎な声をあげた。

「同級生？　こいつ、よくテレビなんかに出てきやがったな」

「ちょっと！　黙っててよ」好子はテレビのボリュームをあげた。

「番組の前半でお送りしたＨＢＳの新しい見解は、実は、我々だけの見解ではありません。もちろん我々ＨＢＳも、一連の事件については取材を進めていましたが、今回、その途中経過としてこのような番組を視聴者の皆様にお届けすることになったきっかけは、網川さんから一通のお手紙をいただいたことでした」

画面に手紙が映し出される。横書きでびっしりと文章が連なっている。ナレーションの声がかぶさる。現在の警察の捜査活動方針には、僕は重大な疑問を感じます――

「網川さんは、先ほども申し上げましたとおり、生前の栗橋浩美・高井和明の二人をよくご存じでした」

「はい。二人とも幼なじみですし、つい最近まで付き合いがありました」網川ははきはきと答える。

そしてその網川としては、今の状況を、どうしても見過ごしにできなかったというのである。

「僕自身、友人として忍びないものがありましたが、それ以上に、高井君の遺族の苦しみを見ていると本当に気の毒で、このまま黙っていてはいけないという気持ちがどんどん強くなってきたんです」

足立好子は、テレビ映りの良いこの若者の顔を、食い入るように見つめた。真っ直《ます》ぐな眉《まゆ》の線。意志の強そうな口元。賢そうなまなざし。長年、有限会社足立印刷で働いてくれたたくさんの若者たちを観察してきた彼女のふたつの目に、網川浩一という この青年は、たいそう好ましく、誠実で頼りがいのある存在のように見える。いつぞやのあの——田川とかいう男のように、変な衝立《ついたて》の陰に隠れたりせず、堂々と出てきているところもすがすがしい。そういえば、結局のところ田川という男は、連続殺人事件には無関係だったようだけど、別のところで、小さな女の子を追い回すなどというイヤらしい事件を起こしていたのだった。

「高井君のお父さんは心労のあまりずっと入院したきりです。お母さんもこの数ヵ月、ほとんど外に出ることもままならず、隠れるように暮らしています」

網川青年はそう言うと、ちょっと言葉を切って口元を引き締め直した。

「でも、なかでもいちばん気の毒なのは高井君の妹さんです。彼女は、兄さんがあんなおぞましい事件に関わっているはずはないと、堅く信じています。実際、警察の方々に対しても、繰り返しそれを訴えているんです。高井君の家は蕎麦《そば》屋で、家族で仲良く営業していました。ですから、会社勤めをしているのと違って、家族の皆さんは高井君の生活のほとんどを知ることができる立場にあったんです。警察は、高井君が、店を閉めて家族が寝静まった後、こっそりと家を抜け出して事件を起こしていた、週に一度の定休日のときだけ事件に関わっていた——なんて説を立てていますが、そんなバカな話はないですよ。ちょっと冷静に考えてみてほしい。高井君は、三度の食事もきちんと家族と一緒にとっていたんです。生活ぶりに乱れたところなどまったくなかったと、妹さんは証言している。いったいどんな人間が、同居している家族にはまったく悟られることなく、まるでハンティングみたいに次々と、こんな手の込んだ人殺しを続けることができるというんです？」

網川青年はカメラに向かって訴える。

「予断を抜きにして、常識で考えてみて欲しい。それなのに、こんな当たり前の主張が、まったく聞き入れてもらえないんです。警察は頭から高井君を犯人と決めつけて、すっかり筋立てをつくってしまって、裏付けに使えそうな証拠ばかりを選んでいるわけですから、ご両親や妹さんの言っていることなど邪魔なだけなんです」

さすがに興奮したのか早口になってきた網川青年を制して、キャスターが割り込んだ。

「網川さん、今あなたは、高井和明さんとそのご遺族のことをお話しになっていますね。では、栗橋浩美さんとそのご遺族についてはどうお考えなのですか？」

網川青年はちょっとうつむいた。しきりとまばたきをする。が、次に目を上げたときには、また決然とした表情を浮かべていた。

「幼なじみとしては本当に辛《つら》いことですが、栗橋浩美については、僕も、彼が一連の事件の犯人であったことに間違いはないと考えています。ただし、彼には別の共犯者がいたんでしょう」

キャスターが、ＨＢＳの主張を書き並べたフリップを掲げてみせる。①から④までの項目を、もう一度順番に指し示す。

「栗橋浩美の共犯者は、高井和明ではなく、第三の人物Ｘであった」

キャスターにうなずいて、網川が口を開いた。「しかもそのＸこそが、事件のいわば主犯と呼べる中心的な存在である――そう考えれば、以前の特番のなかの〝かけなおされた電話〟という謎《なぞ》も、簡単に解けると思うんです。事件のすべてを計画し、お膳立《ぜんだ》てをした主犯は別にいる。栗橋は――こんな言い方をしてはいけないかもしれませんが、単なる〝使いっ走り〟的な存在に過ぎなかったんじゃないでしょうか。だからこそ、主犯が後から電話をかけなおしてきたんでしょうし、栗橋は栗橋で、番組が終わったあとで、有馬義男さんのところに八つ当たりみたいな電話をせずにはいられなかったんでしょう」

「しかしその場合に、高井和明さんは、何とも微妙な立場に置かれることになりますね」

キャスターはあくまでも冷静に続ける。しかし、「高井和明さん」という呼び方だけは、ぬかりなく強調している。

「先ほど網川さんは、高井さんのご家族は、彼の生活ぶりにおかしな点はなかったと主張しているとおっしゃいました。しかし、十一月四日から五日にかけての行動は、明らかにおかしいですよね。栗橋浩美に呼び出されて、わざわざ自分で車を運転し、氷川高原まで出かけている。そして彼と親密に何事か相談している様子を目撃されている」

「ええ、ですからそれは——」

急いで割り込もうとする網川を制して、キャスターは続けた。「事故の起こった十一月五日も、直前まで、高井さんは、栗橋浩美と行動を共にしているところを、複数の証人に目撃されています。その証言によると、栗橋浩美が少し精神的に不安定な様子で、高井さんは彼をかばって行動しているように見えたということです。網川さんは、これについてはどんなふうにお考えなんでしょう？　あるいは、網川さんだけでなく、高井さんのご遺族がどういう意見をお持ちになっているかということでも結構ですが」

足立好子は箸《はし》を置いて手を握りしめた。確かに、好子のような素人《しろうと》の目にも、十一月五日の高井和明の行動はおかしなものに見える。それに、四日から五日にかけて、夜はどこにいたのだろう？　今までの報道では、栗橋と高井は、二人して彼らのアジトに泊まっていたのだということになっている。五日に死体で発見された木村庄司も、おそらくはそのアジトに監禁されており、そこで殺害されたものであると。

網川青年は、呼吸を整えるように、わずかに間をおいた。それから、男にしては長いまつげを持ち上げて、ゆっくりとキャスターの方を見た。

「僕は、高井君は真犯人Xに脅迫されていたんじゃないかと思うんです」

キャスターが息を呑《の》んだような顔をして網川を見つめる。実際には、キャスターがこの爆弾発言を今初めて耳にしたなどというバカなことがあるわけはない。生放送だって、リハーサルも下準備もちゃんとやっているに決まっているのだから、この進行は予定どおりのものであるはずだ。それでも、キャスターが怖いくらいに真剣な顔をしているので、好子もちょっと鳥肌がたった。

「脅迫されていた」と、キャスターは思い入れたっぷりに繰り返した。

「はい。順を追って説明します。まずいちばん最初の段階として、まず、高井君が何かのきっかけで、栗橋浩美があの一連の事件の犯人であることに気づいてしまった——ということがあったんじゃないかと思うんです」

栗橋と高井は幼なじみであるだけではなく、大人になってからもごく近所に住んでいた。確かに栗橋は、初台のマンションで一応一人暮らしをしていることにはなっていたが、定職に就かずブラブラしている身の上だから、実家にはしょっちゅう出入りしていたようだ。これについては近所の証言もある。

また栗橋は、高井からかなり頻繁に金を借りていた。実質的には、借りるというよりは〝たかる〟と呼んだ方がふさわしいやり方だったようだ。高井は栗橋の図々しい態度に、特に逆らうこともなく従っていた。捜査当局の〝栗橋主犯・高井従犯〟説の根拠も、ひとつはここにある。

「警察は、二人がそういう形の——一種、親分と子分みたいな友達付き合いをしていたんだから、高井が栗橋に引きずられていてもおかしくない、という考え方をしています。でも、それならば、二人がそういうふうに友人関係を続けていたんだから、栗橋のやっていることについて、それまではまったく関わりを持っていなかった高井君が、何か察知するものがあって疑いを持つ——ということだって、充分にあり得ると思うんです」

「しかしですね、網川さん」キャスターがまた割り込む。「栗橋浩美がやっていたことは、たいへん凶悪な犯罪ですよ。そんな大それた事を、何も知らない友人に、そう簡単に察知されるような振る舞いをしますかね？　彼はけっしてバカではないですよ」

「栗橋は——」網川青年はちょっと言いよどみ、どこかが痛むかのように顔をしかめた。

「僕の知っている限りでは、確かに栗橋はとても頭が良かったです。でも、その反面、うぬぼれが強いというか……他人のことを頭からバカにしてかかるヘキがありました。このことは、彼が就職してたった三ヵ月足らずで辞めてしまった証券会社の同僚の人たちも、どこかのインタビューに答えて同じようなことを言っているのを聞きました」

　そういえば、足立好子もそんなことの書かれた週刊誌の記事を読んだ覚えがある。あれは、栗橋浩美の中学生時代の友人の証言だったろうか。

「栗橋は、特に高井君のことをバカにしていました。もうよく知られていることですが、高井君は子供のころ目が悪かったんです。視力には問題がないのに、左目がまったく機能していないという視覚障害で、そのせいで学校の勉強についていけずに、実際以上に頭が悪いと思われていました。中学二年か三年のときにそのことがわかって、回復訓練を受けて、以来、ぐんぐん成績も良くなったはずです。でも栗橋は、昔からの高井君のイメージをそのまま引きずっていたんです。高井君の気が優しいことにつけ込んで金をたかるなんてことは、そうでなくっちゃできませんよ」

キャスターが、うーんと唸《うな》る。

「こいつ、素人の言うことにやたらに感心しやがるな」夫が文句をつけるみたいに言った。ビール二本ですっかりご機嫌になっている。

「もうちょっとしっかりしてくれないと困るよ、なあ？」

好子は返事をしなかった。粕汁《かすじる》もすっかり冷めてしまった。

「そういう栗橋だから──」網川青年の声が、また興奮で高くなる。「何も知らない高井君の前で、世間を騒がせている殺人事件の話をわざわざ持ち出して、あれは自分がやっているんだぐらいのことをほのめかしたとしても、ちっとも不思議はないと、僕は思います。栗橋には、そういうところがありました。目立ちたがり屋で自信家でしたから、良いことでも悪いことでも、自分がやったことについて、黙っていることができないんです。でも、なにしろ今回はたいへん凶悪な殺人事件です。被害者も一人や二人じゃない。いくら栗橋だって、相手を選んでほのめかさないことにはまずいことになるってことぐらいは、ちゃんとわかっていたはずです」

「だから高井さんに――」

「ええ、そうです。高井君をバカにしていたから、こいつなら何も気づくはずがないとタカをくっていたから、安心して犯行についてほのめかしたということは、大いにあり得ると思います。でも、高井君は栗橋が思うほどバカじゃなかった。栗橋が何を言っているのか理解して、それがウソなのか本当なのか、疑う必要のあることなのかないことなのか、しっかり見分けたんだと思います」

そして栗橋浩美への疑いを深め、どうしたらよいかと煩悶《はんもん》する――

「しかし、それはあくまでも網川さんの想像ですよね？」

「確かに僕の推測です。でも、高井君の妹から、こんな話を聞いています」

キャスターが別のフリップを立てる。最初に右腕が発見された、大川公園の写真である。写真と一緒に、栗橋と高井の住んでいた練馬の町から大川公園に行くまでの路線図が載せてある。

「視聴者の皆様はすでにご存じのとおり、これは事件の発端となった大川公園です」

キャスターに促され、網川青年は後を受けて続けた。「十月の半ばころ、高井君の妹さんは、外出する兄さんの後を尾《つ》けたことがあるそうなんです」

「尾行したということですね？」

「はい、そうです。なぜそんなことをしたかと言うと、そのころ高井君が沈みがちで、何か悩んでいるように見えたからだというんですね。ただこのときは、妹さんは、彼に恋人ができて、つまり恋愛問題で苦しんでいるのじゃないかと考えたんだそうです。そこで定休日に兄さんが外出する後を尾けてみた。兄さんがデートに行くのじゃないかと思ったからです」

しかし、高井和明はデートに出かけたのではなかった。しかも行き先は大川公園だったのである。

「路線図を見てもよくわかりますが、大川公園は、練馬に住んでいる人間が用もないのにわざわざ電車に乗って出かけてゆくような場所にはありません。日比谷公園や新《しん》宿御苑《じゆくぎよえん》のようなデートスポットでもありません。妹さんはたいへん不審に思いましたが、公園に入ったところで兄さんを見失ってしまい、結局一人で家に帰ってしまったので、このとき高井君が何をしたのか、あるいは誰かと会ったのか、何もわかっていません。でも、このころ高井君が沈みがちで、悩んでいるように見えて、しかもわざわざ大川公園に出向いているという事実に変わりはありません。もしも彼が犯行に関わっていたのならば、こんな不用意なことをするわけがありません」

キャスターが、わずかに意地悪く笑いながら言った。「犯人は必ず現場に戻る——とも言いますよ」

網川は髪が乱れるほどに強くかぶりを振った。「この犯人はそんなにバカじゃない。警察側が、犯人は必ず現場に戻ってくるという経験則をもって捜査をするということを理解しています。たぶん、犯罪捜査についても詳しくて、流行の犯罪心理分析官《プロファイラー》関係の本だって、きっと読んでいるはずです。絶対に、無造作に現場を訪れたりはしませんよ。高井君は、犯人じゃないからこそ大川公園に行ったんです」

「何をしに？」

「考えに行ったんです、きっと」網川青年は断言した。「栗橋浩美がほのめかしたことをどう扱えばいいのか、彼が本当に一連の事件の犯人なのかどうか。あの時点では、大川公園だけが唯一《ゆいいつ》、事件に関係ある現場として公《おおやけ》に報道されていた場所でした。高井君はそこに立ってみたかったんですよ。そこで、栗橋浩美がここに切断された右腕を捨てに来たなんてことが本当にあったかどうか、じっくり考えてみたかったんです、きっと」

キャスターは、また思い入れたっぷりにしかめ面《つら》をした。それからおもむろに言った。

「そしてその結果、疑いを強めた」

「そうです。僕は彼のことをよく知ってる。知ってるから言いますけど、その場合、高井君は一人で警察に通報したりしません。絶対にしません。そんな思いやりのないことができるヤツじゃないんです。だから彼は、栗橋と話し合ったと思う。そして、もしも本当に殺人なんて恐ろしいことをやっているのなら、自分と一緒に警察に行こうと勧めたはずです。ところが、栗橋は一人じゃなかった。主犯は別にいた。その結果、思いやりが裏目に出て、高井君は、もしもこのことを他所《よそ》にばらしたら、おまえも家族も殺してやるとか——脅されることになってしまった。だから、目撃されている高井君の行動は、けっして自発的なものじゃない。脅されていたから、仕方なしに従っていただけなんです。それに彼は、栗橋が主犯に引きずり回されているだけだということも知っていた。だから栗橋に同情的で、殺人を重ねて精神的におかしくなりつつあった彼をかばうような行動をしていたんです」

網川青年が一連の主張を終えると、驚いたことに、キャスターは一冊の本を掲げた。

『もうひとつの殺人』というタイトルだ。著者は網川浩一である。キャスターが、今日の番組の主旨は、この網川の著書に沿って展開されたものであるということを説明する。

「なお我々HBSは今後も網川さんと協力態勢をとり、事件の真相解明に挑む方針を持っております」

「なんだよ、結局はてめえの本の宣伝か」と、夫がちゃちゃを入れた。しかし、足立好子はまったく別のことを考えていた。

――この網川って子に、会いに行こう。

## 16

武上悦郎《たけがみえつろう》は、約束の時刻に十分遅れた。〝建築家〟はホテルのラウンジの椅子《いす》に深々と沈み、熱心に本を読んでいた。

武上が小走りにロビーを横切って近づくと、〝建築家〟は本を閉じ、コミカルな感じに眼鏡をずらして、裸眼で武上の顔を見た。これは、読書のために老眼鏡を使うようになった証拠である。

「ガミさんが遅刻とは珍しいな」

「すまん、本を読んでいて乗り越した」

武上は斜向《はす》かいのソファに腰をおろした。よく見ると、〝建築家〟が読んでいたのは本ではなく、ブックレットのような薄いものだった。論文集か何かだろう。

「何を読んでたんだ？」

武上は古びた鞄《かばん》から一冊の本を取りだした。灰色の表紙に、『もうひとつの殺人』というタイトルが、きっちりとした活字で刻まれているだけのシンプルな装丁である。厚さは二センチほどだし、写真や図版が多いので、読むのに手間がかかる本でもない。

「読み終わったのか？」

「まだだが、あと少しだ。そのせいで乗り越したようなもんだ。申し訳ない」

「これなら、俺はもう読んだ」

発売は一昨日《おととい》のことである。その前日に、著者の網川浩一がＨＢＳの特別番組に生出演して話題をつくった。版元は大手でこそないが、ノンフィクション系のベストセラーを世に出すことの多い一流出版社だ。

「売れてるらしいな。この網川という若造、なかなか商売が上手《うま》い」

「仕掛け人がいるんじゃないのか」

「どうかな……」〝建築家〟は、カバーの袖《そで》に掲げられている網川の顔写真を見ながら首をかしげた。「ガミさんは、こいつの出たテレビの方は観《み》たのか？」

「あいにく観てないんだ。デスク班で録画してあるから、観ようと思えばいつでも観られるんだがね、内容的には本に書いてあることと一緒だというから」

「うん、それはそうだ。だが、生でしゃべっているこいつの顔を見ていると、なかなか興味深いものがあった」

武上は煙草《たばこ》を取り出した。「あんたはどう思う？　網川の主張する説――」

〝建築家〟はにやにやした。「まず自分がどう思うかを述べずに、先に質問をするとは、ガミさんにしちゃ弱気だな」

武上は煙草に火を点《つ》けながら、周囲をぐるりと見回した。このホテルは、武上が〝建築家〟と会うときに、いつも利用する約束の場所である。いつ来ても、これでよく潰《つぶ》れないものだと感心するほどに閑散としている。ロビーはひろびろとしており、椅子とテーブルが点在しているので、めったなことがない限り、隣のテーブルに客が居合わせるということもない。今日も、いつもながらに空《す》いていて、フロントのカウンターで従業員があくびを嚙《か》み殺しているだけである。

「実は、捜査本部のなかでも、事件に対する高井和明の関わり方については意見が割れているんだ」

「そうだろうな。割れて当たり前だ」〝建築家〟は首を振る。「なにしろ物証が少ない」

「だからこそアジト探しが重要になってくるわけなんだが……」武上はうなじをこすった。

「それについては、今のところ、目ぼしい手がかりは皆無という状態だからな。若手のなかには、実は特定のアジトなんかはなくて、犯行のたびに、犯行現場の近くの手頃な廃屋だの、夜間は人のいなくなる工場や学校なんかを適当に探して使ってたんじゃないかなんて説を持ち出してくる連中まで出てきた」

「アジトはあるよ」〝建築家〟はきっぱりと言った。「一ヵ所だけ。特定の場所だ。今の捜査本部のアジト探しの方針も間違ってはいない」

武上は目をあげて〝建築家〟を見た。相手はブックレットを上着のポケットにしまいこみ、傍らに置いていた薄い鞄のなかから、レポート用紙をホチキスで綴《と》じたものを取り出した。

「今現在の、俺の意見をまとめてみた」と、それを武上に差し出す。「もっとも、大したことは書いちゃいない。口で説明しても十分ぐらいで済むよ。その書類は、あんたがわざわざメモをとらないで済むように用意しただけのもんだ」

「ありがとう」武上はそれを膝《ひざ》の上に載せ、最初のページを開いた。〝建築家〟の几《き》帳面《ちょうめん》な字が並んでいる。

「最初に言い訳をするようで申し訳ないが、ガミさん、今回のこの件は、正直言って俺には難しすぎる。なにしろ、建物の全体像どころか、ある一室の間取りさえわからないんだからな」

「ああ、それはわかっている」

〝建築家〟が推論の材料として使うことのできるものと言ったら、栗橋浩美のコレクションしていた写真に写っていた断片的な映像だけなのだ。壁の一部、柱の一部、天井の一部。床の一部。

「それでもいくつか俺なりに――そうだな、七十パーセントぐらいの確信を持って推論できる事柄があることはある。だから、それについて話す。ああ、それから――」

と、ちょっと苦笑して、

「俺には犯人は特定できない。ただ、複数犯の仕業だということは俺自身が確信しているから、犯人たちのことは〝彼ら〟と呼ばせてもらう」

〝建築家〟は座り直すと、前屈《まえかが》みになって膝の上に肘《ひじ》をつき、両手の指をあわせた。

「まず第一に、一連の写真の撮影に使われた場所——つまり彼らのアジトは、一般の住宅じゃない。共同住宅でもなく、一戸建てだ。造りは二階建て以上で、家の内部に必ず階段があり、その階段の上部には吹き抜けがある可能性が非常に高い」

武上は手元のレポートに目を落としながらうなずいた。

「まず、一般住宅や共同住宅ではないという推論の根拠から行こう。これは簡単だ。部屋の天井が高いんだよ」

〝建築家〟は右手の人差し指をあげ、つとホテルの天井を指さした。それから、その指を振りながら続けた。

「被害者たちが、椅子に座らされたり、椅子の足に手錠でつながれたりしている写真があるだろう？　何枚もある。それを全部並べて、何脚あるか数えてみた。二脚だ。つまりこの椅子は、彼らが被害者を監禁している部屋に、常に置いてあったんだろう。一脚は木枠に布張りの背もたれがついている。もう一脚はスツールだが、座る部分がエンドウマメみたいな変わった形になっている。スツールの方はほとんど脚しか写っていないんだが、一枚だけ、ちらりと座部の縁の部分が見える写真があるんでね」

レポートのなかに、そのふたつの椅子の簡単なスケッチが描いてある。推定されるその寸法も添えてある。

「その推定寸法は、一般的な椅子の寸法と、写真に写っていた被害者たちの身長から割り出される問題の椅子の高さや幅とを比べてはじき出したものだ。で、これを基準に、椅子が写っている写真一枚一枚が、どの角度・どの高さにカメラをセットして撮影されたものかを、コンピュータにデータをぶちこんでシミュレーションしてみると——」

〝建築家〟は手をのばし、武上の膝の上のレポートをめくった。

「椅子が写っている写真は全部で五十八枚。さて、この部屋が、標準的な——つまり建築基準法の範囲内で設計された天井高の部屋であると仮定するならば、この五十八枚のうち、最低でも二十二枚には、天井の一部が写り込んでいなければならないんだ。ところが実際には、五十八枚のうちたった九枚にしか天井が写っていない。そしてその九枚は、ほとんど床の上にカメラを置いて、そこから天井の方を仰ぐようにして撮ったものなんだな」

武上はうなずいた。だいたいどんな写真なのかは記憶にある。被害者を四《よ》つん這《ば》いにさせて、下からその顔を撮ったものだった。

「従って当該の部屋は、一般的な基準を超えた贅沢《ぜいたく》な天井高を持っているということになる。これは分譲住宅ではまずあり得ない。マンションなんかじゃ絶対にない。そこで、この家は個人の一戸建て注文住宅であるという、第一のフラグが立つことになるわけだ」

さらに——と、〝建築家〟は次のページをめくるように促す。武上はそれに従う。

「この一戸建て注文住宅は、冬場の外気温が氷点下まで下がり、降雪の可能性も高い土地に建てられていると思われる。なぜかと言えば、まず窓ガラスだ。問題の部屋の窓枠や窓ガラスが、ほんの少しでも写り込んでいる写真は、全部で六十三枚あった。そのうち、窓枠とガラスが一緒に写り込んでいるものは四十七枚。レンズで拡大してチェックすると、かつて二重サッシ仕様だった窓枠を、改造して普通の一重サッシにした形跡が認められる。その改造時期は、そう昔のことじゃない。せいぜい四、五年前だろう。おそらく手入れや掃除が大変なんで、変えてしまったんだろうな。その代わり、使われている窓ガラスは遮音《しゃおん》・防湿性に優れ、気密性の高いものだ。そして、おそらくはこの窓の改造と時期を同じくして、それまで問題の室内の壁面に取り付けられていたと思われるパネルヒーターが撤去されている。ほんのわずかだが、壁紙にその痕跡《こんせき》が認められるんだ。手間を惜しんだのか金をケチッたのか、パネルヒーターを取り去った後の壁紙を張り替えてないんだな」

〝建築家〟は、鼻にしわを寄せて今にもくしゃみをしそうな顔をした。これこそが、彼の〝俺は不機嫌だ〟という表情である。

「犯人たち――彼らによる連続殺人の、第一の被害者は誰か」

「それはまだ判明していない」と、武上は言った。「初台の写真コレクションのなかの、身元不明の誰かかもしれないし、まだほかにいるのかもしれない」

〝建築家〟はうなずく。「現時点でわかっているのは、最後の被害者は木村庄司だということだけだもんな」

「ああ、そうだ」

「俺は、この建物の居室の改造時期と、殺人の始まった時期とは、ほとんど同じじゃないかと思う。もちろん、微妙な前後差はあるだろう。最初の殺人は場当たり的にやっつけて、それが面白かったもんだから、被害者を監禁していたぶるための場所が欲しくなって、この部屋をそれに充《あ》てることになったのかもしれないし、あるいは、犯人たちは芯《しん》から悪魔的な連中で、最初《はな》からこの建物のこの部屋を準備しておいて、おもむろに人間狩りを始めたのかもしれない」

〝建築家〟は、自分の口にしている言葉にたまらなく嫌な味がするとでもいうように、顔を歪《ゆが》めた。

「しかし、一連の連続殺人の非常に初期の時代から、この部屋が使われていたと見て間違いはない。連続して使われているからには、借り物じゃないだろう。内装替えには手間と金がかかる。借り物の家では、勝手に内部をいじくることはできない。従って、この家は誰か特定の個人の持ち物だという推論ができる。これが第二のフラグだ」

武上が何か言う前に、〝建築家〟は急いで言葉を継いだ。

「ところで、写真を細かく検分してみると、面白いことがわかった。壁紙の一部が黴《か》びていたり、床板がはずれていたり、長いこと使われていない照明用のソケットが天井に放置されていたりするんだ。これは何を意味するか？　可能性は二つだ。ひとつは、この家が、日常的に人間が住み着いている家ではないという場合。もうひとつは、日常的に住み着いている人間がいても、その人数が少なく、部屋数の方がずっと多く、従って家の手入れが行き届かないという場合」

「別荘か……はたまた、大きな広い家に住む独り者、か」

「そうなるな。しかし俺としては、別荘の可能性が高いと思う。それに、昨今は別荘地に定住している人間だって珍しくはないよ」

「氷川高原の別荘地帯は、あんたの言う寒冷地仕様の建物がゴロゴロしているところだな。新興の避暑地だから」

「一月二月は氷点下まで下がる。ただし雪は多くない。パネルヒーターや床暖房のない室内に、一晩や二晩被害者を押し込めておいたところで、それだけで凍死するほどの寒冷地ではない」

武上はホテルの高い天井を見上げた。煤《すす》けている。流行《はや》っていない証拠だ。犯人たちが使っていたこの部屋のある建物も、全体としてそう美麗なものではなさそうな気がする。しかし個人の持ち物であることに疑いを挟む余地は少なそうだ。

「建てられてからどれくらい経《た》っていると思う？」

「推測する根拠は床板の傷や摩耗の具合しかない。だから、床板が張り替えられていれば計算が違ってくる。でも、日常的に住み着いていない家や、住んでいても使っていない部屋の床を好んで張り替える持ち主は、そうそういない。だから、床板は張り替えられていないという前提で考えるとして、最低で築十年から十五年というのが妥当な線だ」

「二人の犯人のうちのどちらかが、中古の別荘を買ったのかもしれないな」

「それはあり得る。だが、俺としては遺産相続や贈与の線の方が強いと思う。この建物は安物じゃない。天井高もそうだし、床や柱の様子からして、建てるときには相当の金をかけていると思う。俺としちゃ、土台部分を知ることができないのが残念でたまらないよ」

〝建築家〟は本当に悔しそうに首を振った。

「だが、犯人はそれほどの年輩者じゃないだろう。声紋だけじゃ年齢はわからないが、しゃべり方から推すと、どう考えたって二十歳代だ。うんと譲歩しても三十の半ばまでだろう？」

「ああ、それは俺もそう思う」

「そんな若造が、中古とは言えこれだけの物件を自力で買う――いや、買うことのできるケースだってあるだろう、タレントとか、一発ベストセラーを当てた作家とか、いわゆる青年実業家とかさ。だが、持ち主がそういう属性の人間だったら、本業の方に忙しくって、こんな酔狂な連続誘拐殺人なんざやってられないよ」

犯人はヒマを持て余している――定職に就かず、時間が自由になる人間だというのは、事件が始まった当初からの捜査本部の見解である。武上は同意した。

「そうすると、金持ちの息子とか、孫とか、とにかく金とヒマのあるロクでなしの若造の姿が浮かんでくるよ。もっとも、本人は今現在、それほどの金持ちじゃないかもしれない。しかし、それでもこの家は維持していけるし、働いているとしても、馬車馬のように励んでローンを返してる可能性は薄い」

武上はレポートのページを繰った。「階段と吹き抜けの件は?」

「これは写真からの分析というよりも、参考として一緒にもらった、日高千秋の検死報告書からわかることなんだ。彼女は窒息死だ。絞め殺されていた。犯人は素手で絞めてはいない。ロープを使ってる」

「ああ、そうだ。犯人たちは、文字通り彼女を吊してる。絞首刑《こうしゆけい》のように」

「だろう? しかし、絞首台なんてものはどこにでもあるもんじゃない。犯人たちはたぶん、彼女の首にロープを掛けて、どこか高いところから突き落としたんだ」

「一般の住宅で人を吊《つる》そうと思ったら、それがいちばん簡単なやり方だし、そんなことができる場所といったら階段しかない。しかし階段の上部が普通の高さの天井だったら、そもそも、人間の体重を――しかも、絶命するまでは苦しがって暴れるに違いないんだから――しっかりと支えることができるくらいに頑丈なフックを取り付けること自体が難しい。だが、梁《はり》があれば話は別だ。梁にロープを巻きつければいい。そして、階段部分の天井に梁が見えているなんて構造は、そこに吹き抜けでもない限り、ちょっと考えにくい。あるいは階段の上部に天窓があって、そこからロープを垂らしたのかもしれないが、そうやって吊した場合には、ぶら下げられたときに日高千秋の身体《からだ》が壁にぶつかってしまうんで、彼女の身体のあちこちに、きっと打撲や擦過傷が残るはずなんだ。だが、検死報告書にはそんな記録はなかった」

「その階段、地下室へ降りる階段だという線はないか?」

「あるな。階段の上部に梁があるという条件から考えれば、その可能性も高いかもしれない。しかし、それはこの建物の立地条件によるよ。それに、被害者が監禁されている部屋には、普通の腰高窓がある。そこから太陽光も差し込んでいる。ということは、この部屋は地下ではないということだ。さらに、シェイドやカーテンをおろさずに被害者の写真を撮っているところをみると、万にひとつも、窓の外を誰かが通りかかって、ひょいと室内をのぞきこまれてしまう――なんて危険がない位置に、この部屋はあるんだろう。だとすると、やっぱり二階以上の高さにあるんじゃないか。まあ、庭が広いとか、周囲に人家がないという場合もあるだろうがな。それに、誰かを監禁する場合、状況が許す範囲内で、できるだけ逃げ出しにくい部屋を選ぶのが、犯人の側の自然の心理だ。一階よりは二階、二階よりは三階というふうにならないか?」

「確かに」

「な? それじゃ二階が監禁部屋だとしよう。するとだな、日高千秋を吊して処刑しようとした犯人たちは、一階と地下を繋《つな》ぐ階段を使うよりも、二階と一階を繋ぐ階段を使う方が、これも心理としては自然じゃないかね？　だから、地下室の存在については、これだけの材料からは何とも言えないな。ガミさんには、地下室にこだわる理由があるのかい？」

武上はかぶりを振った。「特に理由があるわけじゃない。ただなんとなく……だな。イメージというか、まあ思いつきだよ。気にしないでくれ」

「そういうイメージは、結構大切なものなんだ」〝建築家〟は言って、片手で目をこすった。「俺はこのところ、ずっと問題の写真の山とにらめっこをしていた。もちろん、俺の目的は部屋と建物の解析なんだから、被写体になっている被害者の像は、極力気にしないようにしてきたよ。だが、それだって目には入る。夜、寝床に入って目をつぶると、被害者たちの顔がまぶたの裏にちらちらする」

そう言われてみれば、〝建築家〟の目の下がうっすらと黒くなっている。

「何度も言うように、このケースは分析の対象になる材料が少なすぎる。だから俺は大したことはできない。だがな、やっぱりずっとにらめっこをしていると、あるイメージが湧《わ》いてくるんだよ」

なあガミさん――と、〝建築家〟は低い声で呟《つぶや》いた。「写真に撮られた女性たちは、もう生きてはいないだろうな」

武上は黙っていた。今さら言葉にするまでもない。被写体となった失踪《しっそう》女性たちの遺族の心情を考えて、誰も大声を出さないだけのことだ。

「七人も——遺体は、どこに隠されているんだろう」

「どこだと思う？」武上は座り直した。「あんたには何か考えがあるかい？」

間髪を入れず、〝建築家〟は答えた。

「この家のなかだよ、ガミさん」

「——なぜそう思う」

「だからイメージだ」〝建築家〟は言って、また目をこすった。「この家は——俺にはね、〝舞台〟みたいに見える」

「舞台？」

「うん。ガミさんは洋モノの芝居なんか観《み》ないよな？」

「洋モノも和モノも、そもそも観劇には縁がないよ。中学校の時に歌舞伎《かぶき》座《ざ》見学に連れて行かれたきりだ。しかもそのときはずっと居眠りしていた」

だろうなあ、と言って〝建築家〟はちょっと笑った。

「俺はわりと芝居が好きなんだ。特に洋モノのミステリー劇なんかよく観る。筋立ても面白いが、セットがいいからね」

「なんだ、結局建物を観るわけじゃないか」

「まあ、そうなんだけどさ。向こうで当たった芝居ってのは、たいていの場合、セットも良くできてるんだ。ミステリー劇は室内劇が多いからね」

ちょっと首をかしげて宙をにらみ、〝建築家〟は続けた。「ああいう芝居のなかじゃ、家というものは、そのまんま、秘密を隠すための箱なんだ。それも一年や二年じゃない、何十年も何百年もの永い年月にわたって、いくつもの秘密をしまっておくための箱だ。海の向こうの劇作家ってのは、そのへんのことをちゃんと承知してるんだよな。やっぱり歴史の差がある」

日本人は木と竹と紙で家を建て、たいていは一代限りで建て替える。持ち主よりも、家の方が長生きするなどということはほとんどない。ところが欧米では、石やレンガで家を建てるので、そこに住む者たちよりも、家そのものの寿命の方が遥《はる》かに永くなる。家は何代にもわたる住人の歴史の目撃者となり、密《ひそ》かなる愛憎を知り、事件を呑《の》み込み、外部の誰にも気取られることのないよう、それを秘匿《ひとく》し続ける。

「ただ、隠すばっかりじゃ、そこに住んでる住人は、社会生活なんて全然できやしない。だからさ、家という箱のなかに、表向きに見せてもいい部分というのをこしらえるわけだ。それが舞台だよ」

だから、家の住人は、そこに出ていったときだけは登場人物になる。ストーリーもそこで進行する。

「俺は、栗橋浩美の撮っていたこの写真の束を眺めているうちにね、なんかこう……舞台劇を観ているような気がしてきたんだよ。上手《うま》く言えないが……この被写体の女性たちね、彼女たちは、この監禁用の部屋に入れられた瞬間から、一種の登場人物にされてしまったんじゃないかとね。で、彼女たちをいたぶって、盛んに写真を撮ってる犯人も、やっぱり登場人物なのさ。話を進行させるために、こういう酷《ひど》いことをする犯人を演じている」

「それはどうかな。俺には、この写真を持ってた栗橋浩美が、そもそもこういう行為を楽しんでいなかったとは思えないが」

〝建築家〟は急いで言った。「ああ、そりゃもちろんだ。栗橋浩美は楽しんでいたろうよ。あいつはこういうことがやりたかったんだ。やりたくてたまらなかったことを実現してるわけだから、そりゃもう面白くって楽しくってこたえられなかったろうな。言い換えるなら、栗橋浩美は、てめえが登場人物の一人として配置されただけだなんてことには、これっぱかしも気づいていなかったってことだよ」

武上は腕を組むと、ソファの背にもたれた。自然と、唸《うな》るようなため息が出た。

「つまりあんたもやっぱり、栗橋は主犯じゃなく、もう一人の人物が勧進元で、栗橋はそいつに使われていただけだと言いたいのかね？」

〝建築家〟は、目盛りを読むように目を細めて武上の横顔を見た。そして言った。

「ああ、そう思う。栗橋は主犯じゃなくて、たぶん〝主役〟なんだ。だから、舞台の上じゃいちばん目立つさ。だけどな、芝居を動かすいちばん偉い存在は、実は舞台の上にはいない。劇作家も演出家も、自分で舞台にあがって演じたりはしない」

芝居ってのは、観客に見せるために創《つく》られるものだ——と、〝建築家〟は続けた。

「そしてこの場合、いちばん外枠の、いちばんマクロの観客は俺たちだよ。一般大衆とマスコミだ。このことは、〝主役〟の栗橋浩美も承知していたろう。だから彼の振る舞いは挑発的で、発言には愉快犯的な色合いが濃い。当然だ、彼は演じてるんだから」

「好んで、進んで、その役をな」と、武上は言った。「強制されたわけじゃない」

「そうだな。でも……果たして本当に栗橋浩美が〝進んで〟殺人に手を染めたのかどうかも、実は怪しいもんだと俺は思う。いや、そんな顔をしないで、まあ聞いてくれよ」

〝建築家〟は、武上が口を尖《とが》らせたのを素早く見て取ると、手をひらひらさせた。

「俺はね、誰だか知らないがこの舞台を仕組んだ主犯のヤツの最初の観客は、ほかでもない栗橋浩美だったんじゃないかと思う」

「だけど彼は主役なんだろう？」

「ああ、主役さ。だからねガミさん、この主犯であり劇作家兼演出家である野郎は、いちばん最初に、栗橋浩美という人間のために、栗橋浩美がいちばん演じたがっている役柄と、その役柄が動き回るにふさわしい筋書きを書いてやったんだよ。な？　栗橋は喜んで主役をやるさ。そして、主役をやってる自分自身を観るんだ。この写真はたぶん、そのためのものだよ。栗橋浩美は、自分自身が、こういう残酷なことをする犯罪者の役を演じている様を、後から見物するために写真を撮ったんだ。ややこしいような感じはするけど、べつに何も難しい考え方じゃない。素人《しろうと》芝居なんかみんなそうじゃないか。最初の観客は、ほかの誰でもない自分自身だ。この事件はきっと、そういうふうにできてるんだよ」

被害者たちも同じ立場さ――と、〝建築家〟は辛《つら》そうに言った。

「不運にも選ばれて、栗橋主演の舞台に参加させられてしまった共演者であり、観客なのさ。だから彼女たちは被害者の役を演じさせられつつ、そこで行われている犯罪劇を同時進行で見物している。そしてこの芝居は実にウケが良かった。栗橋浩美は大いに楽しんだし、被害者たちの恐怖は本物だった。だから劇作家兼演出家は考えた——そろそろ、もっと広い場所へ出ていって公演してもいい頃合いだと。いよいよ本当の意味でのマクロの観客を相手にしてもいいだろうと。劇団のラボ公演が成功したんで、本公演に昇格するのと同じ仕組みさ」

そして栗橋浩美は演じ続ける。さらに大勢の観客に向かって。演じながら、そういう自分を見物し続ける。

「一連の事件はね、ガミさん。大がかりな芝居だよ。主犯は筋書きを書いてる奴《やつ》だ。栗橋じゃない」

「あいつにはそんな頭はない……」

「というより」〝建築家〟は強くかぶりを振った。「なあガミさん、事故死する直前に目撃された栗橋浩美は、ひどく様子がヘンだったそうだな。それについては、捜査本部でも確認してるんだろ?」

ガソリンスタンドで若いカップルに接触しようとしたときのヒステリックな様子や、よろめいている栗橋浩美を高井和明が支えて車に乗せてやる様子など、証言は多く集まっている。

「それだよ。それこそが、栗橋が自分ではほとんど何も考えていない役者に過ぎないという証拠だと思うんだ」

「演じきれなくなってきたってことか？」

「いや、栗橋は、自分の演じてる殺人者の役柄に、言ってみりゃ自家中毒を起こしちまったんだよ。役者ってのはいろんな役柄を演じる。真面目《まじめ》な石部金吉が女たらしを演じることもあれば、気が優しくて虫も殺せないお人好《ひとよ》しが連続殺人犯を演じることもある。ある役柄を演じているときには、その役柄になりきる。だけどね、それはどんなに熱を入れて演じても、芝居が終われば終わることだし、実際に人を殺したり女を騙《だま》したりするわけじゃあない。相手も役者だ。現実にはないことを現実化するために、共同作業をしているだけだ」

しかし、栗橋浩美の場合は違った。

「奴は本当に人殺しをした。被害者は死ぬ役を演じさせられていただけでなく、本当に死んだんだ。だから、栗橋が演じた筋書きの通り道は、死屍累々《ししるいるい》だ。奴の鼻にだってその死臭がにおったはずだ。手には被害者の血と脂《あぶら》がねばねばとくっついているのが感じられたはずだ」

〝建築家〟は、自分の両手を目の前にかざして見せた。

「栗橋浩美が自分の衝動に従って誘拐や殺人を繰り返していたのだとしても、やっぱり同じような自家中毒症状が出てきたと思う。だがな、その場合は〝出方〟が違っていたんじゃないかな。ヘマをやり、ポカをやり、証拠を残して逮捕されたり、監禁している被害者に逃げ出されたり、誘拐現場で誰かに顔を目撃されたりな。だが、栗橋はそういう類《たぐい》の不始末はまだしでかしていなかった。あれほど心理的に不安定になっていたにもかかわらず、ドジは踏んでいなかった。どうしてかと言えば、第三者の書いた筋書きに乗って動いていただけで、自分の衝動や感情で動いていたわけじゃなかったからさ」

武上は顔をしかめた。少し頭が痛くなってきた。「栗橋は――もう主役を降りたくなっていたんだろうか」

「降りたくはなかったろう。なにしろ面白いし、彼にとっちゃハマリ役だ。だが、まっとうな人間としての精神がついてこなくなっていたと言ったらいいかな」

〝建築家〟は言って、両手でまた目をこすった。

「話が遠回りになっちまったけど、ガミさん、これが俺の意見だ。この部屋のあるこの家は、犯人たちにとっては、単なるアジト以上の意味のある場所だ。舞台だ。そして舞台には舞台裏があり、役者はみんな――自分の出番が終わった出演者もみんな――そこに控えているものだ」

「だから？」武上は問うて、先回りして自分で言った。「あんたは、殺害された被害者の遺体は、みんなこの家のなかに隠されているというんだな？」

〝建築家〟は大きくうなずいた。

「庭か、ガミさんの言うように地下室かもしれない。あるいは屋根裏かもしれないし、特大の冷凍庫があるのかもしれない。いずれにしろ、外には出していない。みんなここに残してある。だからここを見つければ、舞台を見つけさえすればいい。そうすれば、仕掛けは自《おの》ずとわかる」

「もしもあんたの言うとおりなら」武上は大きく息を吸い込んだ。「劇作家兼演出家も、その舞台にいるはずだな？」

「いるさ。そこが彼の場所だ。ホームグラウンドだ」

写真の上に焼きつけられた被害者たちの姿が、武上の目の裏に蘇《よみがえ》った。あんなことが行われていた場所。そこがホーム。そこが舞台。そこが——「つまりそいつは——真犯人であり筋書きを書いて演出した野郎は、高井和明ではないというのが、あんたの意見だな？」

〝建築家〟は悲しそうに口の端を下げた。

「そうだ。その点では、俺は『もうひとつの殺人』を書いた網川という若造とまったく同意見だよ。こんなことができるのは、気が優しくて力持ち、だけど世間知らずの蕎麦《そば》屋の兄ちゃんなんかじゃない。絶対に違う。この劇作家兼演出家の真犯人にとっては、高井和明なんて、舞台に迷い込んできて面白い効果をあげてくれた客演の役者にしか過ぎなかったろうと、俺は思うね」

武上は、〝建築家〟の言うような舞台劇を想像してみようとした。連続殺人という大がかりな見世物。観客は全国民。たしかに、みんな固唾《かたず》を呑んでこの事件の進行を見守ってきた。被害者もまた登場人物——ちょうど手品師が、観客席のなかから人を選んで舞台にあがらせ、自分の手伝いをさせるように、犯人は彼女たちを選んで、ふさわしい役割を演じさせた。

そうなると、被害者たちの遺族も、必然的に脇役《わきやく》として登場せざるを得なくなる。彼らの哀《かな》しみ、怒り、嘆きはそのまま、この舞台劇の通奏低音のひとつとなる。犯人である演出家が特に気に入った遺族は、時には独りで歌ったり演じたりするパートを与えられる。それがたとえば、有馬義男——

武上は目をあげた。「きっかけは何だったんだろうか」

「きっかけ？」

「ああ。犯人が——演出家がこんな芝居を始めようとしたきっかけさ。動機と言い換えてもいい。何のモチベーションもなしに始められることじゃないだろう?」

〝建築家〟はなぜか目をそらした。武上の気のせいでなければ、それはたぶん〝建築家〟が、彼自身の頭のなかにすっと浮かんできた解答を口に出すことをためらっているからだった。

「犯人は人殺しをしたいんじゃない」武上はゆっくりと繰り返した。「あんたの意見に拠《よ》れば、奴はただイベントを起こしてるだけだ。言ってみりゃ創作だ。じゃあ、その動機はなんだ?」

〝建築家〟は、テーブルの方に目を据えたまま答えた。「ガミさん、創作活動に動機は要らないよ。作家に訊《き》いてみろ。画家に訊いてみろ。どうしてそんなことをするんだと訊かれたら、連中はたぶん、みんな同じようなことを答えるはずだよ」

ただ、そうしたいからだ——と。

沈黙が落ちた。もともと閑古鳥の啼《な》いているホテルのロビーなのに、妙に目立つ沈黙だった。フロントで退屈そうにしている従業員が、ちらっと武上たちの方を気にした。意味のある沈黙の波が、彼のいるところまで届いたのかもしれなかった。

「だとしたら、恐ろしいことになる」

武上の低い呟《つぶや》きに、〝建築家〟は黙ってうなずいた。

「こいつがただ、創作家の情熱にかられて殺人劇を演出しているだけならば、罪の意識なんかこれっぱかしも感じてないだろう。それだけドジを踏む可能性が少なくなる。絶望的なくらいに少なくなる」

犯罪捜査とは、犯人のおかした間違いを探す作業だと、武上は考えている。犯罪は難しい。この世でもっとも困難な仕事のひとつだ。どれほど頭の良い犯罪者でも、ひとつのミスもしないでクリアできるものではない。完全犯罪などあり得ない。そして犯人を追う警察側にとっては、彼ら彼女らのおかしたミスのひとつひとつが道標になり、足場に打ち込まれたハーケンになり、タイヤのスキッドマークになるのだ。

それならば、犯罪者はなぜそんな、我が身を危うくするミスをするのか? 良心の咎《とが》めを感じて手元が狂う場合もある。〝建築家〟の言ったように、自身のおかした犯罪に自家中毒症状を起こして自滅する場合もある。昨今増えている、〝良心〟などという概念をそもそも持ち合わせていないような衝動的な犯罪者の場合はもっと極端で、連中には道徳や倫理観はなくとも、自分のやったことは非日常的な事柄であるという意識だけはあるので――善悪には関わりなく、とにかく日常生活とは異質な事柄であるということは本能的に理解しているので――かえって自分のやったことの痕跡《こんせき》を隠したりごまかしたりすることに対してエネルギーを注ぐことができず、あれはなんか異次元の出来事みたいなもんだったというようなぞんざいな感性で行動する。その結果、常識を物差しに追う側にとっては、大きな手がかりとなるものを残してくれることが多い。

いずれにしろ、既存のそれらの犯罪者像は皆、〝建築家〟が提示している今度の真犯人像とは根本的に違うものだ。この真犯人は、日常と違う舞台を創ることを目的にしているのだから。彼の——おそらくは男であろうから——究極の目的は、殺人をすることでも女性を監禁して虐《いじ》めることでもなく、そういう大がかりな事件を舞台に載せて、観客を集め、熱狂させることなのだから。それに対して、何の良心の咎めを感じることがある？ 最初から非日常を演出しているのだから、それが完璧《かんぺき》なものとなるように、彼は何度も何度もシナリオを練り直し、事態の進行や彼の選んだ登場人物の個性や力量に応じて場面を設定し直し、台詞《せりふ》を書き直していることだろう。

舞台劇は今も進行中なのだ。そしてそこでは、どんな原因によるうっかりミスも期待することはできない。他の犯罪者たちとは根本の目的を異にしているこの真犯人に対しては、今までとはまったく別の形であら探しをしてやらねば手がかりは出てこないだろう。

武上は、大川公園事件のゴミ箱の一件を思い出した。この犯人は、ホームレスに切断された右腕を捨てさせて、その光景が写真に撮影されることを計算していたのではないかと、篠崎《しのざき》と話し合った——

もちろん撮影は、されるかもしれないがされないかもしれない。されなかった場合にも、ミスにはならない。単に活きなかった演出として切り捨てればいい。しかし、もしもされた場合には、ピリリとアクセントのついた演出として舞台の上で光を放つ。

やはり、あれはそういう仕掛けだったのだ。

そうだ、この真犯人にとっては、不発だった演出はあっても、役者のセレクションを間違えることはあっても、部分的に台詞まわしが野暮だったということはあっても、観客の側が外側からつついて、この舞台劇を終わりにさせることができるようなミスは、そもそもあり得ない。芝居の進行を止めることができるのはただひとり、演出家だけなのだ。

「観客が去れば——」〝建築家〟がぼそっと言った。「演出家は幕をおろして帰っちまうだろう。一時はずいぶんウケたけど、さすがにみんな飽きがきたんだな、また違う趣向を考えなきゃ、なんて頭をかきながらな」

爪《つめ》の先ほども罪悪感を感じずに。

「あんたはさっき、国民みんなが観客だと言った」と、武上は言った。

「ああ、そうだ。マクロの観客」

「だが、警察やマスコミは、観客であると同時に登場人物でもあるよな？」

〝建築家〟は面白くもなさそうにニヤリと笑った。「そうだよ。もちろんだ。舞台に載っけられてる。その動きも演出家の期待通りだ。警察だけじゃない、ただ舞台の進行を見守っているだけの一般観客だって、いつ参加させられてもおかしくないんだ。これはそういう舞台劇なんだよ。観客参加型なのさ」

〝建築家〟は、武上が脇に置いたバッグの方へ顎《あご》をしゃくった。「その本、『もうひとつの殺人』な、筆者の網川浩一なんざ、その典型さ。彼は芝居の理不尽な筋書きに腹を立て、観客席で思わず立ち上がった。その瞬間に、彼には役割が振られた。彼という登場人物が一枚加わったことで、今後の展開にも変化が出てくるだろう。しかし、真犯人はこのことだって予期していたはずだ。高井和明の関与に対する異議申し立てがどこからか出てくることを、期待して待っていたはずだ」

「そこまで――」

「ああ、先読みしていたろうさ」〝建築家〟は、いっそ小気味よさそうな口調で言った。「ちょっと戻って考えてみよう。栗橋と高井の事故死は、あれは純然たる偶然のなせる技で、真犯人の演出家も、きっと驚いただろうと思う。二人があんな格好でおっ死《ち》ぬなんて、これぱっかりは予想もできなかったはずだ」

「すると、栗橋と高井の事故死の以前には、別の筋書きがあったはずだな？」

「当然だ。それがどんな筋書きだったのかということは、残念ながら今の俺たちにはもう知りようがない。ただ、消失してしまったその筋書きのなかでは、高井はきっと重要な役割を振られていたはずだ」

武上は眉《まゆ》を吊《つ》り上げた。「あんたは、高井がなぜ栗橋と行動を共にしていたんだと思う？」

〝建築家〟は武上のバッグの方を見た。「その本は第何章まで読んだ？」

「三章までだ」

「じゃ、書いてあったろう？　俺はその意見に賛成だ」

網川浩一は、こう主張している――高井和明は栗橋浩美が一連の事件に関わっているのではないかと気づき、彼を助けて自首させようとしていた、しかしその動きを真犯人Xに悟られて、警戒され、高井の身は危険な状態に置かれていた――

「網川浩一が言うように、高井は、Xによって脅迫を受けていた可能性もあると？」

〝建築家〟は首を振った。「そこまではどうかな。どっちにしろ推測に過ぎないが、でも、これまでに明らかになってきた高井と栗橋の関係、高井の性格から推すと、家族を害するとかいう直接的な脅しを受けなくても、高井は、栗橋をXから引き離し、関係を断ち切らせることができるまでは、迂闊《うかつ》に警察にチクッたりしなかったんじゃないかな。高井は栗橋を守りたかった。助けたかった。なるべく傷の浅い形で彼を現実に引き戻したかったんだ」

武上はちょっと顔をしかめた。「まるで見てきたように言うな」

思いのほか大きな声で、〝建築家〟は笑った。彼の胴間声が、がらんどうの天井に反響する。

「そうさ、見てきたように言うよ。だってあんたは俺にそれを求めてるんだろ？」

「網川の意見に同調しすぎていないか？」

〝建築家〟は、つかの間、現役の刑事時代の目つきに戻って武上を見た。「俺が網川の本を読んだのも、彼の意見を聞いたのも、自分の説を組み立てた後のことだ。栗橋は主役であって主犯じゃない、シナリオを書いている奴《やつ》はほかにいて、そいつが全てを仕切ってるんだと確信したときがスタートで、後は順次組み立てていった。そして、俺のこの考えに間違いがなければ、遅かれ早かれ何らかの形で高井和明を擁護する意見が出てきてもおかしくないし、それが出てくることを、真犯人Xは待ち受けているかもしれないなと思った。そこへ、網川が出てきたんだ」

武上はバッグから網川の本を取り出した。タイトルの『もうひとつの殺人』は、言うまでもなく、高井和明も真犯人Xの犠牲者のひとりだという意味でつけられたものである。

「本部のなかにも、主犯が別に存在するという意見は根強くあるって、ガミさん言ったじゃないか。そいつらは、高井のことをどう位置づけてるんだ？」

「バラバラだよ。非常に不運な偶然で栗橋と一緒に行動していただけで、事件については何も知らなかったという説から、栗橋と真犯人Xのことをよく知っていて、彼らに逆らいきれずにおろおろと傍観していただけの第三者だという説まで」

武上は本をテーブルの上に載せると、新しい煙草《たばこ》に火を点《つ》け、〝建築家〟に、インターネット上の剣崎龍介《けんざきりゅうすけ》のホームページの一件を説明した。〝建築家〟は目を輝かせた。

「それでガミさん、どうするんだ？」

「娘にそのページにアクセスさせて、ちょいと書き込みをさせてる。未遂事件の報告者の女の子たちと、個人的なメールのやりとりができるようになればしめたもんなんだが」

〝建築家〟は何度もうなずいた。「あんたそれを本部に報告したか？」

武上はかぶりを振った。

「なんでしないんだ。重要な証言になるかもしれないネタだぞ」

「本部はインターネットであがってくる情報なんて、ほとんど信用していない。あんただって、刑事時代の考え方を思い出してみれば、すぐにわかるはずだ。あれは匿名《とくめい》の世界だよ。なんでもありだ。あそこで飛び交ってるこの手の情報の信憑性《しんぴょうせい》なんて、海抜以下だ」

「俺の経験じゃ、匿名のたれ込みネタが、大事件に繋《つな》がったことだってある」

「確かにあるさ。だが、どのくらいの確率だ？　一万分の一か？　インターネットの情報は、それよりももっともっと分母がでかいんだよ。いちいち気にして調べてたら、振り回されて踊りを踊るだけで一年も二年も過ぎちまう」

ふうんと鼻先で言ってから、〝建築家〟はニヤリとした。「だから娘さんを使ってるってわけか」

「そうさ俺の個人的調査だ。俺はデスク担当で、本部の捜査には一切関わってないからな。趣味の領域で何をやったってかまわないだろう？」

〝建築家〟のニヤニヤ笑いが大きくなった。「ガミさん、それで未遂事件報告者の女の子と対面できて、彼女を襲った二人組のうち、片割れは栗橋浩美によく似ていたが、もう一人の方は高井和明にはぜーんぜん似ていなかったという証言がとれたら、どうする？」

「どうもしない」武上はぶすっと言った。「しまっておくだけだ。その証言だけじゃどうしようもない。目撃証言、しかも後出しの証言なんざ、あてにならないものと相場が決まってる。だいいち、その未遂事件の二人が、イコール今度の件の二人組だという前提自体が怪しいんだ。女の子を車に連れ込んで乱暴しようなんていう男の二人組は、全国どこにでもゴロゴロいるんだからな」

「じゃあ、なんでその剣崎とかのホームページにこだわる？　時間の無駄じゃないか」

武上は煙草を吸いながら、「だから俺の個人的趣味だと言ってるじゃないか」と言い捨てた。

「俺はその……今までは巧《うま》く言語化できなかったんだが、今日こうしてあんたと話しているうちに、なんとなくわかってきた気がするんだ。俺は興味があったんだよ。だから調べてみたいんだ」

「何に興味が？」

「今度の事件が社会に対して及ぼした影響」ひと息にそう言って、武上はちょっと笑った。「それじゃあまりに抽象的すぎるな。ちょっと待ってくれ――」

宙を仰いで、

「こう言えばいいかな。今度の犯人たちは、前代未聞《みもん》のことをやってのけた。連続殺人の実況中継だ。そしてその中継が一番盛り上がってる最中に、不可解な死に方をして謎《なぞ》を残した。こんなべらぼうな筋書きが、ごく普通に暮らしていて、直接的には事件に関係のない人間たちの心のなかに、いったいどんな感情を呼び起こすものなのか――俺はそれを知りたいんだ。特に、被害者たちと同じ年代の女性たちが、こんなとんでもない犯人の野郎どもと、彼らが存在する今の社会に対してどんな感情を持つのか、これがどんな悪影響を残して、どんなふうに負の因子として継承されてゆくのか」

ネット上の未遂報告は、まったくの勘違いかもしれないし、最初から作り話かもしれない。だが、そうだとしても、なぜそんな勘違いや作り話が生まれるのかということを探るのには意味がある。それらの砂上の楼閣は、今回の未曾有《みぞう》の事件を社会が消化してゆくために必要なものであって、だからこそ創《つく》り出されたのだろうから。

そして、そういう創作をするエネルギーは、実はほかでもない、犯人たちを動かしてあんな事件を起こさせたエネルギーと根を等しくするものなのではないかと、武上は思うのだ。

しばらく黙ってから、〝建築家〟が言った。「なんだ、ガミさんは俺の意見なんか聞く前から、今回の事件が大がかりな作り物であることに気づいてたんじゃないか」

「そうだろうか……」

「そうさ。だってガミさんは、大当たりしている芝居のどこが観客に受けているのか、何が観客を刺激しているのか、それを知りたいと言ってるのと同じなんだから」

〝建築家〟は手を伸ばし、『もうひとつの殺人』を取り上げた。表紙をめくると、網川浩一の顔写真が載っている。

「新しい登場人物」呟《つぶや》いて、〝建築家〟は武上を見た。「ガミさん、真犯人Xは、遅かれ早かれ彼に接触してくる。どんな形をとるかはわからない。だが、必ず接触してくるよ」

武上も、同じことを考え始めていたのだった。

## 17

暦が一月から二月に変わるとすぐに、塚田《つかだ》真一《しんいち》は有馬豆腐店を訪ねた。木枯らしが吹きすさぶ寒い日のことで、最寄りの駅から住所を頼りにほんの五分ほど歩いただけで、指先の感覚がなくなり、耳たぶが痛くなった。

こぢんまりした構えの、古びた店だった。正面のシャッターが降ろされており、そこに手書きの貼《は》り紙が貼ってある。

「お客様各位
長い間ご愛顧をいただきました有馬豆腐店は、本年一月三十日をもって閉店いたしました。お世話になった地元の皆様に、厚く御礼申し上げます。

店主敬白」

有馬義男が自分で書いたのだろう。上手《うま》いとは言えないが味のある字だ。

石井《いしい》夫妻の家に戻るとすぐに、真一は有馬義男に電話をかけた。従業員らしい男の声が出て、真一が名乗ると、ちょっと驚いたような声を出してから義男に回してくれた。

——やあ、こんにちは。

老人は、声を聞く限りでは元気そうだった。『ドキュメント・ジャパン』からの帰り道、公園で話したときと同じような、穏やかな口調だった。

真一は前畑滋子《まえはたしげこ》のところを出て、石井家に戻ったことを話した。どうせまた樋口《ひぐち》めぐみは押しかけてくるだろうけれど、もう逃げるのはやめようと決めたということも。そんなふうに考えられるようになったのも、義男と話したおかげだということも、素直に言った。面と向かって言うのは気が引けるけれど、電話なら大丈夫だったから、正直に話した。

――ふうん、そうか。

老人は、意外にもあっさりしていた。真一はちょっと拍子抜けした。良かったな、強くなるんだぞというような、いかにも年輩者の台詞《せりふ》らしいことを、今度も言ってもらえるかと思っていたからだ。

――で、これから先はどうするんだね？　学校に戻るのか。

――まだ決めてません。おじさんおばさんとも相談してるところです。

――そうか。じゃ、暇は暇なんだな。だったらやっぱり、私のところに手伝いに来てくれんかね？　アルバイトでさ。

有馬豆腐店をたたむことにしたのだと、老人は言った。

――この前あんたと話したときにも、もう店をたたむことは決まっとったんだ。片づけが、えらい大変でね。そのために人手が要るんだよ。

真一が返事をためらっていると、おっかぶせるように続けた。

――寂しいもん同士で慰め合おうとか、そういうことじゃないよ。こんな半端《はんぱ》なアルバイト、募集したって人が来るもんじゃねえ。便利屋を頼むって手もあるんだろうが、それほど大げさなもんでもないし、細かいことばかりだからね。

それで結局、真一は承知した。有馬義男が親切にしてくれるのは、真一を案じてくれているからだと思う。そしてその案じる気持ちから、自分はまだ何かを学べるかもしれない。その気持ちは強かった。だが、それと同じくらいに、義男のことも心配だった。

網川浩一の『もうひとつの殺人』が世に出たことで、このところ、連続女性誘拐殺人事件には、劇的な変化が起こった。高井和明は栗橋浩美の共犯者ではない、むしろ巻き込まれた被害者だ、真犯人Xはほかにいて、のうのうと逃げ延びている――網川の唱えるその新説をめぐって、テレビでも雑誌でも連日大騒ぎだ。

有馬義男のところにも、また取材記者やレポーターが詰めかけて、その様子がテレビでも放映されていた。網川さんの主張をどう思いますか？ ご意見は？ マイクを向けられても、有馬義男は何も答えず、お客さんの迷惑になるから帰ってくれと、押し返すばかりだった。二十二日の網川のテレビ出演（あれを劇的と表するのは癪《しゃく》に障《さわ》るけれど、確かに演出効果は満点だった）以来、少なくとも二、三日は、有馬豆腐店は商売にならなかったことだろう。月末にはたたむと決まっている店だからこそ、静かにそっとしておいて欲しかったことだろうに。

日高千秋の母親は、同じように取材攻勢を受け、どれほど玄関のインターフォンを鳴らされても応じていなかった。そういえば、彼女が火付け役になって——と言っては気の毒かもしれないが——起こった、浅井《あさい》祐子《ゆうこ》とかいうニセ弁護士がらみの一件も、網川浩一の登場とタイミングがかちあったので、大きく取り上げられることはなかったが、つい最近、続報がニュースになった。写真週刊誌ですっぱ抜かれなければ、警察には知られることもなかっただろう事件だから、あのスクープもまったくの空騒ぎだったわけではないことになる。

案の定、浅井祐子と仲間の男は詐欺師《さぎ》で、事件の被害者の遺族を集め、ありもしない損害賠償請求の裁判をチラチラさせて、〝着手金〟という名目の金を騙《だま》し取ることしか考えていなかったようである。浅井祐子は詐欺容疑で逮捕されたが、仲間の男は身元は特定されたものの、姿をくらましてしまっている。二人とも詐欺や文書偽造の前歴の持ち主だ。

真一が見たあるニュース番組では、ゲストとして登場した本物の弁護士が、キャスターも相づちに困るほど、カンカンに怒っていた。そして今後も、凶悪事件の被害者の遺族をターゲットに、同種の詐欺事件が起こる可能性が出てきてしまったことを憂《うれ》えていた。誰かがひとつの手口《ソフト》をひねり出すと、それが使い回されるようになり、しかも使用されるたびにどんどん洗練され、巧妙になってゆくというのが、世の常なのだから。

「身近な人たちが犯罪の犠牲になるという悲劇は、突然に襲いかかるものだし、稀《まれ》なことでもあります。ですから、被害者本人にしろ遺族にしろ、そういう嵐《あらし》のような事態への対処の仕方がわからなくて当然です。お手本がないのだから。そこへ、親切ごかしに付け込んでくる悪い人間がいたら、防ぎようがない。一緒になって怒ってくれたり、被害を回復しようと提案されたら、信じてしまうのが人情というものです。ひょっとしたら詐欺かもしれないのだから疑ってかかれなんて、要求する方が無理だ」

怒りながら説明したその弁護士は、今回のような不逞《ふてい》の輩《やから》を跋扈《ばっこ》させないためにも、国や自治体で、一日も早く、犯罪被害者と遺族をサポートする専門機関を設立してほしいと力説した。

「今回のことだって、最初に日高千秋さんのご遺族が浅井祐子に話を持ちかけられたとき、こういうことを言ってくる人がいるんですがどうしましょうと、遠慮なく相談できる場所がどこかにあったなら、未然に防ぐことができたはずなんです」

弁護士会でも、今後はこの種の事案への対応策を検討しなくてはなりませんと、最後まで怒ったままそうしめくくった。

別のニュース番組では、三宅みどりの父親が、あの日、高井由美子《ゆみこ》に殴りかかったときよりはずっと冷静だけれど、げっそりと窶《やつ》れた顔で、インチキな損害賠償訴訟と浅井祐子とかいう詐欺師のことは思い出したくもないと答えていた。さらに、マイクを向けた記者が網川浩一と『もうひとつの殺人』について尋ねると、本は読んでない、警察もまだ捜査中だというのに、素人《しろうと》の言うことがあてにできるわけがないと言った。

「それでも、もしも本当に真犯人Xが存在するとしたらどうですか？」

食い下がる記者に、三宅みどりの父親は、震える声で答えた。

「もしも？　私が考える〝もしも〟は、そんなことじゃないよ。私が毎日毎日、息を吸ったり吐いたりするたびごとに考えてる〝もしも〟は、そんなことじゃない。〝もしも〟私があしていたら、〝もしも〟私があしなかったら、みどりは今でも生きていたんじゃないか、それぱっかりだ。その〝もしも〟ばっかりだよ。ほかの〝もしも〟なんて、考える余裕などあるものか」

真一は前畑滋子に、遺族の気持ちはそういうものだと話したことがあった。まさにそのとおりのことを、三宅みどりの父親も話していた。

ほかの〝もしも〟を考える余裕などない。その言葉は掛け値なしの真実だ。だが、網川浩一が唱えている新説は、だから考えないでいられるという種類のものではない。余裕のないところに、無理無理でも考えざるを得ないような問いかけを、彼は放った。きっと三宅みどりの父親だって、思いやりのかけらもないあの記者にはあんなふうに答えても、心のなかではきっと呻《うめ》くように考えているはずだ。網川浩一が投げた説を中心としてわき上がる〝もしも〟の方も。もしも真犯人が別にいたらどうするか。

有馬義男も同じだろう。

義男は真一がまだ若い、いや幼いから案じてくれている。真一は義男の年の功を尊敬しているが、その老齢は心配だった。自分に何かできることがあるなら——そんなことなど爪《つめ》の先ほどもないかもしれないけれど、役に立ちたかった。義男は否定的な言い方をしていたけれど、寂しい者同士が集まって慰め合うだけだって、自分はかまわない。何かしてあげられることがあるのなら。

こうして、真一は有馬豆腐店へ——元有馬豆腐店へと足を運んできたのだった。住まいの方の入口は、シャッターの左脇《わき》の細い路地の突き当たりだと教えてもらっていた。舗装もされていない、人ひとりが歩けばいっぱいになってしまうような、路地というよりは家と家の隙間《すきま》である。そこを通り抜けてゆくと、家のなかから有馬義男の声が聞こえてきた。誰かと話している。来客のようだ。男の声だった。

もともとは勝手口だったらしい出入口の引き戸が開いていて、真一がひょいとのぞきこむと、こちらの方を向いてしゃべっていた有馬義男と顔があった。おおと声をあげて、老人は椅子《いす》から立ち上がった。老人と向き合ってパイプ椅子に座っていた来客も、振り返りながら腰を浮かせた。背広姿の大柄な男性で、三十歳ぐらいだろうか。

「やあやあ、よく来てくれたねえ、ありがとうよ」有馬義男が近寄ってくる。

「こんにちは」真一は老人に向かって半分、来客に向かって残り半分、というぐらいの気持ちで挨拶《あいさつ》をした。察したのか、有馬義男は来客の方に軽く手を振ると、「捜査本部の刑事さんだよ」と説明した。「今日病院に行ったら、真智子《まちこ》の見舞いにきてくれてたんだ」

大柄な刑事は立ち上がり、いぶかしげな顔もせずに真一に声をかけた。「塚田君だよね。秋津《あきつ》です」

この事件の関係で真一が会ったことがあり、名前と顔が一致するのは、武上という中年の刑事一人だけである。真一は適当に丁寧に挨拶を返した。それでも、秋津というこの若い刑事に悪い印象は持たなかった。古川真智子の見舞いに行ったというだけで、大いに高い点数をつけていい。

「帰り道、洗濯物やら何やらの荷物をここまで運んできてくれたんだ」

真一のためにもう一脚のパイプ椅子を出しながら、有馬義男が言った。真一は椅子に腰をおろしながら、かつての店のなかががらんどうであることにびっくりして、周囲を見回さずにはいられなかった。

「大型の機械はもうほとんど運び出しちまってね」さすがに、有馬義男は少しばかり寂しそうだった。「フライヤーが残ってるだけだよ。あれは古いんで、廃棄処分するんだ」

なるほど、反対側の壁際《ぎわ》に、小さなベルトコンベアのくっついた縦長の機械が据えられている。全体に真っ黒なのは、煤《すす》がついているからだろうか。油の臭《にお》いがぷんぷんしている。

「本当にたたんじゃうんですね」秋津刑事が言って、いたわるような目で有馬義男の顔を見た。「繁盛《はんじょう》してたんだし、もったいないような気もしますがね」

「そうでもないんですわ。近ごろは、売り上げがガタガタに落ちてたからね」

「事件とは関係がないのにね」

「お客さんにとっちゃ、関係あるんでしょう。縁起でもない感じがしたんじゃないのかね。その気持ちもわからないじゃありませんよ」

「店の場所を移したらどうだったですかね」

「駄目駄目」有馬義男は首を振る。「私は七十二ですよ。他所《よそ》の土地へ行って、一からお客を開拓しなおすなんて、もうできゃしませんよ」

構えたところのない、親しげな話しぶりだった。秋津刑事は有馬義男を〝担当〟しているのかもしれない。考えてみれば、義男はただ被害者の親族であるというだけでなく、電話ごしにではあるが、犯人と複数回にわたって会話している事件の重要な関係者でもあるのだ。

「塚田君、有馬さんの手伝いをするんだって？」

秋津が真一の方に会話を振ってきた。真一は黙ってうなずいた。秋津は見るからに闊達《かったつ》な感じの男で、真一はなんとなく気後れした。居心地悪いな――と思いつつそわそわと周囲を見ていると、すぐ脇の事務机の上に、『もうひとつの殺人』が、ページを開いたまま伏せてあることに気が付いた。いかにも読みさしという風情《ふぜい》だ。

「塚田君はこれ読んだかい？」

真一の視線に気づいて、秋津がすぐに訊《き》いた。さすがに反応が早い。

「読んでないんです。テレビは観《み》ました」

「著者が出てたそうだよね」

真一は有馬義男に訊いた。「有馬さんは全部読んだんですか?」

「半分ぐらいだよ」

「読まなくていいって言ってたところなんだ」秋津が遮るように割り込んだ。「確かな裏付けもなしに不安をあおるような書き方をしてあるからね」

「真犯人Xはまだ生きている——って」

「無責任なデマだよ」秋津は言い捨てた。「被害者感情をまったく考えてないしな」

真一は気がついた。この秋津という刑事が古川真智子を見舞ったのは、有馬義男にこのことを伝えるためだったのだ。現在の捜査本部の捜査方針に大胆に異を唱える本が話題になっているから、それが被害者の遺族にどんな影響を与えているか、心配になって様子を見に来たということでもあるのだろう。なぁんだ、という気がした。

そのうちに、ぼつぼつ本部に戻らないといけないからと、秋津は立ち上がった。有馬義男は何度も礼を述べて刑事を送り出した。そして真一と二人になると、少し疲れたような声を出して言った。「警察も、あの本の扱いに困っとるようだね」

真一は驚いた。「気がついてたんですか」

「うん。でも、あの秋津って若い人は悪い人じゃないよ。先にも真智子の様子を見に来てくれたことがあるし、まめに顔を出しちゃ、まあ無難なことばっかりだけども、捜査の進み具合を教えてくれたりしてたからね」

真一は事務机に近寄り、本を手に取った。開いたページの片側には、ちょうど事故現場のグリーンロードの写真が載っていた。崖《がけ》っぷちの急カーブ。壊れたガードレール。

「ここまで読んだんですね？」

「いんや。全部読んだよ」有馬義男は笑った。「秋津さんに悪いんで、半分しか読んでないですよって嘘《うそ》ついたんだよ」

「——読んで、どう思いましたか」

「まだわからないねえ」

「まだって……」

「書かれてることが本当かどうか、わからんちゅうことよ。警察の意見と、百八十度違うもんなあ。丸呑《の》みにもできんけど、無視するのも気分悪い。いよいよ、自分で調べてみないと駄目だわな」

真一はまじまじと老人の瘦《や》せた顔を見た。

「有馬さん？」

本当のことが知りたい。だから高井由美子にも会ってみたいと言っていた老人だ。

しかし、だからと言って――

「私も前畑さんの真似《まね》をしてみようと思ってさ」きっぱりと、有馬義男は言った。「取材とかいうことは、そんなに難しいもんかね？　人に会って、話を聞けばいいんだろ？　私にもできないことはないと思うんだけどね」

真一は呆気《あつけ》にとられた。

「本気なんですか？」と、思わず訊いた。有馬義男が冗談を言っているのだと思おうとしてみたけれど、老人は真面目《まじめ》のようだ。

「本気だともさ」

「自分で調べるって――具体的にはどんなことを考えてるんです？　まず誰に会うつもりです？」

老人は指をあげて鼻の脇をかいた。

「やっぱり、最初は高井由美子さんだな」

「あの人が、またあんなエキセントリックな態度だったらどうします？」

「もう、そんなことはねえだろうよ」

「何でそんなこと言えるんです？」

「あのあと、うちに電話がかかってきてね」

「高井さんから？」

「ああ。それとあの……この本を書いた網川って男も電話に出たな」

真一は本のカバーの袖《そで》に掲げられている著者の顔写真を見た。いかにも好青年という感じの若者だ。あつらえたみたいだ、と真一は思い、何のためにあつらえたんだ？と、自分で自分に問いかけた。もしくは誰のために？　オレ、何でこんなこと考えるんだろう？

「どうしても私に謝りたいって、電話口で泣いていた」

「高井由美子は泣くのが武器ですからね」

真一の辛辣《しんらつ》な口調に、有馬義男はまた鼻の脇をごしごしかいた。

「網川浩一は何て言ってきたんです？」

「あのホテルで私らが集まることを前畑さんから聞いて、それを高井由美子さんに教えたのは自分だとさ。だから自分にも責任があると、やっぱり謝っとった」

「ゴメンで済めば警察は要らない」

「まあ、そう怒りなさんな」

有馬義男はパイプ椅子を引いて座り直した。コンクリートの床の上で、椅子がカタリとうつろな音をたてた。

「私があんたにアルバイトを頼むなんざ、間違っているのかもしれない」

真一は事務机の方に向いていたので、有馬義男の顔が見えなかった。

「でも、私はなんちゅうか……あんたとまたゆっくり話をしてみたかったんだよ。もちろん、私とあんたはそれぞれにひどい事件の被害者の遺族だけれども、立場は違うし、そもそも私らを苦しめている事件そのものが、全然別の事件だからね。だから話なんかしたって、どっちの助けにも利益にも何にもならんのかもしれんけども、それでも、私はあんたを放っておけないような気がしてね。ただのお節介なんだろうけどもね」

真一は小さく言った。「お節介でも、いいですよ」

「そうかね」

「だって僕もお節介ですから。有馬さんのことが心配だから、アルバイト引き受けたんです」

老人は笑った。その声が柔らかく明るかったので、真一は振り返った。

「私のこと、心配してくれとるのか。ありがとう。そんなら私らのジャンケンは、お節介と心配であいこだね」

「自分の面倒もみられない僕には、ホントはそんな資格なんかないんだけど」

有馬義男はぶんぶんと首を振った。「とんでもないよ。そんなことはない。だけどあんたら若い人は、よくそういうものの言い方をするね？」

「そういうものの言い方って——」

「自分には何々する資格はないとかさ。自分は何々だと思ってコレコレのことをしてきたけれど、本当はそれは偽りで、自分の心の底にはコレコレしたいシカジカの動機が隠されていたのだから、あれは間違いだったんだ、とかよ」

その言い方がいかにもそれらしくて、思わず真一は微笑した。

「よく言うだろが、そういうことを」義男も笑いながら続けた。「私なんざ、不思議でしょうがないよ。なんでそんなことをする必要がある？　だからこの前も言ったっけな。いちいち自分のすることを深く分析するなんてやめておけって。心配なら心配、お節介だが手を出さずにいられないならお節介、それでいいじゃねえか」

机にもたれて、真一は足元を見た。灰色のコンクリートの床はきれいに掃き清められている。それでも、あちこちに染《し》みや汚れがこびりついていた。三十年も、四十年も、一年三百六十五日、有馬義男はこの上を行ったり来たりして、豆腐をつくり、それを売って暮らしてきた。長い、長いあいだ。この染みも汚れも、そんな有馬義男の足跡だ。若いときも今みたいな人だったのだろうか。真一ぐらいのときも？　いちいち自分の心を分析するようなシチ面倒くさいことはやめて、それより働け、働け。真面目に生きてりゃいつかは良いことだって巡ってくるよって、そんなふうに思っていられる人だったんだろうか。

　だから今でも、何もかも失《な》くした今でも、真面目に生きていたってこんなに非道《ひど》い目に遭うってことが、嫌というほどよくわかった今になっても、こんなに強くいられるんだろうか。もともとそういう強い人だったから。

「身に降りかかった不幸を何とかするために悪戦苦闘するのは、ちっとも悪いことじゃないよ」

　口調を変えて、有馬義男は静かに言った。ようやく、真一は目をあげて老人を見た。真一の顔を見て、義男はうなずいた。

「みんながやってることだ。私だってやってる。三宅さんだって、日高さんだってやってる。あのインチキ弁護士に騙《だま》されそうになったのだって、必死になって事件から立ち直ろうとすればこそだった」

　真一は、あの日、三宅みどりの父親が高井由美子に殴りかかりながら叫んだ言葉を思い出した。離せ、みどりの仇《かたき》を討つんだ――

「私なんぞがあっちこっち話を聞き回ったところで、何もできないかもしれない。警察だっていい顔はしないだろうしな。だけどな、私はもうじっとしているのが嫌なんだよ。さんざんいろんな人に会って、話を聞いて、やっぱり高井和明が怪しい、警察の言うとおりだっていう結論になって、あらためて腹を立てることになったら、そしたらこのジジイのやったことは、ただ時間くって回り道しただけだってことになるんだろう。だけどそれでもいいんだ。悪あがきでいい。そんなことは最初《はな》からわかっとるんだもの。私のやることなんざ、全部悪あがきなんだもんな。だって鞠子は帰ってこないし、真智子は正気には戻らん。何ひとつ元には戻らん。そうだろう？　何かを取り返そうと思ったって、そんなことは全部無駄なんだ」

無駄なんだ――だけど――

「そんでも私は、悪あがきしたいんだよ。何かをしたいんだ。鞠子も真智子も、この私だって、今までわざと他人様《ひとさま》を傷つけたり苦しめたりしたことはないつもりだ。少なくとも、こんなひどい罰を受けなきゃならんようなことは、何もしていないつもりだ。だけど現実には、鞠子はあんな非道い殺され方をして、真智子はおかしくなって、私は店を失って一人きりになっちまった。この上、じっと座っていて、何かがやって来て私から残りの人生を、ほんのちっとしか残っていない人生を、また取り上げてゆくのを黙って見ているのは嫌なんだよ」

「でも、何をしたって結果は同じかもしれない」真一は言った。「有馬さん、今そう言ったじゃないですか」

「ああ、そうだよ。だけども、今となっては私には、大切なのは結果じゃないんだ。結果は理不尽で、全然納得がいかないよ。それは充分わかっとるんだ。だけど、そこまで行くあいだのことが大切なんだ。もう受け身でいるのはまっぴらなんだよ」

義男は真一の方に身を乗り出した。

「あんただって、一時は前畑さんの仕事を手伝っていただろ？　どうしてこんな残酷なことが起こるのか、それを知りたいと思ったって言ってたじゃないか」

真一は激しく首を振った。「あれはカッコつけてただけだとも言いました」

「それだっていいさ。前畑さんを手伝おうとしていたときのあんたは、確かに何かしようとしていたんだからよ」

「そうじゃない！」大声で、真一は言い返した。「僕はそんな前向きな気持ちでなんかいなかった。前畑さんのところにいたのだって、ホントは他に行く場所がなかったからだし、便利だったからです。だからルポが出るときには、もう犯罪のことなんか見るのも聞くのも嫌だから、アパートを出ていくって言ったんです！　あとちょっとで出ていくつもりだったんだ！」

「じゃあ、どうして留まったんだね？　なぜ、そのときすぐに出ていかなかったんだ」

「高井由美子さんが現れて——滋子さんにあれこれ言い始めて——だから僕は」

舌がもつれて、真一は言葉を切り、唾《つば》を飲んだ。

「僕は気になって。滋子さんが、彼女の言うことを鵜《う》呑みにするんじゃないかって。被害者の家族のこととか、全然考えないルポを書くんじゃないかって。だから残ったんです。誰に何も言われなくなって、遺族の人たちはみんな悲しくて、事件のこともまだよくわからないし、きっと自分たちのことを責めて苦しんでる。そこへ余計な、無神経なことを言い出さないように、見張るつもりで残ったんですよ」

「それだって、何かしようとしていたってことじゃないか。あんたがそのとき考えたことは、ちっとも間違ってなかったと私は思うよ」

「でも、ホントは石井さんの家に戻る決心がつかなかったから、だから由美子さんのことを言い訳にして——」

「ほらほら、まただよ」義男は首を振る。「また始まった。ホントは、だ。ホントは違ってた。ホントはこうだった。やめなさいよ。あんたがそのとき考えたことが本当なんだよ。本当のあんたは、そのときそのときその場にちゃんといるんだよ」

真一は黙った。どうしようもないほど口が震える。

「あんたはいつだって何かやろうとしてきたんだ。あんたの身に降りかかった災難から立ち直るために、何か道がないかって、ずっと探してきたんだ。その一瞬一瞬は、いつだってあんたにとっては正しい方向を向いていたんだよ。だけど、ちょっと続けて苦しくなると、すぐにそれが間違ってたような気分になって、やっぱりあれはホントじゃなかったって言い始める。まるで、いちいち〝あれは本当のことじゃないです〟って断らないと、誰かに叱《しか》られるとでも思ってるみたいだ。誰も叱りゃしないよ。だって、あんたの人生はあんたのものなんだから。過去の災厄だけがあんたのものなんじゃなくて、これから先の人生だってあんたのものなんだ。誰にもお伺いをたてたりせずに、自分のためになることを自由に考えていいんだよ」

「だけど僕は有馬さんとは違うから！」真一は叫んだ。「僕は僕のせいで――」

「ご家族の事件は、あんたのせいで起こったわけじゃない」

きっぱりと、けっして叫びも怒鳴りもしないが、それでも真一を黙らせるだけの迫力で、有馬義男は断言した。

「確かにあんたはうっかりおしゃべりをした。だけどな、考えてごらん。友達とのおしゃべりだ。ご両親から口止めされていた、その約束は破っちまったかもしれない。

だけど、それがあんなに大きな罰を受けるほど悪いことだったか？　あんた、他人の身に置き換えて考えてごらんよ。もしも私があんたの立場だったら、あんた、私を責めるかね？　家族を手にかけた連中よりも、もともとは些細《ささい》なおしゃべりをした私の方が悪いんだって、あんた私を責めるか？」

責めないだろう――と、義男は言った。

「あんた、今言ったね。私らの事件の遺族はみんな、残された自分たちを責めてるって。そうだよ、私もそうだ。日高さんも、三宅さんもみんなそうだろうよ。ああしてりゃよかった、こうしてりゃよかった。それぱっかりだ。あんたがそのことを真っ先に思ったのは、あんた自身が自分のご家族の事件のことで、自分を責めているからだ。そしてあんたは、自分は自分を責めても仕方がないだけの理由があるけど、私らはそうじゃないと考えてくれてる。でも、違うよ。私から見たら、あんたにだって、自分を責める理由なんかない。ちっともない。私らは同じだよ」

指を折って数えながら、義男は続けた。

「私だってあんたと同じように、事件以来ずっと自分を責めてきた。そりゃもういろんなことを考えたさ。古川が家を出ていったとき、真智子と鞠子を説得してここで一緒に暮らすようにしていたら、あんなことにはならなんだ。鞠子が行方不明になったとき、もっともっと声を大きくして騒ぎ立てていたら、テレビの人捜し番組に出ていたら、まだ鞠子が生きているうちに、犯人が動き出して私に連絡してきたかもしれない。最初に犯人から電話がかかってきたとき、何から何まで犯人の言うとおりにへいこらして、一人でプラザホテルにのこのこ出かけて行ったりせずに、警察に報《しら》せて張り込んでもらっていたら、鞠子を助けることができたかもしれない——」

「有馬さん」真一は思わずさえぎった。「それは違いますよ。だってあのときにはもう鞠子さんは——」

「わかってるよ。そんなことは言われるまでもないよ。だけども、考えずにはいられないんだ。理屈じゃないんだよ。私の心のなかでは。私がああしなかったから鞠子は死んだ、私がこうしなかったら鞠子は殺されなかったかも。一日だってそれを考えずにはいられない。な？　同じじゃないか。あんたが友達と他愛《たわい》ないおしゃべりをしたせいで、ご家族三人を殺したようなものだと自分を責めるなら、私だって、犯人の指示に従ったことで鞠子を殺したようなものだと責められたって仕方がないだろ？」

息を切らして、義男は口をつぐんだ。はあはあしている。

深く呼吸をして、それから言った。「だけど、それは間違いだ。どうして間違いかって言ったら、現実に鞠子を殺したのは私じゃないし、あんたのご家族を手にかけたのもあんたじゃないからだ。犯人は別にいるからだ。それを忘れちゃいかん。絶対にいかん」

膝《ひざ》ががくがくしてきて、真一は床にしゃがみこみ、両手で頭を抱えた。有馬義男はゆっくりとパイプ椅子《いす》から立ち上がると、真一に近寄ってきた。そして、すぐ傍らに一緒になってしゃがんだ。

「人殺しが酷《むご》いのは、被害者を殺すだけじゃなくて、私やあんたや日高さんや三宅さんたちみたいな、残ったまわりの人間をも、こうやってじわじわ殺してゆくからだ。そうして腹立たしいことに、それをやるのは人殺し本人じゃない。残された者が、自分で自分を殺すんだ。こんな理不尽な話はない。私はもう嫌だ。それが嫌になったんだ。私はどれだけ自分自身に責められて、じわじわ殺されかけても、じっとこらえていられるほど強い人間じゃねえからな。弱虫だから、もうこんな非道いことには辛抱ができねえんだよ」

そっと真一の頭に手を置いて、義男は言った。「今度は、私のすることを手伝っておくれよ。近くにいて、このジジイの悪あがきを見ているだけだっていい。あんただけじゃない。こんな立場に置かれた人間は、みんなこうやってもがき苦しむんだ。それがわかったら、あんただって少しは自分を勘弁してやる気になれるかもしれんもんな」

　老人の手が、軽く真一の頭を撫《な》でた。

「誰よりもこっぴどくあんたを苦しめてるのは、樋口めぐみじゃない。あんた自身だ。彼女もそれをわかってる。だからあんたを追いかけてくるんだ。あんたが自分で自分を責めて痛めつけるのを見ると、彼女は少しばかり救われるんだろう」

　真一は頭をあげて老人を見た。少し、ぼやけて見えた。「救われる……？」

「そうだ。不幸なのはあたしのせいじゃない、あたしが悪いんじゃないって、彼女はそう思うんだろうよ」

　あたしたち、お互いに犠牲者よ。樋口めぐみはそう言っていた。

「あんたはもう、逃げ回るのをやめた」と、有馬義男は言った。「それは偉い。立派な決断をした。だがな、ぶたれるのが嫌で逃げていたのをやめて、ただぶたれるのに任せることにしたというだけじゃ、やっぱり駄目だ。ぶたれてぶたれてぶたれ続けて、良いことなんかあるわけねえだろ。だから、逃げずに留まって踏ん張るならば、もう彼女にぶたれるのもやめて、言い返してやんな。そうだよ、僕は自分で自分を責めてる。自分に責任があると思ってる。そうじゃないって言ってくれる人もいるけど、やっぱり自分では責任があるように思えて仕方がない。だから、充分に自分で自分を傷つけてる。だけどこれからはもう違う。どうしたら自分を傷つけるのをやめられるか、それを考えてる。今はまだどうしたらいいかわからないけど、一生懸命考えてる、と」

真一は呟《つぶや》いた。「そんなことを言ったら、あいつは、だったらまずアイツのオヤジに会えって要求するよ。自分が悪いと思ってるんなら、樋口に会ってそれを認めろって」

「そしたら言ってやれ。僕が僕自身の心の傷と罪悪感とどう折り合いをつけるか、その方法は自分で考える、だからあんたの指図は受けないって。あんたもあんた自身の傷をどう癒《いや》すか、自分で考えろ、あんたの親父《おやじ》をだしにするな、となあんたの親父をだしにするな——

何か言おうとして口を開いたが、それは言葉にならず、震《きざ》えるようなため息になっただけだった。だが真一は、長い長い病が癒《い》える、最初の兆しを見つけた病人になったような気がした。今、このため息と一緒に、自分の身体《からだ》の芯《しん》にからんでいた厄介などす黒いものが出ていった——もちろんまだ病気は治っていないし、傷口もぱっくりと開いている。でも、原因は出ていった。

今まで、その厄介などす黒いものが場所を占めていた心の部分に、ぽっかりと穴が空いた。そうしてその空洞自体が震え始めて、その震えが真一の身体全体も震わして、気がついたら泣いていていた。

長くは泣かなかった。多くも泣かなかった。それでも、安心して涙を流せることの喜びに、ただじっと丸くなっていた。この涙は今までのそれとは違った。頬を焼きもせず、こみあげるときに真一の心を削るようなこともなかった。

有馬義男はしゃがんだまま、そういう真一を黙って抱きかかえていてくれた。

真一は外向的で、親離れの早い子供だった。幼稚園も進んで通ったし、学校だって、グズッて休んだようなことは一度もなかった。キャンプだって、一人で親戚《しんせき》の家に泊まることだって平気だった。長男の独立心が旺盛《おうせい》であることを、教職者である両親は喜んでいた。

だから、最後に親の手で抱きかかえて慰めてもらったのがいつのことだったのか、もう記憶も定かではない。三歳か、四歳か。本当に幼いときのことだった。

それでも、今こうして抱きかかえてくれる老人の腕は、その遠い記憶のなかの両親の腕と、同じくらいに優しかった。同じくらいに力強かった。それでいて父でもなく、母でもなく、ただの大人の腕でさえなかった。

辛《つら》い道のりを共に歩く、同志の腕だった。

結局その日は二人で店と家のなかの掃除をして、夕方には義男は真智子の入院する病院へと出かけていった。真一も途中まで一緒に行き、歩きながら、今後のスケジュールづくりの相談をした。

「高井由美子さんに会うことは、もちろん警察には内緒だからなあ」老人は顎《あご》をひねった。

「前畑さんにも知られちゃまずいしな」

「もちろん僕は言いませんけど、でも有馬さんのところだと、今日みたいに刑事さんが来たりするんでしょう？」

「いっそのこと、私が長寿庵《ちょうじゅあん》に行こうかと思うんだがね。昼間じゃまずいが、夜ならね」

「由美子さんは鍵《かぎ》を持ってるだろうから、できないことはないと思うけど」

大胆だな、と思った。

「ついでに高井和明の部屋を見せてもらえるといいんだが」有馬義男はちょっと首を振った。「もちろん、部屋を見たって何がわかるってもんじゃないんだろうけどもねえ」

「弱気になっちゃ駄目ですよ。さっきの勢いはどうしたんですか」

そうだなと、老人は笑った。

石井家に帰る道々、真一は、家の前に樋口めぐみが待ちかまえているといいなと考えていた。今のこの気持ちを、早く言葉に出して彼女にぶつけてしまいたい。それによって、さらに気持ちがしっかりと固まる。

だが、帰宅してみると、玄関の門扉《もんぴ》の前には誰もいなかった。陽は暮れきって、西の空に一筋の茜色《あかねいろ》の光を残すばかりだ。真一はドアポケットに差し込まれた夕刊を引っこ抜きながら、ちょっと口の端を曲げて自分をあざ笑った。肩すかしを食ったような気分になるのは仕方ないにしても、これで魔法が解けたみたいにまた逆戻りをしては駄目だ。勢いに頼っているうちは本物じゃない。

ドアを開け、ただいまと声をかける。と、家の奥で軽い足音が聞こえ、すぐに石井良江《よしえ》が顔を見せた。

「シンちゃん、どこに行ってたの？　お客様が来て、ずっと待ってるのに」

「お客？」

前畑滋子だろうか。とっさに考えたのはそれだった。様子を見に来てくれたのか。それとも、滋子には滋子なりの今後の計画があって、それにまだ真一が関わる必要があるのか。だとしても、これからの真一は、滋子と行動を共にすることはできないのだが。

「こんにちは、お邪魔してました」

明るい声が聞こえた。すぐに誰の声なのかわかったが、にわかには信じられなくて、真一は靴を脱ぎかけた姿勢をそのままに、目を見開いて突っ立っていた。

「仲直りしに来たんだけど、いい？」

水野久美《みずのくみ》が、両手を後ろに隠し、いかにも照れくさいという顔で笑っていた。

18

一月二十二日夜、最初のそして劇的なHBSへの登場以来、網川浩一は、連日のように各局のテレビ番組に出演した。真摯《しんし》な姿勢。爽《さわ》やかな弁舌。整った容姿と穏和な笑み。どこでも、彼は好印象をふりまいた。番組によっては、彼が訴えている「真犯人X説」に疑問を抱くゲストを招き、かなり挑発的に突っ込んだ質問をぶつけるようなこともあったが、いつでも網川は冷静で、熱意は充分に感じさせつつもけっして感情に走ることはなく、理知的な応答を続け、相手に対する礼儀正しい態度を崩すこともなかった。

彼の登場するニュース番組やワイドショウは、高視聴率を稼いだ。視聴率があがるのに比例して、彼の本も売れた。発売後一週間でベストセラー・リストのトップに躍り出て、それがまた話題になり、さらに売れる。増刷が間に合わず、都内の大手書店でさえも、平台に「入荷待ち」のポップを立てるところが出てくるほどだった。

世間の注目を一身に集めながら自説を主張する網川浩一に対し、捜査本部は沈黙を守った。『もうひとつの殺人』発売後、一月のあいだには一度しか開かれなかった記者会見でも、網川の唱える説に関連した質問には、「捜査は継続中なのでお答えできない」という紋切り型の回答が返ってきただけだった。

一月三十日、HBSは再びゴールデンタイムに特別番組を組み、網川を出演させた。そのなかで彼は、昨年の暮れに前畑滋子がそうしたのと同じように、赤井山中のお化けビルに立ち、そこを歩き、そこで語った。相手役を務めたのはHBSのメインのニュース番組を仕切る男性キャスターで、二人の会話は、ときどき、食事やおしゃべりをしながらテレビを流し観《み》ている視聴者には理解がしにくいほどに、緻密《ちみつ》な意見の応酬になった。

それでも、ひょっとしたら敏感な視聴者は気づいたかもしれない。この男性キャスターの言葉の端に、かすかではあるが隠しようのない網川浩一への不信感がのぞいていることを。それは彼の口から出る言葉ほどの論理性を持ち合わせてはおらず、だからこそ本人も押し隠そうとしているのだが、それでもわかる者にはわかったかもしれない。たとえテレビの前に座っているだけでも、この男性キャスターがＨＢＳの上層部を相手取り、特番の企画に反対したことも、どうしても企画が通るならば自分は出演しないと頑張ったことも、頑張りきれずに最後には折れたときに、身近なスタッフたちに、せめて自分が相手をすることで、網川という〝好青年〟に対し、自分がどうしようもなく感じてしまうある種のうさんくささを、視聴者にも伝えることができるかもしれないと語ったことも、何ひとつ知らなくても、キャスターと網川のあいだに流れるそこはかとない緊張感から、それを読みとった視聴者もいたかもしれない。

しかし、だからどうだというのだ？　世間に登場したばかりのこの網川浩一という青年は、まだまだ新鮮で目新しく、魅力に溢《あふ》れていた。どれほど硬派だろうと取材経験が豊富だろうと、あの男性キャスターの顔は、いささか見飽きた。言葉も聞き飽きた。しかし網川浩一には未知の魅力がある。彼は多くの人びとを惹《ひ》きつけた。

スタジオの司会を受け持ったのは、昨年十一月一日のあの特番でも司会をしていた向坂《さきさか》アナウンサーで、当夜のビデオがもう一度画面に登場した。犯人たちとの電話のやりとりも、鮮やかに再生された。

生中継のお化けビルの現場で、モニターを通してそれを見、それを聞いて、網川浩一は言った。テレビカメラに向かって言った。全国の視聴者に向かって言った。

「最初の電話は栗橋だけど、かけ直してきた電話は、やっぱり、絶対に高井じゃない。カズはあんなしゃべり方をしません。僕は二人を知っていた。このことは本のなかでも順序立てて書きましたけれど、理屈だけじゃなく、直感でわかる。違います。絶対に、あれはカズじゃない」

彼の背後では、中継用のライトにまぶしく照らし出されたお化けビルが、野ざらしの白骨のように光っていた。

同じ夜——

赤井山南斜面の麓《ふもと》に広がる新興住宅地の一角、グリーンロードの照明灯が、ちょうど目の高さに、真珠のネックレスの切れっぱしのように見える場所。

クリーム色のサイディング・ボードの外壁に、青い西洋瓦《がわら》を戴《いただ》く洒落《しゃれ》た一軒家の二階で、一人の若い主婦が、子供のベッドの脇《わき》に付き添っていた。小学校二年生の長男が、扁桃腺《へんとうせん》を腫《は》らし高熱を出して、今日で三日も寝込んでいるのだ。

この子はしばしば扁桃腺炎にかかるので、体温が四十度近くにまであがっても、母親はさほどうろたえてはいなかった。いつもは一晩か、長くても二晩で下がる熱が、三日も続いていることにも、必要以上の不安を感じてはいなかった。もちろん心配で、夜中も何度か起き出しては様子を見ていたが、幸いかかりつけの医者は親切で地元でも評判のいい人だし、緊急の場合は往診も厭《いと》わずに来てくれる。大丈夫、子供の発熱はよくあることだし、数日続くことだって珍しくはない。今日の診察だって、先生は落ち着いていた。水分を充分与えて、安静にしてください。明日には下がると思いますよ。もう峠は越えてるから。

だが今回は、母親と同じくらい扁桃腺炎の高熱には馴《な》れているはずの当の長男が、妙に不安気なのが気にかかっていた。いつもなら、ここぞとばかりにアイスクリームをたくさん食べたがるのに、今回はそんなこともない。元気になったら好きなものを買ってあげるとか、動物園に行こうとか話しかけても返事もしない。夫は、子供心にも、いつもよりも病状が重いので不安がっているだけだと言っていたけれど、だとしたらなおさら、不安を取り除いてあげられるような対処の仕方をしなければならないだろう。

とにかく今夜は一晩そばについていてやろう。手を握り、頭を撫《な》でて。母さんが一緒にいるから大丈夫だよ。朝になってお陽様がのぼったら、熱も下がっているからね。

幼い子はうつらうつらして、ぽっかりと目を開けては母親の顔を見つけ、安心してまた眠り、また起きては母親を探す。そうして真夜中を過ぎたころ、子供のベッドに頭を伏せて眠り込んでいた母親は、小さな手で袖《そで》を引っ張られて目を覚ました。

「あ？　どしたの？　おしっこ？」

「うん」

母親は子供を抱いてトイレに連れていった。子供の身体《からだ》は懐炉のように熱く、おしっこは薬の臭《にお》いがした。パジャマが汗に濡《ぬ》れていたので、着替えさせて寝かしつける。体温を測ると、まだ三十九度八分もあった。

「いっぱい汗をかいたから、喉《のど》が渇いたでしょ？　ジュースをあげようか。それとも、リンゴをすった方がいいかな」

子供はすぐには返事をしなかった。目が赤く、潤《うる》んでいる。熱のせいだと思っていたら、みるみるうちにその目に涙がふくらみ、ぽろぽろと流れ落ちた。

「あらあら、どうしたの？」

あわててなだめる母親に抱かれて、小さな子は少し泣いた。それからしゃくりあげながら、熱が下がらないよと言った。

「そうねえ、今度は扁桃腺さんが意地悪してるんだね。でも大丈夫だよ、よくなるから。先生だってそうおっしゃってたでしょ?」

「僕、死ぬの?」

「死んだりしないわよ」

まあ、この子ったら。

「ナオキのお父さんみたいに、病院に行くの? ナオキのお父さんは、病院に行って帰ってこなかったんだよ」

「そうね、ナオキ君は可哀想《かわいそう》だったよね。だけどあの子のお父さんは、扁桃腺炎とかじゃなくて、もっとずっと重い大人の病気だったのよ。あなたはそうじゃない。だからすぐに元気になるわよ」

「お母さん」

「なあに?」

「ドロボーすると、バチがあたるんでしょ?」

突然、何を言い出すのだろう? 熱に浮かされているのかしら。

「どうしてそんなことを訊《き》くの?」

「ボク、バチがあたって熱が出たんだ。悪いことしたから、熱が下がらないんだ」と、子供は泣き泣き言った。「ごめんなさい」

　母親は呆気《あっけ》にとられた。確かに躾《しつけ》は厳しくしている。年長の従姉《いとこ》の子供が中学に入るとすぐにグレてしまい、義務教育も終わらないうちに何度も警察のお世話になる様子をさんざん見せられたので、自分の子供はけっしてあんなふうに育てまいと決心したのだ。悪いことをすると、必ずバチがあたるんですよと言い聞かせることも、その躾のうちだ。

「どうしてそんなふうに思うの？」子供の涙を拭《ぬぐ》ってやりながら、母親は優しく尋ねた。「悪いことって、何をしちゃったの？」

　友達と喧嘩《けんか》したのかしら。誰かを虐《いじ》めたとか？

「ドロボーしたの」

「泥棒？」さすがに、ぎょっとした。「何を？」

「拾ったの。落とし物。だけどそれ、お巡りさんに届けなかったの。ほしかったから。コワれてるみたいだけど、カッコよかったからほしかったんだ」

「何を拾ったの？」

「電話。ケータイ電話。この前の日曜日に、南赤井のグラウンドへ行ったときに、駐車場のそばの空き地で拾ったの」

この子は地元の少年サッカークラブに入っており、日曜日にグラウンドへ行ったのも、他のクラブとの交流試合があったからだった。まだ小さいので試合には出場できないが、年長の選手たちを、スタンドから応援した。家族で出かけたから、車で行った。

「空き地ンところに、川が流れてるでしょ。あそこで拾ったの」

母親に言わせれば、川というよりゴミ溜《ため》みたいな水たまりだった。赤井山のなかには、いくつかの小川が流れている。そのまま大きな河川まで続いているものもあれば、麓近くで流れが細くなり、土砂や岩にせき止められて水たまりみたいになってしまうものもあり、そこにゴミが集まるのだ。

「あなた、あんなところで電話を拾ったの?」

「うん」

とっさに母親が考えたのは、あんな不潔な場所で拾い物をしたときに、危険なバイ菌まで一緒に拾ってしまったのではないかということだった。だとしたら、これは本当に扁桃腺炎ではないのかもしれない。

「その電話、どこにしまったの?」

「ランドセルのなか」

「ずっと？」

「うん」

母親は急いで黒いランドセルの中身をあらためた。毎日毎日、学校へ持ってゆく教材が揃《そろ》っているかどうか、子供と一緒に確かめている。忘れ物をしてはいけないというのも躾の内だからだ。でもそのときには、携帯電話になど気づかなかった。子供は天使のように可愛《かわい》らしいが、何か隠し事をしようと思うときには、悪魔のように狡猾《こうかつ》に立ち回ることだってできるのだ。

「――ホントだ」

子供の言うとおり、ランドセルの底から携帯電話がひとつ出てきた。淡いブルーがかった銀色のボディ。アンテナが折れているが、さほど汚れてはいない。きっと、拾ったあとできれいに拭《ふ》いたのだろう。だがボタンを押してもまったく反応がなく、液晶画面に明かりが点《つ》く様子もなかった。

「これ、壊れてるね」

「うん」

「きっと誰かが捨てたのよ。壊れちゃったから。だからゴミよ」母親はにっこりと笑いかけた。「ゴミを拾って来て隠しているなんてお行儀の悪いことだけど、でも、ドロボーではないわよ」

子供は目をパチパチさせた。「ホント？」

「本当よ。だからバチなんかあたらない。安心しておやすみなさい。眠れば、お薬がよく効いて熱も下がるから」

隠し事を打ち明けて、ほっとしたのだろう。子供はすぐに眠ってしまった。扁桃腺炎の熱が下がらなかったのも、案外、この屈託のせいだったかもしれない。

問題の携帯電話をエプロンのポケットに入れ、ベッドの脇に座り直して、あんまり厳しく躾けるのも考えものかしらと、母親は思った。悪いことをするとバチがあたるなんて、今時の子にはかえって言わない方がいいのかしら。それにしても携帯電話を拾うなんて。そうそうあっちこっちに落ちてるものじゃない。まあ、だからこそ物珍しかったんでしょうね。壊れていて使えないとわかっていても、お友達に見せたかったのかしら。

こんな高価なものを落として、落とし主は大損害だったでしょうね——それとも、壊れたから捨てちゃっただけ？　贅沢《ぜいたく》な話ね。世の中にはそういう人もいるのね。

うとうとと舟を漕《こ》ぎ始めながら、それでも脈絡なく考えていた。携帯電話——このあいだ、テレビでもやってたわね、偽名で契約して、最初の請求書が来る前に本体を捨ててしまって――使い逃げ――東京湾にはそんな携帯電話がいっぱい沈んでるって――最初から使い捨てタイプのもあるそうじゃないの――

頭の隅を何かがよぎり、母親はぴくりと顔をあげた。子供は赤い顔をしてすっかり熟睡している。

ちょっと前だけど、携帯電話のことで大騒ぎをしてなかったかしら。ほら、あの事件で。赤井山のグリーンロードであの二人組が死んで――あいつらとんでもない奴《やつ》ら――

彼らの携帯電話が見つからないとか。事故現場で車から落ちてしまって、近くには沢もあるし、あの後は雨も降ったし雪も降ったし、警察もずっと捜索を続けていたみたいだけど、このごろはさすがに諦《あきら》めて、だけど確か市報にも記事が載ってたんじゃない？　携帯電話を見つけたら交番に届けてくださいって。回覧板もまわってこなかったかしら？　チラシをもらったような気もする。とっておいたかしら、あれ。

だけど――まさか、ね？

それでも短い夜の睡眠のあいだも、彼女はそのことを忘れなかった。翌朝、子供のベッドのそばで目を覚まし、小さな額に手をあててみると、熱はかなり下がっていた。

彼女は立ち上がり、凝った背中を伸ばしながら階段を降りて、台所に入った。湯をわかしながら、チラシや広告を取っておく棚を探って見ると、赤井警察署が市民に配っていたチラシが確かに見つかった。

そうだ、警察は携帯電話を探していた。栗橋浩美という男が持っていたはずの電話だ。

彼女はエプロンのポケットからあの携帯電話を取り出した。夢ではなく、それはちゃんとそこにあった。

あの子はこれを、グラウンドのそばで拾ったと言った。赤井山グリーンロードから、五キロほど下がったところだ。そうだ、あり得る。こんな軽いものだもの、斜面を転がり、雨に流され、小川に運ばれて——

夫が起きてきた。ボサボサ頭で、大あくびをしている。

「あなた」と、彼女は言った。「ちょっと見てもらいたいものがあるの」

## 19

二月十日の午過《ひる》ぎ、武上悦郎が半月ぶりに自宅に帰ると、娘が待ち受けていた。

「お帰りなさぁい」と、陽気な声を出す。

「お昼ご飯、食べる？　お父さんの好きな五目ご飯よ」

今朝方、午過ぎに戻ると妻に電話を入れておいたので、それを聞いて作っておいてくれたのだろう。妻は仕事に出ていて、この時間帯は留守だ。しかし娘とて、平日の昼間は授業があるはずなのだが。

「大学はどうした。また休講か？」

「ううん、今日は休んだの」武上法子《のりこ》はあっさりと言って、父親に叱《しか》られる前に急いで言い足した。「例のホームページのことで、お父さんに報告したいことがあったから。電話より、直《じか》に話したかったんだ」

父娘《おやこ》は台所の小さなテーブルを囲んだ。冷え込みは厳しいが好天で、流しの上の窓から、陽射《ひざ》しが明るく差し込んでいる。暦の上ではすでに春だ。どれほど気温は低くても、寒さの硬さが少しずつ和らいでいるのが感じられる。

グリーンロードの事故から、百日近くを経過したことになるのだ。大川公園事件から数えるならば、すでに五ヵ月。まだ残暑厳しいころに始まった事件が、秋を過ぎ冬を越し、春を迎えようかという時期になって未《いま》だ混迷のなかにある。正確な犠牲者の数さえ特定できていない。さらに今になって、武上個人の心のなかでは、事件の全体像まで揺るぎだしているという有様だ。

平和な台所で明るい陽光を浴びていると、にわかに、疲労感といらだたしさがないまぜになってこみ上げてきた。この事件だけでなく、長丁場の捜査に関わると、家に帰った途端、こんなふうに憑《つ》き物が落ちたように気落ちすることがあって、武上はそういうときの自分がひどく嫌いだった。

法子は若い娘らしく、盛んに食べながら器用にしゃべった。口がふたつあるかのようだ。しかし、彼女の闊達《かったつ》さと同じくらいに、彼女の報告の内容も、武上を驚かせた。

「会ってみる？」

「うん。明日の二時に約束したの」法子はこともなげにうなずいた。「羽田に迎えに行くことになってるのよ」

武上に頼まれてからこちら、法子は熱心に剣崎龍介のホームページにアクセスしていた。彼女がつかんだ限りでは、栗橋・高井と思われる二人組による拉致《らち》未遂事件についての書き込みは三十三件あった。ところが、そのうち、自身が被害に遭いそうになったと告げているものは八件しかない。他の書き込みは、被害未遂報告を受けて膨らんだうわさ話や伝聞、推測の域を出ないものばかりだった。つまり、武上が最初に生田《いくた》刑事から注意を促され、このホームページに着目した時から比べても、そこでやりとりされている未遂事件に関する情報の精度は、明らかに下がりつつあるということだろう。精度というのが少し酷ならば、情熱とでも言い換えようか。

「最近はもっぱら、『もうひとつの殺人』が話題になってるのよ。網川って人があそこで提示してる新しい説の信憑性《しんぴょうせい》について、みんな盛んに議論してる。網川さんに直に意見を聞きたいから、版元の出版社経由で彼にメールを送るって話も出てるし」

法子はそれらの活発なやりとりを横目に、未遂事件の報告者とメールを交換したり、チャットという多人数で一度に会話できる仕組みを使って情報をやりとりしたりして、書き込み内容の真偽を、彼女なりに探っていった。

「信用性の低い話は、ちょっとやりとりしてると見当がつくの。お父さんなんかビックリしちゃうかもしれないけど、拉致されそうになったっていう話を事細かにアップしてて、それがまた読んでるこっちも鳥肌が立ってくるような具体的な話でね、これは本物だろうと思ってしきりと呼びかけてメールを交換してると、別の人からメールが来るわけ。何かっていうと、ノンノンさん——あ、ノンノンってあたしのハンドル・ネームよ——余計なお世話かもしれないけどご忠告します。あなたがこのところ熱心にやりとりをしている○○さんは、実は男性ですよ、わたしも以前に騙《だま》された、あの人、こういういたずらをするのが好きなんですよという内容なのよ」

つまり、未遂報告も作り話なわけである。

「別に珍しくないのよ。ネットおかまっていうんだけど、ネット上では匿名《とくめい》になるだけじゃなくて、性別だって偽ろうと思えば簡単なんだから」

情報を探る段階では、法子つまりノンノンは、自分が刑事の娘であるということを公《おおやけ》にしなかった。だいいち、そんなこと書き込んでもまず本気にされないものよと言う。

「でもね、ずっとやりとりを続けたり、その後の書き込みを見てるうちに、わりと親しくなった人がいてね、そのうちの一人が——」

角田真弓《つのだまゆみ》という二十歳の専門学校生だった。小樽《おたる》に住んでおり、一昨年《おととし》の夏、彼女が危うく拉致されそうになったのも小樽市内で、しかも当時の彼女の自宅から徒歩で五分ほどの距離しか離れていない場所だった。

「角田さんは、実は東京の人なの。お父さんの仕事の関係で高校一年生のときに小樽に引っ越したんだけどね。ホラ、小樽ってガラス工芸が盛んでしょ？　彼女、すっかりそちらに興味を持ってしまって、今通ってるのもガラス工芸の学校なのよ。ご家族は、去年お父さんがまた東京へ異動になって、みんな戻っちゃったんだけど、そういうわけで彼女ひとり小樽に残ってるんだって」

「一昨年というと、その娘さんは高校生か」

「うん。夏休みだったそうよ。国道沿いのファーストフードのお店でアルバイトしててね、遅番の日は帰りが夜になるんで、気をつけるようにはしていたんだそうだけど……」

アルバイト先への足に、彼女はミニバイクを使っていた。問題のその夜──

「日時もはっきりしてるの。彼女、几帳面《きちようめん》に日記をつけてる人だから。八月七日、時刻は、家に帰って時計を見たら十時五分だったそうだから、事件があったのは十時よりもっと前でしょうね」

当時の角田家は、小樽市郊外の新興住宅地にあった。父親の会社が用意してくれた借り上げ社宅で、新築の家だったが、周囲の家がまだ分譲中だったり、買い手がつかずに未入居のままだったりして、陽が落ちてからは人通りも絶え、街灯が少ないので全体に暗く、ちょっと横道に逸《そ》れると林と藪《やぶ》ばかりで、非常に寂しい住環境だったらしい。

「彼女の家は、国道から住宅地内に入って二ブロック目のところにあったんだって。そこまでずっと、ミニバイクでぷるぷると走っていくわけよ」

すると、一ブロック目の東の角にある洒落《しやれ》た赤煉瓦《れんが》の二階家の門扉《もんぴ》に寄せるようにして、ミッドナイトブルーの3ナンバーの車が停車していた。この赤煉瓦の家はまだ分譲中で、素敵な家なのになかなか売れないようだということについて、角田真弓は母親と会話をしたばかりだった。

「だから、アラいよいよ買い手がついたのかしら、それにしてもこんな時刻に変だなと思って、スピードを落としてその車の脇《わき》をすり抜けようとしたら、車の前から出し抜けに若い男が出てきて――」

両手を大きく振りながら、角田真弓のミニバイクの前に立ちふさがった。真弓はごく低スピードで走っていたのでバランスを崩すようなことはなかったが、それでも驚いてバイクを停めた。

「手を振って立ちふさがった？」

「そう。事故を起こしたりして、救助を求めてるような感じだったって」

しかし、真弓のバイクが近づくまでは、その若い男が車の前に身を潜めて隠れていたようであることが癇《かん》に障《さわ》った。彼女はヘルメットもとらず、ミニバイクのスターターに手をかけたまま、ひたと男の顔を見た。

「その若い男、脅かしてすみません、ちょっと困ってて、道を教えてもらえませんかって、そう言うんだって」

ドライブしていたら道に迷って、今どこにいるのかもよくわからない、そのうえ友達が腹痛を起こして苦しがっている、近くに病院はないか——という。

「ジーンズに白いTシャツで、襟元のところにたたんだサングラスをひっかけていたそうよ。二十歳過ぎの、大学生みたいな感じだったたって」

男の身長は百八十センチぐらい。車のヘッドライトは消えている。ミニバイクのライトは点《つ》いていたが、そのせいでかえって相手の顔がシルエットになってしまい、よく見えなかったそうだ。

「角田さんは女の子にしては大柄な方で、百七十三センチあるんだって。中学校のころからバレーボールの選手で、身体《からだ》は鍛えているので、男が何か怪しげなことを仕掛けてきたなら反撃してやろうというぐらいの気構えも持ってたそうよ。で、ここは住宅地で、回れ右をして国道へ出て、小樽市内へ向かう標識に従って走っていけば、ここから二キロぐらいのところに救急外科病院がありますよって、パキパキ答えたんだって」

すると男は、友達がひどく苦しそうなので、救急車を呼びたいと言い出した。あなた、携帯電話を持っていませんか？

角田真弓は携帯電話を持っていた。が、そのときには、言うに言われぬ直感か本能の働きで、持っていないと答えた方がいいと感じたのだという。だから嘘《うそ》をついた。

そして、

「救急車が待機してる消防署よりも、救急病院の方が近くにあるし、お友達が苦しくて運転できないなら、あなたが運転すればいいじゃないですかと言ったんだって」

若い男は頭をかきながら、さりげなく真弓のバイクに近寄ってきた。それでようやく、彼女にも男の目鼻立ちが見て取れた。

「どんな男だったんだ」と、武上は訊《き》いた。

法子は一瞬気を持たせるように間をおいてから、「栗、橋、浩、美」と、一文字一文字を鋲《びょう》で打ち込むような感じに答えた。

「一昨年のことだろう？　そんなに記憶が確かなわけはない」

法子はハアと息を吐いて嘆いた。「あたしだってお父さんの娘よ。それぐらい考えたわよ。もうちょっと先まで聞いて」

このやりとりのあいだ、ミッドナイトブルーの車の運転席にも助手席にも人影は見えなかった。真弓は、友達が乗っているなど嘘だろうと思った。ぐっと横目で見ると、かろうじて車のナンバープレートが読めた。札幌ナンバーで、レンタカーだったそうだ。

真弓が頑《かたく》なにバイクから離れず、すぐにも走り出そうという構えを解かずにいると、若い男は親しげな笑顔をつくって、自分は方向オンチだから、救急病院まで先導して案内してほしいと頼んだそうだ。しかし彼女は、国道を戻れば道は間違いようがないからと言い張って、相手の頼みを聞き入れなかった。

「でも内心では怖くってしょうがなかったから、ついつい目がね、明かりのついてる自分の家の方へ動いてしまったんだって。早くそっちへ行きたい、帰りたいって思うからよ」

若い男は目ざとくそれに気づくと、尋ねた。――君の家は近所なの？

真弓は返事をしなかった。この男に対しては、自宅がすぐ近所にあるのだと答えた方が安全なのか、自宅の位置を気取られない方が安全なのか、判断がつかなかったのだそうだ。

だが言葉にしなくても、相手は彼女の態度で悟ってしまったらしい。あやまたず、真弓の家がある隣のブロックの方を振り返った。角田家は、門灯も窓の明かりもついている。――近所なら、いいじゃないか。人には親切にするもんだよ。

そう言って、若い男はいきなり真弓の右腕を摑《つか》んだ。夏場のことで半袖《はんそで》のブラウスを着ていたので、彼女には直に男の手の感触が伝わった。ねっとりと汗ばんでいて、しかし力は強かった。摑まれた二の腕の骨がゴリッと鳴るほどだった。

真弓は悲鳴をあげ、とっさに足を上げて男を蹴《け》ろうとした。男が素早く半歩下がって避けたので、足は空を切った。が、その隙《すき》に腕を振りほどき、真弓はバイクを発進させた。つんのめりそうな勢いで走り去りながら、男が追いかけてこないかと首をよじって後ろを見た。若い男は二、三歩追いかけてきたが、すぐにミッドナイトブルーの車のドアが開いて、男がもう一人降りてきた。遠ざかる自分のバイクのライトと、問題の車のブレーキライトのほかには光源がなく、かろうじて二人の男が並んだシルエットが見て取れただけだったが、声は聞こえた。笑いを含んだ、からかうような口調の声が聞こえた。

真弓は無我夢中でバイクを走らせた。わざと自宅の前を通り過ぎ、住宅地内を真《ま》っ直《す》ぐ横切って反対側の出口から国道に戻り、市内に向かって走った。後を尾《つ》けられていないかと、たびたび振り返って後ろを確認した。誰も追ってきていなかった。五分ほど走って、まだ胸の轟《とどろ》きがおさまらないうちに、目についたガソリンスタンドに飛び込んで、自宅に電話をかけた。母親が出たので事情を話し、こっそりカーテンの隙間から外をのぞいてみるように頼んだ。母親はすぐに電話口に戻ってきて、誰も見当たらないと答えた。そのときになって初めて、角田真弓は、若い男に摑まれた二の腕に、くっきりと赤く指の痕《あと》が残っていることに気がついてぞっとした。

「結局、三十分ぐらいそのガソリンスタンドで時間を潰《つぶ》して、また家に電話をかけてみると、お父さんが帰ってきたところだったから、迎えに来てもらったんだって。それきり怪しいことはなかったけど、一週間ぐらいは夜もよく眠れなくて、家のまわりを変な男がウロウロしてるんじゃないかって思うと、窓も開けられなかったそうよ」

「警察には届けなかったのか？」

「被害に遭ったわけじゃなかったからね」

「そういう段階で届けておいてもらうと助かるんだがな」

法子は咎《とが》めるような目をした。「お父さんはそう言うけど、じゃあって交番とか行くと、その程度のことで騒ぐんじゃないよ、こっちは忙しいんだからってな応対をする人がいるんだから」

武上はむすっとして五目飯の残りをかきこんだ。

「彼女はこのこと、忘れてた」法子は真面目《まじめ》な口調に戻って続けた。「忘れることができるなら、長く覚えていたい種類の出来事じゃないもんね。ところが、グリーンロードの事故が起こって、栗橋浩美の顔写真がテレビで公開されて――」

テレビを観《み》た瞬間に、記憶が蘇《よみがえ》った。そのとき腰かけていた椅子《いす》から落ちそうになるほど驚いたという。

「だがな、そういう記憶は」

「あてにならないって言うんでしょ？　わかってるわよ。でもね、角田さんは栗橋浩美の顔写真を見て思い出しただけじゃないの。彼の名前も覚えてたのよ」

「名前？」

「うん。さっき話したでしょ。彼女が逃げ出した直後、ミッドナイトブルーの車からもう一人の男が降りてきて、何か話すのが聞こえたって。その言葉はね――」――やめとこう、ヒロミ。あの女はデカすぎるよ。

「彼女、身長が百七十三センチあるのよ」と、法子は言った。「そしてね、車から降りてきたもう一人の男は、栗橋浩美と同じような体格だったって。高井和明みたいなずんぐりむっくりじゃなかったって。シルエットで見たからこそ、記憶は確かだって彼女は言うの」

武上は顔をしかめた。丸呑《の》みにするには危険な話だ。たとえすべて事実だとしても、必死で逃げ出すときに漏れ聞いた会話だ、どこまで正確に聞き取れたかどうか怪しい。体格が云々《うんぬん》の目撃談にしても同じである。

しかし――心情的には、武上個人としては足の裏がうずうずするような感じがする。〝建築家〟とのディスカッションを通して、真犯人Xの存在説に、かなり心が傾いているところだ。

「それでおまえは彼女に会う、と」武上はそれだけを言って、箸《はし》を置いた。立ち上がり、ポットから湯飲みに湯を注ぐ。

「そこまで話を聞いた段階で、ちょっとバクチだったんだけど、あたし、彼女に事情を説明したの。もちろん彼女だけよ。ほかの人には言わないでねって念を押したわよ」

法子は東京の刑事の娘で、父親に頼まれて遠方の未遂報告の詳細を調べているのだ——ということを告げられて、当然のことながら、角田真弓はひどく驚いた様子を見せた。しかし、自分の話をあわてて訂正したり、つくろったり、法子が彼女を騙《だま》していたとなじるようなことはなかったそうだ。

「ただ、あたしの言ってることが本当かどうか、それは疑ってたわね。今も疑ってるんじゃないかな。ホントは記者か何かじゃないのって訊かれたりするもの」

法子は、自分の身元を確かにするためにも、真弓さえ嫌でなければ一度会いたいと申し出た。真弓はすぐには返事をせず——どうやら、誰かに相談していたようである——数日後にメールを寄越して、近々家族のところへ行くから、その折に会うならば、と承諾したという経緯《いきさつ》だった。

「で、会ってどうするんだ？」

「嫌だな、そこから先はお父さんの縄張りよ。あたしこそ、お父さんの指示を仰ぎたいの。角田さんを説得して、墨東警察署へ連れていって、正式な調書をつくってもらうようにするの？　それとも、話を聞きっぱなしにしておいていいの？」

武上は唸《うな》った。「俺としては、剣崎龍介のホームページっていう、なんていうかな、公的なようでいて実は私的に閉じている情報の空間に、今現在どんな未遂報告が書き込まれているか、それを概観してみたかっただけなんだ。実を言えば、証言者個人に直接会う必要までは感じていなかった」

「なあんだ」法子は箸を放り出した。「それならそうと先に言ってよ」

「おまえがそこまで熱を入れて調べると思わなかったんでな。すまんことをした」

法子はきょとんとした。父親にまともに詫《わ》びられたことなどほとんどない。

「まあ、いいや。ほかならぬお父さんのことだもんね」あっけらかんと笑う。切り替えの早いところは、武上よりは母親譲りの気質である。「だけど困ったな。それだと、角田さんに会ってもあんまり意味ないかな」

「意味がなくはないぞ。彼女が自分の証言を警察に提供したがっているのなら、おまえが案内して墨東警察署に連れて行ってやってくれ」

「そこのところは彼女もはっきりしないのよ……。今さらこんなこと言い出しても、警察が相手にしてくれないんじゃないかって思ってるのかな。でも、真面目にとりあってくれるよね？」

「もちろんだ」

「ただね、だからってすぐに捜査方針が変わるってことにもなんないでしょ？　それだと彼女、がっかりしちゃうかなあ。『もうひとつの殺人』があれだけ話題になってても、捜査本部は表向きには栗橋・高井共同犯行説を捨ててないじゃない？　内部ではどうだか知らないけどさ」

内部では、『もうひとつの殺人』が世に出るはるか以前から意見が割れているのだ。だから今さらどうということもないように見えるのだと、武上は説明した。公的には、捜査本部としては、『もうひとつの殺人』に書かれている事柄が、どこまで事実として本当のことなのか、一読しただけではわからないというスタンスをとり、事実上黙認している。

一般社会の人びとは、あの本を読んで、こりゃ警察はあわてているだろうとか、怒っているだろうとか、いろいろ推測をしていることだろうけれど、組織としての警察はそれほど軟弱ではないし、懐《ふところ》が浅くもない。

ただし個人としては別である。武上と同じく、旧来の高井共犯説にグラつきを感じ始めている者たちもいるし、頭から網川浩一の説を否定して一顧だにしない者もいる。網川は売名と金儲《もう》けのために事実に脚色して面白おかしく書きとばしているだけだと、青筋立てて怒っている者もいる。秋津など、そのクチである。

——網川は、まるでこの事件のいちばん悲惨な被害者は高井和明とその遺族で、ほかの犠牲者や遺族はたいした目に遭ってないみたいな言い方をしてるじゃないですか。俺はあれが許せない。

「秋津さんてさ、子供のころに刑事ドラマ観て感動して、オレ大人になったら刑事になるって決心して、ホントに警察へ入っちゃったヒトでしょ？」法子がころころ笑った。「あのヒトなら、いかにもそんなこと言いそうだね」

「その話、知らんぞ」

「そう？　ウチにお年始に来て、酔っぱらって言ってたことあるわよ。すんごいガタイのいい単細胞ね。でっかいアメーバだわ」

不覚にも武上は吹き出した。実際、秋津にはそんなところがある。

「俺が笑っちゃいかんな」

「でもさ、お父さん」法子は真顔に戻って身を乗り出した。「ホントのところ、内部じゃ今どっちの意見が優勢なの？　栗橋・高井共犯説？　それとも真犯人X存在説？」

武上は鼻先で娘の質問を撥《は》ね飛ばした。

「答えられるわけがないだろうが」

「じゃ、お父さん個人としては？」

「ノーコメントだ」武上は言って、逆襲した。「おまえはどうなんだ？」

「あたし？」法子は指で鼻の頭を指した。「あたしはね――うん……」

腕組みをして考え込むと、ひどく真剣な目の色をした。

「正直言って、判断がつかない。警察は捜査の過程で集めた情報を全部公開してないでしょ？　だから、網川さんが書いてる事柄のなかに、既に捜査本部が調べて、高井和明の共犯説の可能性を否定するものではないと判断した材料が混じってたとしても、それとは判《わか》らない。彼の立ててる仮説は、一読するとすごくすっきりしてて説得力があるけど、土台をつくってるものが本当に事実だけなのかどうかは判らないわけよ。土台の段階で、彼の予断や事実確認の不手際《ふてぎわ》が混じっているかもしれないっていう可能性がある以上、彼の説を鵜呑《うの》みにするのは、あたし嫌なの」

武上は少しばかり娘が誇らしかったが、黙って顔にも出さなかった。

「でもね、もしも事件の全貌《ぜんぼう》が彼の推測したとおりのもので、真犯人Xがまだこの世に生きてぴんぴんしてるんだとしたら――」

女子大生の娘は、くたびれた刑事の父親の顔を正面から見つめた。

「真犯人Xが、網川さんのこと、このまま放っておくはずはないと思う。彼に対して、きっと何かしら仕掛けてくるに違いないって思うの」

それはまさに、つい先日武上と〝建築家〟が達した結論だ。Xは網川浩一に接触してくる。必ず。

「網川さんが注目を浴びてること、Xは面白く感じてないと思う。めちゃめちゃ不愉快なはずよ。だってさ、事件の主役の座を、今のところは、すっかり彼に奪われちゃってるものね」

「しかし、迂闊《うかつ》に動けば我々にその存在を確信させちまうことになるぞ」武上はわざと言った。「黙って隠れ続けていれば、アホな警察は栗橋・高井共犯説で事件に蓋《ふた》をしてくれるかもしれないんだ。わざわざ危険な橋を渡ることはあるまい」

「危険」法子は台詞《せりふ》でも言うように大声で、台所の天井に向かって言った。「真犯人Xにとって、危険って何かしら。そもそも警察に捕まることを、彼は危険だと考えているかしら」

「犯罪をおかしているという認識はあるだろうから」

「犯罪」また、大声で読み上げるように言う。「それもどうかな。彼――つまり真犯人Xのことだけど――これを犯罪だと思ってないかもよ、お父さん」

そう、舞台劇だ。武上は心底驚いていた。法子まで、俺や〝建築家〟と同じようなことを言い出すとは。

「それはおまえひとりの意見か？　それとも、誰かほかにそんなことを言ってる奴《やつ》がいるのか？」

「劇場型犯罪だってことは、みんな言ってるよね。テレビでも雑誌でも」法子はちらりとベロを出した。「でも、あたしはそもそもこれが犯罪だって、犯人が――この場合の〝犯人〟は、栗橋であれ高井であれXであれ誰であれね――ちゃんと認識してるかどうかが怪しいって思う。これは個人的感想」

「なぜそんなふうに思うんだね？」

思わず知らず、武上は丁寧な聞き方をしていた。

法子はしばし、考えをまとめるように、じっとキッチンのテーブルを見つめていた。

それから、その視線を動かさずに呟《つぶや》いた。

「あたしたち女性は、ほとんどの場合、殺される側にいる」

武上はどきりとした。

「だから、犯罪とか事件とかを見るときに、どうしても、男の人たちとは違う見方をしちゃうのかもしれない。でもそれはしょうがないと思うのよ。今度だって、わかっている限りでは、被害者は木村庄司さん一人を除いて全員女性でしょ？　他人事《ひとごと》とは思えない」

そうだろう。運が悪ければ、自分もこの犯人の手にかかっていたかもしれない——と、戦慄《せんりつ》を覚えつつニュースを見るのと、自分のなかにもこういう暴力的な部分が潜んでいるかもしれないと思いつつニュースを見るのとでは、心の動きが違って当然だ。それどころか、実際問題として捜査本部が軽々しく栗橋・高井犯人説の看板をおろすことができないのは、迂闊にそんなことをすれば、一段落したはずの事件の温度をまた上げることになってしまうからだ。事件熱が上がれば、それに浮かされて、類似の犯行に走る男どもが現れる。同じような犯罪の芽は、いたるところに存在しているのだから。

「あたしには、ずっと、この〝犯人〟がすごく愉《たの》しんでるように感じられてしょうがなかった」法子は痛そうに顔を歪《ゆが》めて言った。「それも〝犯罪〟を愉しんでるんじゃない。わざと悪いことをして他人を怖がらせて面白がってるんじゃないのよ。そういうのとは根本的に違うの。まるでイベントの演出でもしてるみたい」

　舞台劇だ。武上は再び思った。観客参加型の芝居だ。

「見物してる社会の人たちを、愉しませようとしてる。それだけじゃなくて、この〝犯人〟は、殺された被害者たちだって、愉しかったはずだって思ってるんじゃないかって気さえするのよ。だって被害者たちもイベントの参加者なんだもの」

　これには、さすがに武上も絶句した。「被害者たちまで――とはな」

　法子は強く首を振った。「もちろん、現実にはそんなことあるわけないわよ。だけどあたし、想像しちゃったの。この〝犯人〟、被害者を殺す前に、過去の想《おも》い出《で》とか家族のこととか、本人から盛んに聞き出していた形跡があるんでしょ？　アメリカなんかでよくある変質的な殺人犯みたいに、相手をモノとして扱ってたわけじゃなかった。相手もちゃんと人格のある一個の人間だってことを、わざわざ時間と手間をかけて何度も何度も確認して、それから殺してるわけよ。ね？」

　武上は黙ったままうなずいた。

「それであたし想像したの――これから被害者を殺すってときに、〝犯人〟が彼女たちにこう言うのよ――君は死にたくないって命乞《ご》いするけど、今の君みたいなちっぽけな存在のまま生きてたってしょうがないじゃない？　でも僕の手にかかって、僕のつくる連続殺人の被害者って形でこの一大イベントに参加したならば、君の名前は日本中で有名になって、みんなが君のことをよく知るようになって、みんなが君の名前や顔を覚えてくれて、みんなが君の死を悼《いた》んでくれるよ、これってすごく素晴らしいと思わない？」

謳《うた》うような調子でそこまで言って、法子ははっと我にかえったようにまばたきをした。

「とっても怖いけど、そんなふうに思ったの。でね、そうだとすると、〝犯人〟は、被害者たちに対して悪いことをしたなんて、これっぽっちも思ってないんじゃないかしら。もちろん遺族に対しても同じよ。あんたたちの平凡で地味な人生に、思いがけないスポットライトを当ててあげたんだよって――参加者も一般社会の観客も、みんなみんな愉しんで、誰も損してないじゃない、僕は悪いことなんかしてないよ、僕のしてることのどこがいけないの？　誰かそれを説明できる？って」

法子はまるで〝犯人〟に乗り移られたかのように、その質問の答を求めて武上の方に乗り出した。父はいかめしい顔をさらに怖くして言葉を探した。

「人間が、純粋な娯楽のために他の人間の命を犠牲にするようなやり方を、現代の文明社会は許さないんだ。逆に言えば、それを許さないような社会の仕組みとルールをつくるために、何百年という時間が必要だったんだ。今さらそれを許せば、人類は歴史を後戻りすることになっちまう」

「後戻りしたっていいじゃない」法子はわざと挑発的な言い方をして、口の端をにっと吊《つ》り上げた。「面白ければ」

武上は背筋が冷たくなり、頭が熱くなった。娘のなかに、彼のまったく知らない別の人格が潜んでいる――

「そんな怖い顔で睨《にら》まないでよ」

法子がにこにこしている。武上のよく知っている、おしめも換えてやった、一緒に風呂《ふろ》にも入った、九九を教えた、夏休みの工作づくりを手伝ってやった、あるときから父親に自室の回りをうろつかれるのを嫌がるようになった、そんな娘の顔に戻っていた。「おまえ、大学で芝居でもやってるのか？」

冷や汗を拭《ぬぐ》う思いで武上が呟くと、法子はあははと声をたてて笑った。

「ぜーんぜん。でも、ちょっと今のは説得力あったみたいだね」

「あり過ぎだ」

「これはきっと世代の差だね」法子は茶碗《ちゃわん》を片づけながら言った。「あたしはもちろん、今のような屁理屈《へりくつ》を認めない。絶対許さない。でも、そんなふうに考える連中が出てきても驚かない。あたしたちの世代にはそういう指向性があるから」

「命は無条件で大切なものだとか、社会の安全は守らなければならないとか、そういう考え方を笑い飛ばす？」

法子は首を振った。「そういうすべてのものよりも、退屈しないことの方が大切だっていう指向性よ」

ちょっと考えてから、付け足した。「うん、そう。何よりも恐ろしいのは、人生に何も起こらないこと。誰にも注目されず、何の刺激もない人生を送るくらいなら、死んだ方がましだっていう、そういう指向性」

分かり切ったことを言うような、淡々とした法子の口調が、墨東警察署に帰ってからも、武上の頭から離れなかった。その言葉以前に法子が見事に分析してみせた、事件の〝真犯人〟のモノローグも、耳の底に蘇《よみがえ》っては、武上を内部から揺すぶった。

——みんなを愉しませてる。べつに悪いことじゃない。

——あんたたちの平凡で地味な人生に、思いがけないスポットを当ててあげたんだ。

法子は何の難しい言葉も使わなかった。哲学的・社会学的なことを言ったわけでもない。武上にとって、法子はそれなりに自慢の娘だが、だからといって彼女が世間的平均値から抜きん出て優秀な娘だと思っているわけではないし、またそんなふうに思う根拠もない。父親がそうであるように、法子もまた、勤勉な普通人の一人である。

その普通人が、平易な言葉で語ることのできる犯罪——今度の連続誘拐殺人事件は、そういう種類のものだったのか。残酷で冷笑的だが、その酷薄さを生んでいるエネルギーは、同時代の同世代の人間には軽く理解可能の動力源から出てきているのか。

だとすれば、犯人もまた〝普通の〟人間であるはずだ。

ちょうどその日の午後からは、武上の指示で、デスク班のうちの二人が、今の段階で出揃《でそろ》っている未遂報告事例についてのファイル作りに取りかかることになっていた。

もちろんデスク班で取り上げる未遂報告事例は、現段階で捜査本部に届け出があり、かつ裏付け捜査の結果、記録として残しておく必要性を認められたものだけだから、件数的にはそう多くない。しかし、武上は独断で、本部の指示では「本件との関わり合いは認められない」として記録を閉じるよう指示された事例のなかからも、未遂事例の襲撃者が複数犯であるものは全部残して、ファイル化することにした。

担当デスク係の人数も、当初の二人から倍の四人にし、その四人を二班に分けた。第一班は、未遂事例の被害者が、襲撃者を「栗橋浩美・高井和明」の二人組だったと、はっきり断言している事例を担当する。第二班は、襲撃者についての証言が、そこまではっきりしておらず、二人組の襲撃者のうち一人については目撃していなかったり、声しか聞いていなかったり、あるいは犯人の身体的特徴が栗橋浩美や高井和明とは食い違う部分があったと報告されている事例を担当する。

ここで作成する「ファイル」とは、事件の聞き取り調書と捜査員の現地調査の報告書、写真等を、それらを元に、未遂事例の発生経過を現地の精密な地図の上に忠実に再現して書き込んだものと一緒に綴《と》じ込んだ、総合的な一件書類を指す。従って、完成したこのファイルを一読すれば、誰にでもそこで報告されている未遂事例の経過について詳しく知ることができるのだ。さらに、ふたつの班でファイルが完成したら、それを対照・照合することによって、何か共通の——あるいは相反する、今まで見落とされていた事実が浮上するかもしれない。「栗橋・高井組」と思われる事例で報告されている襲撃者の動きや、被害者へのアプローチの手口と、そうではないケースのそれとのあいだに、何かしら具体的な相違点が見つかるかもしれない。

担当者を決めて作業を割り振ると、それぞれ仕事に戻ったデスク班員たちをぐるりと見回して、武上は篠崎を呼んだ。篠崎は亀《かめ》の子のように首を縮めた。

「ちょっと来い」

武上はさっさと廊下に出た。篠崎は、たっぷり二十秒はためらってから、のろのろと出てきた。武上は、彼がデスク部屋のドアを閉め切らないうちに訊《き》いた。

「おまえ、女子大生のお守りをする気はあるか？」

「――それでまあ、よくわからないんですけど、僕がお供することになったわけです」

篠崎は汗をふきふき説明する。武上法子は面白くってたまらないという様子で、今にも吹き出しそうに口元を尖《とが》らせていたが、とうとうアハハと声をたてて笑いだした。

「篠崎さんも、とんだ上司に見込まれちゃいましたね。でもいいじゃない、上司は選べるもの。あたしなんか、今さら親は選べないんですから」

はあ……と、篠崎は曖昧《あいまい》な声を出した。

羽田空港の国内線到着ロビーは、祝日の午後のことで、かなり混みあっていた。二人は到着ゲートの正面に立っていた。行き交う人混みにまかれて、右へ左へ押し戻されたり押し返されたりしてしまう。

篠崎は何度か武上家へ招かれ、武上夫人の手料理をご馳走《ちそう》になったり、風呂に呼ばれたり、酔いつぶれて泊めてもらったりしているから、もちろん法子とも面識はある。だが、大学生活を忙しくエンジョイしている彼女が、篠崎が武上家に居るとき、その場にべったりと居合わせたことは、今まで一度もない。だから、ちゃんと口をきくのは今日が初めてだ。それどころか、まともに顔を見るのも初めてかもしれない。

溌剌《はつらつ》とした娘だった。どちらかと言えば華奢《きやしや》な身体《からだ》つきだが、内側からエネルギーが溢《あふ》れているという印象を受ける。動作はきびきび、発言もはっきり、歩くのも早いし、姿勢もいい。少しばかり地声が大きいのと、意志の強そうな顎《あご》の形は父親譲りと見た。美人コンテスト向きの美形ではないが、表情豊かで利発そうな顔は、充分に魅力的だ。

それだけに、篠崎は二重にアガッてしまっていた。これまでの二十八年の人生で、こんなに元気の良い女性と二人で行動するのは、これがまったく初めての経験である。上司の娘というだけでも大緊張ものなのに――

しかも武上法子は、そんな篠崎に向かって、しゃらっとこんなことを言うのである。

「篠崎さん、アガッてるでしょ」

「は？　あ、はあ」

「さっきからずっと、右手と右足一緒に出すような歩き方してるもの。ヤダなあ、あたしそんなに怖いですかぁ？」

「いやその、僕は別に――」

「というか、あたしじゃなくて父が怖いのね。部下には威張ってんでしょ。ウチじゃ母には頭あがんないんですよ」

「ははあ、そうですか」

「だからいいですよ、気にしないで。それに篠崎さん、今さらカッコつけたって駄目よ。このあいだウチに泊まったとき、夜中に大声で寝ごと言ってたもの」

篠崎は髪の毛が逆立ちそうになった。

「ぼ、ぼ、ぼ、僕が？」

「うん」

「な、な、な、何を言いましたか？」

法子はまたおおらかに笑った。「そんなの、あたしには言えないわぁ」

篠崎は貧血を起こすか窒息するかその両方か、とにかく、自分というシステムが致命的なエラーを起こしそうだということだけはわかった。

「も、申し訳ありません！」

裏返った声でひと声叫び、最敬礼すると、法子にバンバン背中をぶたれた。

「嫌ね、よしてよ、そんなことしたらあたしが篠崎さん虐《いじ》めてるみたいじゃない」

「いや、しかし――」

「それに、角田さんそろそろ着くころなんだから、ゲートの方を注目してなくちゃ。目印っていったら、あたしの着てるこの赤いダッフルコートだけなのよ!」

角田真弓とは、ド派手な赤いダッフルコートを着ている若い女を探してくれと、約束しているのだという。万が一赤いダッフルコートが複数存在したら、近寄って匂《にお》いをかいでくれ、樟脳《しょうのう》がぷんぷんするのがわたし武上法子です、うちの母は無臭の防虫剤は効いてるのか効いてないのかわからないから嫌だと言って使わないのよ。

確かに、よく匂う。

「クサいでしょ。でも、こんなところで役に立つとは思わなかったわ。混んでるもんね」

それで篠崎は、ようやく我に返って武上から申しつけられた業務命令を思い出した。羽田空港に、角田真弓を迎えに行く法子に同行し、彼女と一緒に角田嬢から直《じか》に話を聞き、もしも角田嬢が同意してくれるなら、墨東警察署までお連れするように——という指令だったのだ。

角田真弓についての情報は、そのときその場で武上からも簡単に説明を受けた。さらに今日も、法子と待ち合わせ場所で落ち合ってから今までのあいだに、さらに詳しい説明を受けることができた。

篠崎は、武上が私的な立場でこんな調査を進めていたことに、まず大いに驚いた。そして非常に興味を持った。高井由美子の自殺未遂騒動以来、すっかり武上から遠ざけられてしまったために、相談するきっかけを失っていたのだが、実は篠崎自身も、インターネット上で事件についての情報を収集していた。とりたててパソコンに明るいわけではないが、それを使うことに抵抗もないし慣れてもいる彼は、デスク班に配属された直後から、たまにアパートに帰ることがあると、せんべい布団《ぶとん》で泥のように眠ってしまう前に、古い二層式の洗濯機をガラガラと回しているあいだに、温めたインスタント食品をかき込む合間に、ネットを検索しては、そこで飛び交う意見や情報を観察していたのだ。

ただ篠崎は、剣崎龍介のホームページの存在は知らなかった。法子と話し合ってみると、どうやら彼の検索の仕方が偏《かたよ》っていたらしい。帰宅する機会そのものも少なかったので、目が行き届かなかったということもある。

「篠崎さんはどんなことを検索してたんです?」

法子に尋ねられて、篠崎は頭をかいた。

「これまでに類似の事件がなかったかどうかっていうことを……」

法子は目を丸くした。「あら、それなら警察で資料を調べた方が早くない?」

「いえ、僕が調べたのは、現実に発生した事件じゃないんです。フィクションのなかに、今回の事件と似たようなものがなかったかどうかってことで……」

だから、映画や推理小説やテレビドラマについてのフォーラムや会議室ばかりをのぞいて歩いていたのである。

「へえー」法子は感心したような声を出した。「確かに、その手はありますね。で、どうでした？　見つかりました？」

それは「似たようなもの」の定義による。

「複数犯人による快楽殺人、連続殺人というものなら、けっこうな数が見つかりました。それでなくても、アメリカのミステリーには、今、この手のものが凄《すご》く多いらしいです」

法子は小鳥のように首をかしげた。「現実にも多いからかしらん」

「でしょうね。あっちは犯罪先進国ですから」

男性の快楽殺人者（もしくはその予備軍）が、女性を拉致《らち》し、一定期間以上監禁し、犯人側から一方的なコミュニケーションを仕掛け、それが上手《うま》く運ばないと――まあ上手く運ばなくて当然なのだが――最終的には被害者を殺害し死体を遺棄するというパターンのフィクションも、また数多い。実際、このあたりの要素を探しているうちに、篠崎は、こんなことをやってもあんまり意味がないなと思い始めてしまったほどだ。それほどに、フィクションのなかにはこの種の話が多いのだ。

「篠崎さん、現実の快楽殺人犯については検索しなかったの」

「しました。ただ、条件を付けたんです。その快楽殺人犯を巡って、捜査当局なり、本人なり、ルポライターなり、書き手は誰でもいいけど、とにかく誰かが何らかの手記やルポを発表しているケースに限る、と。しかも邦訳の出ているものですね。これは有名どころに限られます。ジェフリー・ダーマーとか、エド・ゲインとか、テッド・バンディとかね。このクラスになると、映画やテレビドラマにもなってるくらいですし。ああ、そうだ、だから逆に、手記やルポは出ていないけれど、映画やドラマは日本語版が出ているというものもあったな」

法子はカッコよく片足に体重を移して腕組みをした。「そっか、読み物やドラマとして情報化されてしまえば、それって、ノンフィクションでもフィクションに似てくるものね。作り手の視点から、ストーリー化されるから。つまり篠崎さんは、ストーリーのある、筋書きがきちんと立てられている前例を探していたわけなんですね」

篠崎は、彼女の頭の回転が速いのに感心した。なるほど、だてにあの親父《おやじ》の娘をやっているわけではないのだ。嬉《うれ》しくなった。

「ええ、そうなんです。今度の事件の特徴は、ほかの何よりも、犯人がストーリーを組み立てることを優先して動いていたことだと思うから」

しかしそのストーリーは、本当にオリジナルなものなのか？　どこかにお手本があったのではないのか？　篠崎はそれが気になったのだった。

「それで結論は？」

篠崎は首を振った。「ストレートに、僕らが今手がけているあの事件を連想させるようなフィクションや犯罪記録には、今のところぶつかっていません。僕の探し方に穴があるのかもしれないし、もともとそんなに犯罪小説や映画に詳しいわけじゃありませんから、自信を持って結論を出すこともできないんだけど」

「ふうん」法子は赤いくちびるを引き締めてうなずいた。「この犯人どもが、とんだ物まね野郎だっていう可能性は、そもそも少ないのかもしれないけどね……わかんないけど」

ちょうどそのとき、ゲート前で、やはり誰かを出迎えるために待っていたらしい若い女性のグループが、あっというような声を出してさざめいた。グループは法子と篠崎のすぐ前にいたので、彼女たちが何を見て沸き立ったのか、すぐにはわからなかった。篠崎と法子は、ちょっと顔を見合わせた。

「タレントでも降りてきたのかな」

見守るうちに、ゲートを抜けて、サングラスをかけたスマートな女性が、ラフなジャケット姿の体格の良い男性にエスコートされて、足早にロビーの方に出てきた。見るからにあか抜けた美女で、颯爽《さっそう》としている。篠崎の記憶に間違いがなければ、あの顔は、ウィークデイの夜十時から一時間枠のニュース番組を持っている、人気女性キャスターだ。

「キャスターですよ」と、目をそらした。

ところが、法子は篠崎の袖《そで》をぎゅっとつかんで、注意を促した。彼女の視線の先をたどると、そこには別人の顔があった。女性キャスターの後を追うようにして足早に歩いている。若い男性だ。彼の脇《わき》にも、きびきびとした男性が一人付き添っている。先を行く女性キャスターが、振り返って後に続く二人の男に何か声をかけた。付き添いの体格の良い男がちょっと白い歯を見せ、若い方の男は生真面目《きまじめ》にうなずいた。

「あれ――網川浩一さんね」

法子の声をかき消すように、ゲート前の女性のグループのなかから、「網川さん、本読みました」「頑張ってください！」という声が飛んだ。網川は彼女たちの方を見ると、ちらりと微笑《ほほえ》んだ。女性キャスターも微笑した。また黄色い歓声があがった。

「あいつ——」

篠崎は人びとの肩越しにじっと網川浩一の横顔を見つめた。

「きっとまたテレビに出るのね」法子が言って、ちょっと笑った。「凄い人気。まあ彼は、今のところ、この事件が生んだただ一人のヒーローってところだもんね」

女性キャスターと網川たちのグループが、黄色い声に包まれながら移動を始めた。篠崎は、自身では気づかなかったが、かなり凶悪な表情を浮かべてそれをにらんでいたらしい。左腕の肘《ひじ》のあたりを、ほとほとと叩《たた》かれてはっと見おろすと、法子がほんの少し笑いを含んだ顔で見上げていた。

「凄く怖い顔してる」と言って、彼女は笑いを消した。「篠崎さんは、網川氏のこと、あんまり好きじゃないみたいね。やっぱり彼が、捜査本部の方針に真っ向から異議を唱えるようなことばっかり言ってるから? それとも、いかにも正義漢面《づら》してるけど、底の方によどんでる本音が見え見えだから?」

篠崎は驚いて問い返した。「本音って?」

法子は小さな肩をすくめた。「お金とか、売名とか」

「それが見え見え?」

「でしょ?」法子は小鳥のように口を尖《とが》らした。「それともあたしがひねくれてるのかな」

少し考えてから、篠崎は言った。「テレビって、そんなに儲《もう》かるものでしょうかね」

法子が吹き出した。篠崎は冷や汗が出そうになった。

「ああ、すみません。法子さんの言ってる意味はそういうことじゃないですよね」

そして、うっかり「法子さん」と呼んでしまったことに気づいて、さらに冷や汗が浮いた。

「武上さん」では、呼びかけるたびに彼女の親父殿の仏頂面が目の前にチラチラしてしまうし、「お嬢さん」では何だかナンパでもしているみたいで嫌になってくる。何と呼んだらふさわしいのだろうか。

「篠崎さんは、ここんとこの剣崎さんのホームページを見てます？」

ハンカチで額を拭《ぬぐ》いながら、篠崎は首を振った。

「いえ、見てないです。何か新展開が起こっているんですか？」

到着便が吐き出した乗客の流れが一段落して、周りが少し空いた。篠崎はちらりと腕時計を見た。角田真弓の乗った便は、定刻通りならば今頃はもう着いているはずだ。そろそろ出てくるだろう。のっぽの若い娘だから、きっとすぐに判《わか》るはずだ。

「今の剣崎さんのホームページでトップの話題はね、〝網川浩一仕込み説〟よ」

「何です、それは」

網川浩一は、真犯人Xをあぶり出すために警察が仕込んで登場させた〝やらせ〟のキャラクターだというのである。彼は警察への協力者であり、捜査本部の方針に反対する意見を並べているのも、そのようにシナリオを書かれているからに過ぎない。捜査本部では、そうやって世間の耳目を網川浩一の上に集め、彼を臨時のヒーローに仕立てて、それに対してけっして良い感情を抱くはずのない真犯人Xが動き出すのを待っているのだ——という説だ。

「そいつはずいぶんうがった説ですね」

「でも、あっても不思議はない話よね」法子はケロリとして言い放った。「日本の警察って、すごく厳しく手足を縛られてるでしょう？　囮《おとり》捜査も禁止されてるし、どれほど緊急な必要性のある場合でも、盗聴ひとつできない。だから、かえって手の込んだ水面下の二回転半ひねりとかしなくちゃならなくなるんだわよ」

不謹慎だと思ったが、篠崎は笑った。

「笑い事じゃないわよ」法子は横目で彼をにらんだ。「今度の事件でも、マスコミにはさんざん叩かれてるじゃない？　日本警察の捜査方法は前近代的だ、広域犯罪に対応できない、連続殺人犯に対する備えができていない、云々《うんぬん》かんぬん。だけど、そんなことを言うんだったら、警察をがんじがらめにしている規制を解いて、もっと自由な捜査ができるようにしてほしいわ」

娘として、父親の長年の苦労を見つめてきた上での、正直な感想なのだろう。過激だが、聞いていて悪い気はしなかった。

「それにしても、もしも僕らが網川氏を仕込んでひと芝居うたせているのだとしたら、少なくとも極秘でそういうプロジェクトが実行できる程度まで、捜査本部の内部的意見が統一されてるということになりますよね。高井和明の位置づけはともかく、真犯人Xは未《いま》だ生存しているということについてね」

「そうね……」法子は計るように篠崎の顔を見た。「そのへん、どうなんだろ」

「武上さんは何ておっしゃってますか」

「わかんないのよ」法子は眉《まゆ》をひそめる。

「うちの父はデスク担当でしょ？　後方支援担当だから、捜査本部のやり方について、なんじゃかんじゃ言うことは絶対にしないの。それはもうずっとそうなのよ。それじゃ個人的にはどうなのよって訊《き》いたら、ノーコメントだって」

そうですかと、篠崎は呟《つぶや》いた。彼自身も、このことで武上と話し合ったことはない。

高井由美子の自殺未遂事件以来、ほとんど口をきいてもらえなかったのだから、致し方あるまい。

「あ、来たみたい」

法子が背伸びをして到着ゲートの方を見渡しながら言った。ぱっと元気よく右手をあげる。篠崎は彼女の視線をたどっていって、見るからに健康そうなすらりと長身の若い女性の姿を発見した。

「角田真弓さんですか?」

彼女に歩み寄りながら、法子が訊いた。のっぽの若い女性は、用心深そうに法子と篠崎の顔を見比べながらうなずいた。

「わたしが武上法子です。こちらは——」

法子に促され、篠崎が手帳を見せて自己紹介をすると、角田真弓の切れ長の目が大きくなった。

「ホントに警察の方ですか……」

「ごめんなさい、おまけに連れて来ちゃったんです」法子は悪びれず、素直に謝った。

「ただ、篠崎さんはうちの父の直属の部下だっていうだけじゃなくて、わたしの友人でもあるんです。ですから今日は、捜査本部の一員として来たんじゃなくて、友達として来てくれただけなんですよ。だから、角田さんがやっぱり捜査本部に情報を提供するのは気が進まないっておっしゃるならば、篠崎さんもわたしも、これまでにうかがったお話はきれいに忘れますし、記録にも蓋《ふた》をして、けっして外には漏らしません」

篠崎は内心ひそかに狼狽《ろうばい》してしまい、本来ならば何か言い添えるべき状況なのに、何も気の利《き》いた言葉が浮かんでこなかった。法子はいともあっさりと、彼を「わたしの友人」だと言った――もちろん角田真弓の信頼を勝ち得、気持ちを落ち着かせるためのロジックだろうけれども、それにしても篠崎にとっては大いなる驚きだった。

「角田さん、大丈夫ですか？」

気遣わしげな声を出して、法子が首をかしげた。なるほど、遠目にはカモシカのようにしなやかで健康そうに見えた角田真弓だが、近くで顔色を見ると、なんだか具合が悪そうだった。表情が曇っているのも、ただ緊張のためばかりではないようだ。

「飛行機に酔っちゃったのかしら」

「とにかく、ちょっと座りましょうか」

三人は到着ロビーを出て、空港ターミナルビルのなかを歩き、比較的静かなティールームに落ち着いた。角田真弓はそわそわと時計を見た。

「両親が迎えに来てくれるんです」

「何時頃？」

「あと一時間半ぐらい。本当よりも、ひと便遅い便で着くって言っておいたので……。ごめんなさい。あなたに会うこととか、今回のもろもろのこと、家族にはまだ内緒にしてあるんです。友達も先生も彼も、誰も知りません」

ひどく困ったような、疲れたような、怯《おび》えたような顔をして、下を向き、妙に早口だった。注文したコーヒーが運ばれてくるまでのあいだ、法子は他愛《たわい》のない時候の話などをしながら、心配そうに彼女の様子を観察していたが、ちらっと篠崎の方を見て、（簡単にはいかないね）というような表情を浮かべた。篠崎は目顔でうなずいた。

こういう時には、むしろてきぱきと事務的にふるまった方がいいのかもしれない。ウエイトレスが去ってまわりが静かになると、篠崎は手帳を取り出し、これまでに法子が角田真弓から聞き出した証言を、一応確認させてくださいと切り出した。

「僕は法子さんから又聞きをしているだけなので、何か間違いがあるといけませんから」

角田真弓は「それは困る」とも「もう協力できない」とも言わず、しかし身を乗り出すような様子もなく、いっそう顔を青くした。篠崎は彼女と相対しながら、病気なのかな、と思い始めていた。実際、やりとりを続けているうちに、彼女はどんどんうつむいてしまい、今にも吐きそうな顔さえした。

「角田さん、大丈夫ですか？」法子がまた声をかけた。「ね、気分が良くないみたい。今日はやめにして、あたしたち引き上げましょうか」不意に、角田真弓が両手で顔を覆《おお》った。唐突な動作で、法子も篠崎もびくりとして身を引いた。

「ああ、どうしよう」と、手のひらのなかに顔を埋めたまま、彼女は呻《うめ》いた。

「どうしたらいいかわからなくて」

「角田さん」法子は椅子《いす》から立ち上がり、彼女の隣の席に移った。「そんなに思い詰めないで。ごめんなさい、あたしが軽率でした。そんなに苦しめるつもりなんてなかったの。実は今日、あなたに会うって言ったら、父にも叱《しか》られたくらいで——」

角田真弓は顔をあげると、すがりつくような勢いで法子の方へ首を振った。

「いいえ、違うんです、そうじゃないの」

「角田さん……」

「わたし」角田真弓はしなやかな長い腕をよじっていた。「彼と会う予定があって、昨夜から札幌にいたんです。だから千歳《ちとせ》空港から飛行機に乗ってきたの。それで、乗る直前までは、武上さんに会っても、もうお話しすることはない、警察には証言しない、わたしの話は忘れてくださいって言うつもりだったの」

篠崎は法子を見た。法子は真っ直《まっす》ぐに角田真弓の整った顔立ちを見つめていた。

「それはやっぱり……彼と会ってて……下手に事件に関わるようなことがあったら、きっとこの人にも心配をかけるし、迷惑をかけるんじゃないかって思って……彼、公務員だから、いろいろと世間の目を気にしなくちゃならないことも多くて。彼のお父様もお母様も学校の先生だし」

法子が優しく言った。「ご結婚なさるんですね」

角田真弓は、少女のようにこっくりとうなずいた。「今年の秋に式を挙げたいって、彼とわたしのあいだでは話が決まっているんです。実は今度上京したのも、わたしの家族にそれをうち明けるためなの。だからわたし、あの、本当に警察沙汰《ざた》なんて困るんです。剣崎さんのホームページに書き込んだのだって、ネット上ならば誰にもわたしだってわからないからって安心してたからだし……」

篠崎は心のなかで考えていた。でも貴女《あなた》は、法子さんの問いかけに応じて話をして、こうして彼女に会いにきたじゃありませんか。それはやっぱり、自分の体験したことについて、危ないところで逃れた危機について、黙っていることが難しかったからじゃないですか。事件をめぐって様々な憶測や推理や報道が渦巻いている現在、貴女の証言が、わずかでも、解決への役に立ってくれるかもしれないという希望があったからじゃないですか。貴女のように、間一髪で危機を逃れることのできなかった他の犠牲者のためにも、事件にきちんとした決着をつけたかったからじゃないんですか。真犯人に——それが本当は誰であるにしろ——犯した罪にふさわしい罰を与えてほしかったからじゃないですか。

「ですからわたし、武上さんに会っても、それだけ言ってお詫《わ》びして、あとは回れ右をして逃げ出そうと思っていたんですよ。それなのに——」

法子は何も言わず手を伸ばして、角田真弓の背中を撫《な》でた。実際、彼女はますます気分が悪そうに見えたのだ。

「千歳空港では気づきませんでした」と、うつむいたまま、角田真弓は続けた。「離陸して、ベルト着用サインが消えてすぐに、人の話し声が聞こえてきて——すごくにぎやかな声で。聞き覚えがあったんです。テレビでよく聞くニュースキャスターの声だったから」

法子が目を見開いて、篠崎を見た。彼は言った。「女性キャスターの?」

「ええ、そうです」角田真弓はうなずいた。目が潤《うる》んでいる。「札幌で何か番組の収録があったらしいんです。スタッフが一緒でした。それで……ほかにも一緒にいた人がいて」

法子がすぐに言った。「網川浩一さんですよ。一緒に到着ゲートから出て来たわ。やっぱりテレビ番組の収録だったのね」

「それじゃ貴女は、彼らと同じ便に乗り合わせていたんですね？」

「ええ」角田真弓はまた腕をよじりあわせ始めた。「わたし……この身長でしょう？　狭い座席は辛《つら》いので、まだ半人前のくせにちょっと贅沢《ぜいたく》だけど、飛行機に乗るときには必ずスーパーシートをとるようにしているんです。網川さんたちは、わたしのふたつ前の列に座っていました」

なぜかしら、角田真弓は身構えている。網川たちと乗り合わせたことが、なぜそんなに問題なのだろう？

「わたし……以前にもあの人がテレビでしゃべるのを聞いていました」と、角田真弓は首筋を堅くしたまま言った。「特にあの人が、高井和明は事件の犯人じゃないって主張してるって知ってからは、すごく興味があって、だからもちろん本も読んだし、写真も見ました。でもそのときは気づかなかったんです」

手で額を拭うと、角田真弓は顔を上げ、法子と篠崎の顔を見渡した。

「飛行機のなかで、網川さん、盛んにしゃべっていました。なんだか上機嫌という感じだったわ。それで、きっとスタッフのなかに、ヒロミという名前の人がいたんでしようね」

今度は法子が身を固くする番だった。篠崎にも、ようやく、角田真弓が何を言おうとしているのか察しがついた。

「あの人は、会話のなかで、そのスタッフのヒロミという人の名前を呼びました。正確には覚えてないけど、〝それは厳しすぎるよ、ヒロミさん〟というような言葉でした」

繋《つな》がれた大きな犬の前を、目をつぶって駆けぬける幼い子供のように、角田真弓は拳《こぶし》を握って勇気を奮い起こした。

「それを聞いて、わたし思い出したんです。本当に再現フィルムを見ているみたいにはっきりと思い出したんです。わたしが襲われて、死にものぐるいで逃げ出したとき、車から出てきてからかい半分の声で、栗橋浩美に話しかけたのは、あの人だったって。〝あの女はデカすぎるよ、ヒロミ〟って、あの声でした。間違いありません。肉声を聞いたら判《わか》ったんです。あのとき、栗橋浩美と一緒にわたしを襲ったのは、あの網川浩一だったって」

## 20

網川浩一が人気女性キャスターからインタビューを受けている。場所はスタジオではなく、北海道の有名なスキー・リゾートホテルだ。ログハウス風の室内で、大きな暖炉には火が入っている。窓の外は一面の雪景色。女性キャスターは鮮やかな混色編みのセーターを着て、耳たぶには大きなイヤリングが光る。網川浩一はシンプルなブルーグレイのカシミアのセーターにジーンズ姿で、ゆったりと椅子《いす》の背にもたれ、長い足を組んでいた。

暖炉の火が揺らめくと、その前で向き合っている二人の表情にも微妙な影が落ちた。テーブルの上には手の付けられていないカクテルグラス。二人の話し声も、時折ほとんど囁《ささや》きに近いところまでボリュームが落ちる。親しげで、ゆったりと贅沢《ぜいたく》で、静かな雰囲気だ。一時間半のインタビュー番組としては、ずいぶんと予算を使っている。

「クソったれ」と、前畑滋子はテレビ画面に向かって言った。

滋子は、赤井市のグリーンロード近くのビジネスホテルの一室でこの番組を観《み》ていた。事前に新聞で番組欄をチェックしていたわけではない。簡単な食事を済ませて外出から戻り、テレビを点《つ》けたら偶然映ったのだ。栗橋浩美と高井和明の最期《さいご》の場所から二キロと離れていないところで、テレビ画面にくっきりと横顔を浮き立たせ、憂《うれ》い顔でしゃべりまくる網川浩一を目にすることになるとは皮肉だが、このごろの網川ときたらありとあらゆる機会をとらえてテレビや雑誌に出まくっているので、これだって特に意味のある偶然とは言えまい。

この番組は、網川がこれまで出演してきたニュース性の強いそれとは趣を異にし、彼の人物像に焦点を当てるということを売りにしていた。従って女性キャスターの口から飛び出す質問も、事件そのものから大きく反《そ》れ、網川の少年時代の思い出についてとか、人生の目標とか、好きな女性のタイプなどというところにまで発展した。網川は終始爽《さわ》やかな表情で、時には照れ笑いを浮かべながら質問に答えている。幼なじみの身に降りかかった冤罪《えんざい》を雪《そそ》ぐために颯爽《さっそう》と登場した無名の好青年は、短期間のうちに、すっかりいっぱしのタレントになってしまったようだった。

滋子は備え付けのミニ冷蔵庫から缶ビールを取り出すと、プルタブを引きながら、ベッドの上にどすんと腰をおろした。まるで滋子に調子を合わせるように、画面のなかの網川がテーブルの上のグラスに手を伸ばした。透き通ったグリーンの、美しいカクテルだ。それは何？　と女性キャスターが訊《き》いた。ギムレットですと彼は答えた。

昔から好きなんですよ、ハードボイルド小説に出てくる私立探偵みたいでしょう？

「クソくらえ」と、滋子はまた毒づいた。「このインチキ野郎」

悪態をついている自分の顔が、剥《は》げちょろけた壁の一面に設置された鏡に写った。滋子は急に恥ずかしくなり、しかし腹立ちは抑えることができなくて、空いた手で髪をかきむしった。

『ドキュメント・ジャパン』の連載は頓挫《とんざ》しかけていた。高井由美子の起こした騒動の顛末《てんまつ》についての報告原稿を書き、それが掲載された後は、滋子は完成原稿を仕上げていない。書けなくなってしまったのだ。

網川浩一と、彼のあの忌々《いまいま》しい本。『もうひとつの殺人』。みんな、そのせいだ。

一月の二十二日だから、ちょうど一ヵ月前のことになる。網川がテレビに出て、明日発売だという彼の著書を掲げて見せたとき、滋子は呆気《あっけ》にとられて、しばらくのあいだは息をすることさえ忘れていた。あんまり胸が苦しいので、ようやく呼吸を停めていたことに気づいたときには、酸素不足で目が回りそうになったものだ。

あの男――いつの間にかこんな本を書いていた。

網川が由美子を連れて訪ねてきて、滋子とは決別する、高井和明の無実の罪を晴らすために、今度は網川自身がルポを書くと宣言したのは、そのテレビ出演のほんの数日前のことだった。『もうひとつの殺人』は、けっして厚手の本ではない。四百字づめの原稿用紙にして、せいぜい三百五十枚くらいだろう。しかし、それだって三日や四日で書き上げられるものではないし、だいいち原稿が仕上がっただけでは本は作れない。校正刷りを作ってチェックをして、校了。製本、配本。どれほど急いだって、一ヵ月ぐらいはかかるはずだ。

つまり網川浩一は、あんなもっともらしい決別宣言をする遥《はる》か以前に原稿を書き上げ、滋子のところに来てなんだかんだ言ったときには、完成した書籍の見本刷りまで出来あがっていた可能性が極めて高い——ということになる。

なんと白々しい人間なのだろう。

去年の暮れ、十二月の初めごろだったろうか。高井由美子が初めて滋子に電話をかけてきて、三郷《みさと》のバスターミナルで会うことになった。あのときから、最初から網川浩一は一緒だった。あの日、彼が由美子と会ったのは偶然だったと言っていたし、由美子のあの混乱ぶりは芝居と思えなかったから、たぶんそれは本当のことなのだろう。

だが、冷静に逆算してみれば、彼はあのときすでに原稿を書き始めていた可能性が高い。半分ぐらいは仕上がっていたとしてもおかしくないぐらいだ。そしてそれを世に出すタイミングを計っていた。

　だからこそ、彼は由美子に近づいたのではないのか？　最初から自分の本を効果的に売り出す目的で、そのために、由美子の協力が必要だった――いや、由美子を旗印として担《かつ》ぐことが、もっとも効果的だったからこそ、彼女の身辺を探って、接近するチャンスをうかがっていたのではないのか。

　それだけじゃない。年明けに起こった飯田橋のホテルでのあの騒動のこともある。あの日、有馬義男たちがあのホテルに集まることを彼に話したのは、確かに滋子だ。その前には真一にも相談した覚えがある。記憶に間違いはない。

　だが、じっくりと思い出してみると、真一はともかく、どうしてあんな情報を網川に漏らすことになったのか、滋子にもよくわからないのである。情報をもらった翌日か、もっと後のことだったろうか。滋子は由美子と会った。そのときに網川もついてきた。その場では絶対に話さなかったはずだ。だって由美子の耳に入れていい性質の話ではないから。たぶん、そのあとの電話だ。あのころ網川は、由美子のことが心配だとか、こちらの様子を知らせるとかで、頻繁に電話をかけてきた。その折に、相手が網川だけだったから、滋子も油断してしゃべってしまったのだ。

　そして、それらのことを思い出そうとすると、疑念が湧《わ》いてくるのだ。最初に網川の方から、何らかの働きかけがあったのじゃなかったか。彼の口から、たとえば、

——それにしても、今度の事件の被害者の遺族はとても大勢になるけど、遺族の会みたいなものはつくらないのかな？

——滋子さんは、遺族に取材はしないんですか？　機会があるんじゃないんですか？

そんな水を向けられたのではなかったか。

そうでなかったら、いくらジャーナリストとしての経験は皆無の滋子でも、自分からペラペラとあんな大事な情報を提供するわけがないのだ。確かにあたしはそそっかしいけど、そこまでバカで無防備じゃないと思えて仕方がない。

あのころは、網川を信用しきっていた。怯《おび》えてうろたえるばかりの由美子だけでは心許《もと》ない、彼が一緒にいてくれてよかったとさえ、考えていた滋子だった。だから油断があった。大騒動の後、網川が、あの会合のことを由美子に教えたのは自分だと白状し、謝罪したときも、その謝り方があまりにも誠実で邪気がなかったから、心から反省しているようにも見えたから、深く追及することもしなかったし、咎《とが》めなかったのだ。

しかし、今となって考えてみれば、あれもすべて計算ずくのことだったとしか思えない。

何よりも問題なのは、あの場で由美子が騒動を起こしても、それが報道されることがなければ、問題はなかったということだ。それが報道されてしまったのは、あの場にタイミングよく写真週刊誌のカメラマンがいたからだ。そうだ、本当にもの凄《すご》いグッドタイミングで居合わせた。

当時は偶然だと思っていた。東京は狭い。カメラマンは数多い。写真週刊誌だって何誌もある。だから純粋に運が悪かったのだと思い込んでいたのだ。

だが、そうじゃなかった。今、振り返ってみれば、歴然としている。あれも仕組まれていたのだ。網川が、事前に写真週刊誌に情報を漏らしていたのだ。だからカメラマンが張り込んでいたのだ。網川は、遺族の集まりがあると知れば、由美子がじっとしてはいないと計算していたのだろう。あるいは、そのときも、彼女に対して何か働きかけ、唆《そそのか》すようなことを言ったのかもしれない。ただし、由美子本人には、けっして〝唆された〟と感じさせないようなやり方で。しかも、事後には、自分のしたことのバカさ加減に意気消沈した由美子の元に駆けつけて、彼女をかばうというフォローも忘れなかった。それでますます由美子は、そもそも自分がこんな軽率な真似《まね》をするように焚《た》きつけたのが誰だったのか、まったく考えが至らないまま、彼に対する感謝の念を深め、ますます依存するようになっていった——

なんと狡猾《こうかつ》なやり口だろう。

いいや、それでも——と、滋子は自分にむち打って冷静になろうとしてみた。よしんば網川浩一が悪魔のように悪賢い男であっても、彼が主張したいこと、本を書きテレビに出て訴えたい「高井和明は無実である」という説に、「真犯人Xは別人で、今もどこかでピンピンしている」という説に、強い説得力があるのなら、彼がただただそれを訴え出たいが故《ゆえ》に周囲の者たちを利用したというのなら、まだ譲歩する余地がある。だから滋子は、『もうひとつの殺人』が出版されるとすぐに読んだ。

最初は突っ走るようにして通読し、二度目は彼の言う〝真犯人X生存説〟の主張するところをいちいち箇条書きに書き出しながら読んでいった。高井和明にはアリバイがあるかもしれないこと、犯行に関わったという物証が皆無に近いこと、高井の遺族の無実を訴える声、報告されている数件の未遂事件の犯人二人組のうち、一人は栗橋を思わせる人相だが、もう一人の人相はまったく高井に該当しないこと。そして、HBSの特番に電話をかけてきたときの様子から推察することのできる、犯人二人の力関係——

どれもこれも、主張としては脆弱《ぜいじゃく》なものだと滋子は思う。襲撃されかけて危うく難を逃れた女性の証言に、百パーセントの信用性があるわけはない。人間の記憶はビデオテープとは違うのだ。アリバイや物証のことは、警察の捜査でひとつでも確実なものが見つかれば、それでクリアできてしまう種類のものだ。犯人たちがHBSに電話をかけてきたときのことだって、たった一度のそういう出来事だけを材料に、後から電話をかけ直してきた方が主犯格だなどと断言するのは軽率に過ぎる。人間関係というのは、状況や局面や、その日の当人の機嫌によってさえ変化するものだ。この日はたまたま、高井和明がしっかりと頭を働かせることができて、栗橋浩美のおかしたミスを咎め、上手に尻拭《しりぬぐ》いをしたというだけのことだったのかもしれない。日ごろは高井に向かって威張り散らしてばかりいる栗橋は、その分だけひどく面目を失ったような気分になり、有馬義男に八つ当たりの電話をかけた——そういうことだったかもしれないではないか。

そのような反論の原稿を、滋子はすぐに書き始めた。そして一旦《いったん》は書き上げ、手嶋《てじま》編集長のところに持っていった。ところが、ざっと目を通した編集長は、反論としてはこれでは弱いと、滋子に原稿を投げて寄越した。

——ただの気分で反論しても駄目だ。

——どうしてです？　何が弱いんです？　網川浩一の主張だって、確たる証拠の上に立ってるわけじゃない。ただの気分でものを言ってるだけです。

——彼にはそれが許されるんだよ。

手嶋編集長の目が、冷たく滋子を見据えた。

——なぜなら、彼は栗橋や高井の幼なじみだからだ。生前の彼らをよく知っていたからだ。だから気分で発言しても、大衆は彼の言うことに耳を傾ける。私が知っていた誰々さんはそんな恐ろしいことのできる人じゃありませんでした。親に内緒で野良《のら》犬に餌《えさ》をやっていた、学校では小鳥の飼育係だった、友達思いだった、あんなこともあった、こんなこともあったと並べてゆくだけで、それが〝論拠〟になっちまう。

だが滋子は違う。赤の他人だ。栗橋のことも高井のことも、その肉声すら耳にしたことがないのだ。

——もっと頑強な論理で対抗しないことには、歯が立たないよ。読者は君のルポなんざ相手にしなくなるだろう。よく考えてみたら、前畑滋子が書いてるルポは、所詮《しょせん》は憶測《おくそく》の羅列じゃないか。犯人のことを知りもしないで想像ばっかり書き並べてるじゃないか、とね。

——じゃ、わたしはどうしたらいいんですか？

——それを俺に尋《き》くのかい？

手嶋は見下げ果てたような顔をした。滋子は背中が寒くなった。

――結局は、お嬢様芸だったということかね。ずいぶんとうのたったお嬢様だけど。

手嶋はそう言ってにやりと笑った。

――そもそも君は、栗橋・高井の二人組の人間像を、どうやって作り上げてきたんだ？　そこには、疑いの余地はまったくなかったのか？　君が縷々《るる》つづってきた栗橋と高井の歪《ゆが》んだ共生状態は、現実の彼らの有り様を取材した上に再現されたものじゃなく、最初から君の頭のなかだけで作り上げられていたおはなしに過ぎなかったのか？　だから、もっともっともらしいおはなしが出てくると、またたく間に対抗する術《すべ》を失ってしまうのか？

――だけど警察は……最初から彼ら二人の犯行だと……

――警察は君のルポのために捜査をしてるんじゃないよ。うちで摑《つか》んで君に見せた捜査資料だって、全部じゃない。現に内部では意見が割れてるらしい。網川が出てくるずっと以前から、捜査本部内に高井の犯行への具体的関与に疑問を持つ小グループがいたんだ。

――そんなこと、わたしは知りようがありませんでした。警察は取材を受け付けてくれないし。

――それこそ言い訳だ。今ごろ何を言ってるんだね、奥さん。

滋子は逃げるように編集部を出て、アパートに帰った。それきり、一行も書いていないというわけである。手嶋は急《せ》かしてもこない。書けなければ休載にするしかないと、あっさり切り捨てるような言い方をしていると、部員からの電話で教えられた。

前畑の舅《ちち》と姑《はは》は、網川浩一が世間の耳目を集め始めたばかりのころには、生意気な若造だの、こんな野郎は金目当てに決まっているだのとケチをつけて、結果的には滋子の味方をしてくれていた。それは昭二も同じで、今さら高井和明が無実だなんて何寝ぼけてんだ、正義のためにはシゲちゃんに頑張ってもらわないとな、などと鼻の穴をふくらませていたものだ。

ところが、網川があまりに露出度が高く、また自己演出にも長《た》けているせいだろう、このところ、義父母はすっかり彼の〝信者〟になりつつある。幼なじみの言うことなんだから、何かしら根拠があるんだろう、なにしろ当人が死んじまってるんだから、あんまり頭から決めつけるのは良くないんじゃないのなどと言い出す始末だ。挙げ句には、滋子さんも鞍替《くらが》えしてこっちの説を唱えてみたら、そうでないと置いてかれちまうよ、ときた。彼らにとっては、これはその程度の流行《はやり》すたりの問題でしかないのだと悟って、滋子は愕然《がくぜん》とした。だけどこれが当たり前なのだろうか？　世間の人びとの、対岸の火事に対する関心の質なんて、所詮はこれが限度なのだろうか？

さすがに昭二はそこまで露骨な変節ぶりは見せていないけれど、動揺していることは事実のようだ。滋子どうしたんだよ、旗色悪くないのかよと、心配そうな顔をしている。滋子は親警察派で、網川ってヤツは反警察派なんだろ？　などと安易な分け方をするから、つい滋子も声を荒らげて、あたしだって警察にしっぽを振ってるわけじゃないわよと言い返してしまった。それで大喧嘩《おおげんか》になったのが昨日のことである。前回の喧嘩以来、できるだけ衝突を避けて慎重にふるまってきたというのに、何もかもだいなしだ。

今朝、むっつりと朝食をとった昭二が、行ってきますも言わずに工場へ出勤していったあと、滋子は急いで荷物をまとめた。最初はどこへ行こうか考えてもいなかった。とにかく前畑家を出たかっただけだ。昭二への置き手紙には「取材に行きます」とだけ書いて、アパートを飛び出した。

とりあえず東京駅まで出て、八重洲《やえす》地下街をぐるぐる歩き回りながら、行き先を考えた。そうしているうちに赤井市のお化けビルのことを思い出して、急に胸が詰まった。あれはルポの書き出しの場面に使った場所だ。滋子のルポが、今の網川の本のような派手な騒がれ方ではなかったにしろ、静かな好評を得て、テレビのニュース番組にも出演した。あのときもお化けビルから中継した。そうだもう一度あそこへ行ってみよう。初心に返るためにも、あの場の空気にもう一度触れてこよう。

　こうして、滋子は午過《ひる》ぎには赤井市に到着していた。ホテルを決め、レンタカーを借りて真《ま》っ直《す》ぐにお化けビルに向かった。真冬の好天で、空は染め抜いたように青く、ちぎれ雲が呑気《のんき》そうに上空を散歩している。そんな空の下で見るお化けビルには、滋子が期待していたほどのインパクトがなかった。開発され損なった不運な土地が、未《いま》だにいささか貧乏くさい臭《にお》いを放ちながら、それでも周囲を取り囲む山の緑に癒《いや》され、森の木立に守られ、少しずつ自然に帰ろうとしている――そんな風情《ふぜい》に見えた。それはけっして見苦しい景色ではなかった。むしろ心が安まるような眺めでさえあった。それ山は間違いを許す――自然はいつでも帰りを待っていてくれる。

　しかし、それはそのまま、滋子がルポの冒頭に描いた情景が、雰囲気が、今ではきれいさっぱりこの地から洗い浄《きよ》められてしまっているという証拠でもあった。それとも、ここは最初からこうだったのだろうか。初めて取材に来たのは去年の十一月の半ば――たかだか数ヵ月前のことでしかない。あのとき滋子の目に見えたと思った〝用意された殺意の舞台〟の情景は、滋子の頭のなかの妄想《もうそう》でしかなかったということだろうか。

　――最初からおはなしに過ぎなかったのか？

滋子は意気消沈してホテルに戻った。それからずっと、ぼんやりと寝転がったり、窓から外を眺めたりして、午後の時間を無為に過ごしてしまったのだった。

テレビのなかでは、女性キャスターが網川の言葉に笑い転げている。バラエティ番組には一切登場しない硬派の女性キャスターは、笑い方まで知的だ。網川はどんな冗談を飛ばしたのだろう。全国の視聴者は、この若い男が何に依《よ》って立って世に打って出てきたのか、もう忘れているのだろうか。彼のマスコミ的出自からしたら、あの連続誘拐殺人事件が全面解決するまでは、かりそめにもテレビ画面でジョークを飛ばして大笑いするなどということが許されていいはずはない——そう思うのは、滋子だけだろうか。

滋子は空き缶をゴミ箱に投げ入れ、立ち上がってテレビを消した。どっちにしても番組は終わりに近づいていた。時計を見ると十一時になるところだ。

ふと、もう一度お化けビルに行ってみよう、と思いついた。ビルの名称の所以《ゆえん》については、滋子も知っている。陽の光の消えた深夜、あそこにどんな幽霊が跳梁跋扈《ちょうりょうばっこ》しているのだとしても、それがどんな悪意を持っているのだとしても、今の空っぽの滋子の心には、どんな種類の害を為《な》すこともできないだろう。空虚なものを傷つけることは、誰にもできない。だが、栗橋と高井をこの赤井市の山中に惹《ひ》きつけたものが、わずかでもまだあの場所に残っているのだったら、滋子はそれを感じ取りたい。そしてその何か磁力のようなものは、本来、夜の闇《やみ》のなかでこそ顔をのぞかせるのではないのか。幸い、レンタカーは借りたままにしてある。滋子はコートをつかんで部屋を出た。

昼間一度走っている道なのに、夜になると様相が違い、滋子は危うく迷いそうになった。これだから山道は油断がならない。

途中で思い立ち、道路沿いの二十四時間ショップに寄って大型の懐中電灯を買った。お化けビルへと登る山道は、舗装道路ではあるが、かなり傾斜がきつい。それも、昼間陽光の下で走ったときよりもさらにきつく感じられる。何かしら不可解な結界の内側に、無理矢理入り込んでいこうとしているような気がして、滋子はコートの襟を合わせた。

お化けビルには一切の明かりが設置されていないので、夜目では、昼間来たときのように、あの骸骨《がいこつ》のような鉄骨を見上げながら近づいてゆくことができず、ただ道なりに進んで行くしかない。それも妙に手探りの感じで、滋子の不安をかきたてた。考えてみれば、こんな時刻にここへ来るのはまったく初めてだった。今までは、わざわざ夜中にここを訪れる必要など感じたことがなかったのだ。

ヘッドライトに、見覚えのあるにわか作りの立て札がさっと浮かび上がった。「この先お化けビル」というこの立て札は、ここが一種の心霊スポットになったとき、地元の若者が作って設置したものだという。昼間はこんな立て札など気にもしなかったが、今は、不案内な土地で知人に会ったような気分になって、ほっとした。

車を降り、懐中電灯の明かりを頼りに進んで行くと、前方の暗闇のなかで、別の懐中電灯らしい明かりがゆらゆら動くのが見えた。ギターの音もする。立ち止まって耳を澄ませると、人声も聞こえるようだ。

どうやら先客がいるらしい。滋子は、近づいて行くこちらの明かりを認知してもらいやすいように、わざと大きく腕を振りながら歩いて行った。夜空をバックに、お化けビルの鉄骨が透けて見えるくらいの距離にまで詰めると、土台のコンクリートの上に、学生らしい若者が三人腰かけて、ジーンズに包まれた長い足をぶらぶらさせているのが見えてきた。

「こんばんは」と、滋子は声をかけた。

一見して、接近遭遇したことを後悔したくなるようなタイプの若者たちではなさそうだったので、ほっと安堵《あんど》していた。一人は男の子、二人は女の子だ。ギターを抱えて膝《ひざ》に載せているのは男の子だった。

「こんばんは」と、女の子たちが答えた。細くて高い、流行の可愛《かわい》らしい声だ。凍るような夜に、呼気が白く浮き上がる。

「寒いのに、こんなところで何してるの？」

足元に注意しながら、滋子は彼らに歩み寄った。二人のうち一人の女の子——長い髪を額の真ん中で分けている娘の方が、凍る息を吐きながらにっこり笑って応じた。

「そんなのそっちもじゃない。おばさんは何しに来たの？」

いい、おばさんか。滋子は苦笑して、襟元に忍び込む寒さを閉め出すためにコートの襟をかきあわせた。

「夜のお化けビルを見にきたの。どんなふうに見えるのかなって思って」

「心霊現象にキョーミあるの？」

長い髪の女の子の目が、ちょっと光った。懐中電灯の光の加減かもしれないし、たまたま月が目に入ったのかもしれない。あるいは、彼女自身の好奇心が内側でチカリとまたたいたのかもしれない。

「どうかな……。幽霊というものが本当に存在して、それを自由に呼び出して交信する能力のあるヒトがいるならば、頼んでやってもらいたいことがいっぱいあるけど」

 

　長い髪の女の子は、コンクリートの土台からぴょんと飛び降りた。そこにもたれなおして痩《や》せた腕を組むと、友人たちの顔をちらっと見回してから、滋子に言った。

「あたし、できるわよ。巫女《みこ》だもん」

　滋子は本格的に笑いそうになって、意志の力でそれを封じ込めた。やっぱり、さっきこの娘の目のなかで光ったものは、お化けビルの命名の由来にふさわしいものだったというわけか。

「今もね、降霊会をしてたの」長い髪の女の子は、隣のショートカットの女の子を肘《ひじ》でつついた。「ね、そうよね？」

　ショートカットの女の子は、友人の顔ではなく、滋子の顔を見ていた。それも、妙にしげしげと観察していた。そして彼女もまたコンクリートの土台から滑り降りると、用心深く滋子の方に近づきながら、言った。

「もしかして――前にテレビに出てませんでした？」

　滋子は肯定した。ほかでもないここでロケをしたのだ。ここで出会う誰かが覚えていたとしても不思議はない。

「それって、ニュース番組でしたよね？　あたし観《み》たわ――ここに立ってレポートしてたでしょう？」

可愛らしい顔立ちの女の子だった。それこそ流行の言葉で言う〝小顔《こがお》〟タイプだ。明かりの少ないところだからはっきりとは言えないが、化粧気も無いに等しいように見える。ジーンズに包まれた足はすらりと長く格好良く、スタイルの良さがうかがわれた。

そうして女の子の顔を見つめ返していると、不思議なことに、滋子も彼女をどこかで見かけたことがあるような気がしてきた——勘違いかもしれない——昨今、このタイプの女の子はどこにでもいるから——

ショートカットの女の子は毛糸の手袋をはめた手で自分の胸を叩《たた》くと、せき込んだ口調で言った。「あのレポートって、あの連続殺人事件の犯人のことでしたよね？　あいつらがグリーンロードで死んで、死ぬちょっと前にここに来てたから、それであなたここに取材に来たとか、そういうことだったでしょ」

「ええ、そうよ」深くうなずいて、滋子はさらに彼女に近づいた。そして出し抜けに気づいた。思わず声が大きくなった。「あなた、ガソリンスタンドの女の子ね？」

女の子のつぶらな目が大きくなった。「そう！」と、彼女もワンオクターブ高い声で答えた。「あたし芦原君恵《あしはらきみえ》です。あのレポートの撮影のとき、ちょこっとだけだったけどお話ししたことがあったわ。覚えてます？」

ギター青年と巫女の娘とはサヨナラして、滋子は芦原君恵だけを連れ、レンタカーで山を下りた。君恵が言うには、あの二人も車で来ているから帰りの足には心配がないという。

それでも、特に巫女の娘の方は、置き去りにされることに不満たらたらの様子だった。

「あれじゃ、友達付き合い解消ってことになっちゃうかもよ。良かったのかしら」

さすがに心配になって滋子が尋ねると、君恵は少し苦笑して首を振った。

「かまいません。どっちみち、そんなに親しいわけじゃないもん」

それほど親しくもない間柄の男女と、真夜中に〝お化けビル〟なんぞに登るというのは、滋子の年代の大人には奇異なことに思える。

芦原君恵は地元の高校の二年生だった。同行していた髪の長い娘はクラスメイトだが、連れだって行動するようになったのは、君恵があの事件の目撃者となり、警察から事情を訊《き》かれたり、一時は各社の記者に追い回されたりしたころからのことで、

「上総《かずさ》あゆみっていうんだけど、変わってるんですよ、あの子」という。

「まあ、自己紹介が〝巫女〟だもんね」

君恵は助手席でクスクス笑った。「他人には見えない霊の存在がすごくよく見えるんだって。でも、笑っちゃいけないや。あたし、一時はずいぶん慰められたんだもの」

山を下りたところで滋子の携帯電話から君恵の家に電話をかけた。滋子が自分の素性を明らかにし、お嬢さんとは〝お化けビル〟で遭遇したと説明すると、君恵の母親は、ああそうですかとため息のような返事を寄越した。

「お母さん、あたしの夜の散歩のことはもちろん知ってるんです。本当は怒ってるんだけど、無理にやめさせても今はかえってよくないってお医者さんに止められて」

二人は結局、滋子の投宿しているホテルの向かいにあるファミリーレストランに落ち着いた。一応二十四時間営業だが、これで採算がとれるのかと思うほどに空《す》いていた。

「お医者さん？」

「うん。あたしあの事件のあと、ちょっと体調悪くなっちゃって」君恵は華奢《きゃしゃ》な肩をすくめた。「夜眠れなくて、ご飯も食べられなくて。けっこう痩せたんですよ」

そう言われてみれば、滋子が会ったころにはまだ、もう少しふっくらとして健康的だったような気がする。

「一種のPTSDなんだろうね」

滋子の言葉を、君恵はすぐに理解したようだった。医師から聞かされているのだろう。

「あたし、犯人たちの事故を目撃しただけじゃなくて、それより前に、生身の彼らにも会ってるんですよ。その話はしましたよね？」

もちろん聞いた。栗橋・高井が〝お化けビル〟に向かう以前に、グリーンロードの入口のガソリンスタンドで給油をした際のことだ。

君恵は目立つ指輪をはめた指で、せかせかと髪をかき上げた。空いた手で、カフェオレの入ったマグカップの取っ手をいじっている。

「あんなひどい人殺しと、ほんの十センチぐらいの距離でやりとりしたんです。あのまま事故が起こらなかったらどうだったろう、自分だって怖い目に遭わされていたかもしれない、犯人はあの目であたしを見て、あたしのことどんなふうに値踏みしてたんだろう——そんなこといろいろ考えて、あたし苦しくなってきちゃって」

滋子は静かにうなずいた。「きちんとお医者さまにかかっているのは賢明だと思うよ。あなたも相当の心の傷を負ったんだから」

君恵は目をしばたたいた。

「でも、それならなおさら、あんな時刻に〝お化けビル〟へ行くようなことはしない方がいいんじゃないかしらね。ましてやあんな怪しげなお友達と」

　ぷっと吹き出して、君恵は両手で口元を押さえた。滋子も笑った。

「あゆみには、あたしに憑《つ》いている悪いものがよく見えるから、何でも彼女の言うとおりにすれば、きれいに祓《はら》い落としてあげられるって」

「ホントにそれができるのならば、あなたはもうとっくに元気になってるはずよね？」

「そうですね。でもあたし、けっこう信じてたんです、一時はね。今夜なんかは、断るのも面倒くさいから惰性でくっついて行っただけだけど」

「何しに行ったの？　本当に降霊会をやってたの？」

「あゆみが、今夜あたりは〝お化けビル〟に憑いている強力な地縛霊とコンタクトできそうな気がするって言って。一緒にいた男の子、あれ彼女のカレなんです。いつもああやって彼がギター弾いて、あゆみがなんかこう——トランスみたいになるの」

　滋子はコーヒーをかき混ぜながら、少し声を落とした。「芦原さん、あゆみさんを信じていたころ、彼女にお金を払ったりとかしてた？」

　君恵は黙ってくちびるを舐《な》めた。滋子もそれ以上は訊かなくても用が足りた。

「今後は付き合わない方がいいわ」

君恵はこくんとうなずくと、ゆっくりとカフェオレを飲んだ。滋子はバッグから煙草《たばこ》を取り出し、火を点《つ》けた。

「前畑さんは、今夜何しに〝お化けビル〟に行ったんですか？」

滋子は笑って答えた。「あそこに何かが憑いているなら、それがまたあたしに降りてきてくれないかなって思って」

君恵が可愛らしく眉《まゆ》をしかめたので、滋子は首を振って煙をはらった。「ごめんなさい。いい加減なことを言ったんじゃないのよ。本当にそういう気持ちだったの」

君恵は、滋子の連載ルポを読んでいないという。だからその雲行きがおかしくなっていることも、そのきっかけが飯田橋のホテルでの高井由美子の乱闘騒ぎにあることも、まったく知らないらしい。

「網川浩一って人のことは知ってる？」

君恵は首を振った。「事件のことを思い出させるようなことは、身の回りから遠ざけるようにって言われて。それ、誰ですか？」

「あたしと同じようなルポ書いてる人よ」と、滋子は簡単に答えるだけに留めた。網川の声高に唱える「真犯人X生存説」が、事件の後遺症に悩む君恵の心にどんな影響を投げかけるかわからないと思ったからだ。

「前畑さんは、巫女っていうか、降霊術のできる人って、本当にいると思いますか?」

「うん。それはいると思うよ。もっとも、降りてくるのが本当に〝霊〟であるかどうかは話が別よ。ただ、一般に降霊と呼ばれる現象を起こす技術や能力を持っている人は、いると思うよ」

君恵はまたぞろ顔をしかめた。女ジャーナリストの言うことは、いちいち小難しいと思っているのかもしれない。

「あたしね、もちろん今ではあゆみのやってることなんかほとんど信じてないけど……彼女はあれ、ファッションだから」

「そんな感じね。学校でも先生をああやってケムに巻いてるんでしょ」

「よくわかりますね!」

「あたしの友達にも昔、似たようなのがいたもの」

「そっか……でもあたし……なんか言いにくいけど、あたし自分こそが、ちょっと巫女体質なんじゃないかって思うことがあって」

滋子は余計なちゃちゃを入れずに君恵を見守った。君恵はそわそわと髪をいじると、滋子の方ではなく、空っぽのカウンターの方に目をやって続けた。

「中学二年のときにね、友達が行方不明になったことがあるんです。友達って言っても、特別仲良しの子じゃなかったけど」

その少女——嘉浦《かうら》舞衣《まい》は、学校では問題児扱いされていたのだそうだ。

「不良っていうのかな。そもそも学校にはあんまり出てこなかったし。髪を染めてピアスして、男の子たちと遊び歩いて、万引きで補導されて」

だから、三年前の三月の初め、舞衣が家出して帰ってこない、行き先を知らないかという親からの問い合わせの電話があったときも、誰も大事には受け止めていなかった。

「いつものことだって感じだったの。でもね、その夜遅くに、あたし夢を見たんです」

真っ暗な闇《やみ》のなかに、舞衣の悲鳴が響きわたるという恐ろしい夢だった。

「場所はどこだかわかったの？」と、滋子は訊いた。口先で調子を合わせているわけではなく、君恵のあまりにも真剣な様子に、不安な興味をかきたてられたからである。

君恵はかぶりを振る。「〝お化けビル〟みたいだったけど、はっきりとは——」

「確かに舞衣さんの声だった？」

かぶりが激しくなる。「証拠なんかないし録音とってあるわけじゃないから」

滋子は宥《なだ》めた。「でも、あなたにとっては事実なのね」

君恵は目尻《めじり》が濡《ぬ》れていた。滋子は彼女が可哀想《かわいそう》になってきた。彼女のことは、もう誰も省みてもくれず、積極的に手を貸してもくれない。しかし彼女だって、確かに、一連の事件に関わったが故《ゆえ》に精神のバランスを危うくしてしまっている被害者の一人なのだ。栗橋・高井と短いやりとりを交わし、彼らの死に様を目の当《ま》たりにしたことで、君恵のなかの何かが損なわれてしまい、それが彼女のまだそう長くもない人生の軌跡にまでも、さかのぼって変形を加えつつある。

「あたし……あの、あれは舞衣だったと思う。あのとき、舞衣の身に何かが起こったんだと思う」

うわずったような声になっていた。

「それをどうしてあたしが察知したのかわからないけど、でも感じたの。あたしには、そういう回路が開いちゃったのかもしれない。そういう真っ黒い恐ろしいものをキャッチする回路が。だからね前畑さん、あたし余計に怖いんです。もちろん、あの二人組はもう死んだけど——」

「ええ、死んだわ。彼らはもうこの世にはいない」滋子はきっぱり断言した。

君恵はぐいと身を乗り出した。何かにつかまるみたいに両手でテーブルをつかむと、

「でも、何か残ってるかもしれないでしょ？」と、ほとんど叫ぶように言った。「霊魂とか……悪のエネルギーとか。そういうものが、あたしの回路に残って流れてるかも」

努めてやわらかく、滋子は問い返した。「そうだとしたら、どうなのかしら」

君恵は片手で口を押さえた。「あたしまた、ああいう人間を呼んじゃうかも。ああいう人間に会っちゃうかも。そしたら今度は――」

「今度は？」

「今度こそ、あたしが殺される番だわ」

滋子は黙って芦原君恵を見つめた。この娘《こ》をうちに送っていってあげなくちゃ。悲しく醒《さ》めた心でそう思い、しかしそのときふと、頭の片隅で、新しい考えが閃《ひらめ》くのを感じた。

翌日、前畑滋子は芦原君恵の家に電話をかけた。彼女の母親と話してみたかった。午前《ひるまえ》にかけたのだが、本人が出た。

「電話は、自分のケータイにしか出ないって言ってなかったっけ？」

「今日はダメ。あゆみからかかってくるから。うるさいから電源切っちゃった」

「あの巫女《みこ》の彼女ね？　わたし、あなたたちのあいだを気まずい状態にしちゃったかな」

「そんなことない。あたしも彼女にはウンザリしてたんだけど、うまく離れられなくて、きっかけを探してたんだ。そのこと心配して、わざわざ電話くれたの？」

滋子は用向きを説明した。君恵は驚いた様子だった。

「なんでウチのお母さんに？　あたしが一緒じゃいけないの？」

「ううん、一緒にいてほしいわ。それで、お母様からも話をうかがいたいの。あのね、あなたの友達の、嘉浦舞衣さんの家出の当時のこと、もうちょっと詳しく教えてほしいのよ」

君恵の母親の芦原夫人は、滋子のルポを読んでいた。初対面の挨拶《あいさつ》早々に、テレビで見るより小柄なんですねと言われて、滋子は苦笑した。

芦原夫人は、嘉浦舞衣が家出して行方しれずになった夜に、君恵が恐ろしい夢を見てうなされたこと、舞衣の身に何か起こったのではないかと怯《おび》えたことを、よく覚えていた。

「夢のお告げとかそんなものは、わたしにはよくわからないですけど……」

「あれはテレパシーよ」娘がさっと言葉を添えた。「舞衣があたしに、助けてって、メッセージを送ってきたんだ、あれは」

君恵の顔は真剣そのものだった。助けを求められたのに、何もしてあげることができなかった――本気でそう考えているようだった。だとすれば、この事件は、傍《はた》で思うよりも遥《はる》かに重く、君恵の心の負担になっているのかもしれない。

「わたし自身は、距離を隔てて、何の機械的通信手段も介さずに心を通わせることができるテレパシーという現象を、信じているわけじゃありません」滋子はゆっくりと切り出した。「舞衣さんが家出して行方不明になった夜に、たまたま君恵さんが怖い夢を見ていた――事実としてはそういうことでしょ？　ただの偶然だと言うこともできます」

君恵が勢い込んで反論しようとしたので、滋子は手でそれを制した。

「でもね、女性の悲鳴が聞こえるなんていう怖い夢を見たとき、君恵さんが、それをとっさに舞衣さんの身の上に結びつけてしまったことには、ちゃんとした意味も理由もあると思うの。舞衣さんには、友達の目から見て、いつかそういう危険な事件に巻き込まれてしまいそうな危なっかしさや、捨て鉢なところがあったんじゃないかしら。どう？」

悔しげにうつむいた君恵に代わって、芦原夫人がうなずいた。「そうですね、あの子の素行が良くないのは、学校でも有名だったから。夜遊びはするし、知らない男の車にだって、誘われれば平気で乗り込むし」

「お母さん！」君恵が怒った。

「お母さんウソはついてないわよ」母も切り返す。「もちろん、舞衣ちゃんがあんたの大事な友達だったってことは知ってます。だけど、あんただって、舞衣ちゃんのやることにはついていかれないってコボしてなかった？　万引きに誘われて、逃げ帰ってきたことがあったじゃないの」

君恵は横目で滋子を見ながらあわてた。

「そんなことまで言わなくたって――」

「だけど事実じゃないの」

滋子はメモをとっていたが、たった今書いたばかりの一文の下に、濃いアンダーラインを引いた。知らない男の車にも、誘われれば平気で乗り込む。

「前畑さん、なんで舞衣のことなんか気にするの？」母親にやりこめられて、君恵は滋子の方に矛先を向けた。「何の関係があるってのよ？」

滋子は静かに答えた。「嘉浦舞衣さんは、家出したんじゃなくて、本当に事件に巻き込まれたんじゃなかったのかと思ってるのよ」

芦原夫人はつと首をかしげたが、すぐにその目が晴れた。「ひょっとして、あの二人――栗橋と高井でしたっけ、あの二人の起こした事件と関係があるんじゃないかってことですか？　だって前畑さんはあの二人のことをルポに書いてるんだものねえ。そうでしょう？　それで興味があるんですね？」

芦原夫人は、見かけ以上に頭の回転が早い。滋子ははっきりとうなずいた。

「だけど、舞衣が行方不明になったのは、もう三年も前のことだよ」君恵がブツブツ言った。「あいつらの事件と関係なんかある？」

「三宅みどりさんだったかしら。あのお嬢さんの件も、やっぱり三年ぐらい前でしたよね。そういえば、渋川の方でさらわれた人もいたじゃない」と、芦原夫人が言った。

「だけど舞衣ちゃんは――」

「栗橋と高井は、なぜあの日、木村庄司の死体を積んでお化けビルに来たのか。それが気になるんです」と、滋子は続けた。「確かに、心霊スポットとして一部では有名な場所でした。でも、全国誰にでも知られているほど名の通った場所かと言ったらそんなことはない。わざわざお化けビルを選んだのには、彼らなりの都合とか事情があったんじゃないかと思うんです。土地勘があったとか、以前にもそこで事件を起こしていたとか」

君恵は目を見開いた。「それが舞衣の？」

「ええ。そう思ったの。だから詳しく聞きたかったのよ」

芦原夫人は首を振る。「でもねえ前畑さん、事件のあと、警察がたくさん人を送ってきて、さかんに調べていましたよ。警察だって、今あなたがおっしゃったと同じように考えたんでしょう。栗橋と高井が、昔この土地で事件を起こしていないかって。だけど何も見つからなかったんじゃないかしら。ニュースではそう言ってたと思うけど」

「それは、彼らの仕業ではないかと推測することのできる、未解決の女性や女の子の失踪《しっそう》事件を探していたということですね、ええ、探してましたね。やって当然です。おっしゃるように、特に成果もあがらなかった。でも」滋子は声を強めた。「警察だって、そのとき、ただ漠然とローラー作戦で、昔この土地で行方しれずになった女の子はいませんかと聞き込んで歩いたわけじゃありませんよ。記録をあたったんです。赤井市と、県警に提出されている失踪人捜索願をね。だけど舞衣ちゃんの場合は――」

君恵が大きな声を出した。「最初から家出したって言われてたから、そういう届けが出てなかった！」

「ええ、そう。だから警察の調査の網の目からこぼれてしまったんじゃないかと思うの」

芦原夫人は片手を顎《あご》にあてて考え込んでいる。君恵はすっかり興奮して、席を立って滋子のすぐ隣へと移った。

「前畑さん、じゃあ舞衣の行方しれずの事件、これから調べるの？」

「ええ、そうしてみようと思ってる」

「あたし、手伝う！」君恵はソファの上でぴょこんと跳ねた。「絶対手伝う！　ね、いいでしょ？」

「君恵」母親がたしなめるような声を出した。

「いい加減になさい。あんた学校だってあるんだから」

「いいじゃない、休むわよ」

「そうはいきませんよ」

「社会勉強の方が大事よ」

「学費はどうなるの？　払ってるのは誰？」

君恵はカッとなった。頬が赤くなった。

「お金のことを言うわけ？　あらそう、じゃあ働いて返すわよ！　それでいいでしょ？　何よ、親のくせに！」

ちょうどそのとき、場をとりなすように電話が鳴った。芦原夫人は動かずに、顔をしかめたままだ。君恵がぱっと立ち上がって、リビングを横切り受話器を取った。

「もしもし？　あら」

どうやら友人からの電話のようだった。ケータイが切れているので、こちらにかけてきたのだろう。芦原夫人は肩越しに君恵の方をながめ、電話の会話がまだ続きそうな様子を確かめると、滋子の方に膝《ひざ》を乗り出した。

「このまま、お帰り願えませんか」

「スミマセン――お嬢さんと喧嘩《けんか》させるつもりはなかったんですが……」

「いいえ、そんなことはいいんです。喧嘩はしょっちゅうですから。君恵は神経の細い娘で、例の事件以来ずっと不安定で」

母親らしい、悲しむようなため息をついた。

「ただ、前畑さんの調べ事に、娘を巻き込まないでほしいんです。あの娘にとって良い事は見つからないと思うので」

滋子は芦原夫人の目を見た。夫人もじっと見つめ返してきた。

滋子は声をひそめた。「舞衣さんの家出のことで、何かご存じなんですか？」

夫人はまた君恵の様子をうかがった。大きな声でにぎやかに話をしている。相手はあゆみではないらしい。

「嘉浦さんのご家族は、もう赤井市にはいません」と、短く答えた。「舞衣ちゃんがいなくなって、一年ほどしたら引っ越してしまったんです。悪い噂《うわさ》が広がって、面倒になったのかもしれません」

「悪い噂」滋子は繰り返した。

夫人はまた君恵を気にした。彼女は完全にこちらに背中を向けて、電話に夢中になっている。その隙《すき》を見て、夫人は一気に言った。

「舞衣ちゃんの母親は、身持ちの悪い女でした。舞衣ちゃんが家出した当時同居していたのは、舞衣ちゃんの実の父親じゃなくて、まともな職にも就いていない若い男でした。その男が、舞衣ちゃんに手を出していたんです。母親が男と痴話喧嘩をするたびに大騒ぎをして、そこらじゅうに聞こえるような声であれこれ叫ぶので、あの家のなかで起こっていることは、実は近所じゃ有名でした」

夫人は横目で素早く君恵を見た。電話は続いている。

「ですからあのころ、うちだけじゃなくて、同級生の女の子たちの家じゃ、みんな嘉浦さんのところを警戒していました。舞衣ちゃんがグレてしまったのも、そういう事情があったからだろうと思います。だけどこのことは——舞衣ちゃんが母親の恋人にちょっかいを出されていたなんて、母親もそれを承知していただなんて、実の母親が、若い男を自分の元に引き留めておくために舞衣ちゃんの身体《からだ》を利用していたなんてことは、君恵の耳には入れてません。今後も話したくありません」

滋子は夫人の顔を見てうなずいた。「よくわかります」

「ですから、舞衣ちゃんは自分から家を出たんです。あの子は家出したんです。さっき前畑さんがおっしゃったとおり、君恵が悪い夢を見たのはただの偶然でしょう。わたしの言っていることの裏付けが必要でしたら、嘉浦さんのアパートの近所の人たちに聞いてみてください。わたしから聞いてきたと言えば、みんな話してくれますよ」

そこまで言って、夫人は急に肩を落とした。

「君恵はおかしな妄想《もうそう》に憑《つ》かれていて、いつかはきっと自分も危ない目に遭うんだなんて思いこんでいます」

「ええ、それについてはわたしも話を聞きました。死ぬ直前の栗橋と高井に接触したことが、その妄想の元になってるみたいですね」

「カウンセラーの先生もそうおっしゃってます。だけど、じゃあどうしてやったら治るのかは教えてくれません。あんなガソリンスタンドでアルバイトすることを許さなければ良かったんだけど、学校よりずっと楽しいって君恵が言うし――あの二人が事故で死んだときだって、授業がお午《ひる》までだったから、ちょっとスタンドを手伝ってくるって、ホントにそれくらいアルバイトは楽しんでやっていて――それがこんなことになるなんて」

滋子は君恵の後ろ姿に目をやった。電話のコードをくるくると指に巻き付けながら話に興じている。若くしなやかな身体の線は、セーターとジーンズの上からでも、はっきりと見て取ることができる。

「若い女性には、危険の多い時代です」滋子は言って、慰めるように夫人を見た。「どれほど気をつけていても、ただ若い女性だというだけで事件に巻き込まれることだってあります。だからといって、闇雲《やみくも》に怖がっていては、一人で道も歩けなくなってしまう」

「そうですわね、ホントに」言い捨てるような口調で、芦原夫人は言った。「それに、世間を騒がせるような残酷な事件がひとつも起こらなくなったら、あなたのような方は商売あがったりでしょうし」

滋子は目をそらさなかった。夫人の方が目を伏せた。そして言った。「わたしには、そもそも、たとえ舞衣ちゃんの行方不明もあの二人組の仕業だったとしても、今さらそれを探り出すことに何の意味があるんだか、さっぱりわかりませんよ」

強く問いつめられれば、滋子だって、わたしにもそれはよくわからないのです——と答えざるを得なかった。ただ、思いついたから放っておけなくて、これまで見逃されていたことを見つければそこから新しい展開が出てくるかもしれないと期待して、調べようと思っているだけだと。滋子は、君恵に気づかれぬよう、そっと席を立って芦原家を辞した。夫人は見送らなかった。

嘉浦母娘《おやこ》が住んでいたアパートを訪ねてみると、大家も、当時からの入居者も、近所の商店街の店主たちも、進んで事情を話してくれた。何度かテレビで見ただけの滋子の顔をおぼろげに覚えていたり、ルポについて知っている人にぶつかったのも、運が良かった。

聞けば聞くほどに、嘉浦舞衣の家出は自発的なもののように思えてきた。アパートの大家の老人は、母親と大喧嘩をした舞衣が、あんな男に無料《ただ》でやらせてやるなんてもうゴメンだと怒鳴るのを耳にしたことがあるという。そりゃあんた、あたしみたいな年寄りだって、女の人に向かっては口にできないような言葉を使っとったよ、あの子。

だがしかし、家を出たのは自分の意志でも、その後どこへ行ったのか。この土地を離れるための足はあったのか。その部分が滋子には気になった。嘉浦舞衣の失踪には、何かしら気持ちの良くない要素があるという気がしてならなかった。テレパシーなど信じないと言ってはみたけれど、実は心の底では、君恵が見たという悪夢の印象に、滋子も引きずられているのかもしれなかった。

歩き回って、気がつくととうに昼時を過ぎていた。空腹で足が痛かった。ひと休みしよう——と周囲を見回し、国道を渡った反対側に、洒落《しゃれ》たログハウス風のレストランを見つけた。

真新しい、木の匂《にお》いのする店だった。清潔で落ち着いている。しかし店内はガラガラで、客は滋子一人だった。どこへ座ろうと自由だったが、ストーブのそばを選んだ。すきま風で寒かったのだ。ひょっとしたら、昨今流行の手作りログハウスなのかもしれない——と思いながら腰をおろすと、目の前の壁に、網川浩一の笑顔を見つけた。『もうひとつの殺人』の表紙を掲げて笑っている。

写真に注目したまま、滋子は一度座った席から立ち上がって写真のそばに寄った。メニューを手に滋子の方に近づいてきていたウエイトレスが、それを見て嬉《うれ》しそうな笑顔になった。

「それ、誰だかわかります？」問いかけられて、滋子はウエイトレスの方を見た。ピンク色のモヘアのセーターの上に赤いエプロンをかけ、くちびるも同じ色調の真紅に染めた派手な女だが、年齢は滋子とおっつかっつだろう。彼女が隣に来ると、強い香水の匂いがした。

「網川浩一でしょう？　本を持ってるもの、すぐわかりますよ」

ウエイトレスはメニューをテーブルに置くと、写真の額をわざわざ壁から外して、滋子の前に示してみせた。

「これ、あっちの窓際《ぎわ》の席でね」と、空いた手で反対側のボックス席を指す。「先週の土曜日、彼がテレビ撮影でこっちに来たとき、うちでお昼を食べて、そのときに撮った写真なんですよ」

得意そうな口ぶりだった。「彼」という呼び方も、滋子の失笑を誘った。しかしウエイトレスは、滋子の笑みを好意的に受け取ったらしく、はずんだ口調で続けた。

「なんといっても今いちばん話題の人でしょ。でも、ちっとも偉ぶってなくて気さくで、あたしも主人もすぐうち解けちゃって、次の本の構想なんかも聞かせてもらっちゃったの」

「彼、次の本を出すんですか？」

それは滋子には初耳だった。『ドキュメント・ジャパン』で仕事をしているライターたちが、網川の次作について話しているのを耳にしたこともない。網川の登場ですっかり影が薄くなってしまった滋子の内心をおもんぱかって彼の近況について口をつぐんでいるほど思いやりのある人びとではないから、これは本当に情報が入っていないのだろう。

「やっぱりあの事件についての本なんですね？」

「もちろんですよ」ウエイトレスはますますそっくり返った。時の人・網川浩一についての最新の情報をしゃべれるのが嬉しくてたまらないのだろう。「とことん書くって言ってましたよ。ホントに友達想《おも》いなのよね。なかなかできることじゃないもの」

滋子は、せいぜい皮肉に見えるようにちょっと眉毛《まゆげ》を吊《つ》り上げた。「だけど彼、かなり大きな現実的な利益をゲットしてるんじゃありませんか？　本はベストセラーだし、今じゃテレビや雑誌に引っ張りだこでしょ？　売れっ子のタレントみたいですよね」

「ハンサムだからぁ」ウエイトレスは、自分の恋人のことでも話しているみたいにくねくねした。「テレビ映りがいいからね。でも、彼自身は、僕はタレントじゃない、

タレントみたいな仕事はしたくないんだって言ってたわよ。そりゃ真剣な目をして

て」

「じゃあ何様のつもりなのかしら？」

それでようやく、ウエイトレスは、滋子が彼女と同じ網川浩一シンパではないかもしれない——という可能性に気づいたようだ。意外そうに顎を引いて滋子を眺め回すと、

「何様って、彼ってジャーナリストなんでしょう？」と言った。

「ジャーナリストね」滋子は繰り返し、席に戻った。バッグをとって、このまま店を出ようと思った。網川浩一が得意満面で演説をぶったような場所で、コーヒー一杯だって飲むのは御免だ。

しかし心の一方では、網川浩一に対して感じる反感は、特に具体的な理由に裏付けされているものではない——ということがわかっている。単なる好き嫌い——いや、もっと悪い、高井由美子の信頼感を得るというレースのなかで、彼に負けたから、彼の本のおかげで滋子のルポがかすんだから、だからあんな奴《やつ》を認めたくないだけなのかもしれない。滋子の本音はそれを知っており、だからこそ、網川浩一について考えると、人間が誰でもひとつは隠し持っている感情の肥溜《こえだ》めのなかに両腕を肘《ひじ》まで突っ

込んだような気分になってしまうのだ。

「お客さん、網川くん嫌いなんですか」

いかにも驚いたというように、ウエイトレスが訊《き》いた。「彼」の次は「網川くん」と来た。親戚《しんせき》にでもなったつもりだろうか。

「あんまり好きじゃないわね」滋子はバッグを持ち上げた。「友達のため友達のためって、あの男のやってることは結局は売名行為だし、お金だって儲《もう》けてるわけじゃないの」

「本が売れて儲かったから悪いってわけじゃないと思いますけどねえ。それは結果がそうだったっていうことだけでしょ」

ウエイトレスの言葉は思いがけずまともで、滋子の耳にチクリと刺さった。

「彼、もともとお金持ちの御曹司《おんぞうし》なんですよ。だからお金儲けを目的にするつもりなんか、最初からなかったって。『もうひとつの殺人』だって、自費出版で出すつもりで書いたんですってよ」

出入口に向かって歩き出そうとしていた滋子は、足を止めて振り返った。

「それ、本当ですか」

「本当ですよ。あの出版社に自費出版をやる部門があって、そこへ持ち込んで——」

「いえ、自費出版の話じゃないの。彼がお金持ちの息子だって話の方」

ウエイトレスは、滋子の興味を惹《ひ》くことができたのが嬉しかったのか、手柄に感じたのだろう、笑顔に戻った。親網川チーム、ワンポイント・ゲットだ。

「本人が言ってたんだもの、確かでしょう。お父さんはいくつも会社を経営してる社長さんで、お母さんもお嬢様育ちで、彼自身も、一生働かなくても遊んで暮らせるぐらいの資産を持ってるんですって。だからホラ、彼って昔は塾の先生とかしてたでしょ？　会社勤めなんかしなくてもいい身分なんですよ」

滋子はもう一度、ウエイトレスの腕のなかにある網川の写真に目をやった。いわゆるひとつの爽《さわ》やかな笑顔を浮かべてみました――というポーズ。あか抜けたファッション。

「そういえば、彼自身の個人的な情報って、ほとんど外に出てきてないわね」

ウエイトレスにではなく、自分自身に向かって確認するために、滋子は呟《つぶや》いた。しかしウエイトレスは勝手に補足してくれた。

「それはね、あの本を出すときに、最初から困難な道のりを覚悟してたんで、お父さんお母さんに迷惑をかけたくないから、わざと自分の情報を出さないようにしたんですって。もう成人してるんだし、自分の意志ですることに、親や親戚は巻き込みたくないって。だから今だって、プライベートなことって全然しゃべらないでしょう」

滋子はウエイトレスに目を向けた。「でも、あなたには話したのね。うち解けたから」

ウエイトレスはまた調子に乗ってきた。

「すごく話があっちゃって。だけど、内々では、彼が御曹司だってこと、けっこう知られてるみたいですよ。隠さなきゃならないことじゃないし、育ちがいいのは付き合えばわかるしねえ」

「彼が収録に来たのは、どんな番組だったんですか？」

「あのお化けビルを撮りに来たって言ってましたよ。ニュース番組のなかの特集コーナーだって」

以前に滋子が出たのと同じような企画だ。

「それとね、事故現場に花を供えてね。そのあとうちに寄ったの。寒かったせいもあったんでしょうけど、ちょっと涙目になってってね。高井和明さんのこと、本当に悲しんでるんですよ、彼。見ていると気の毒で、慰めてあげたくなって、食事や飲み物を運びながらいろいろ話しかけたわけなの。そしたら彼の方から、素敵なお店ですねって。このログハウスは輸入材で建ててありますねって、話を返してくれてね。ええそうなんですよ、うちの主人が独学で建てたんですって」

やっぱり手作りだったか。

「そしたら網川くん、実は僕もここと同じようなログハウスを持ってるって言い出して。うちのより古い建物だけど、すごく気に入ってて、ただ手入れがかなり大変ですよねって話になってね、うちの主人も交えて話が盛り上がったわけ。それでまあ、その話の流れのなかで、彼の家がお金持ちだってことも出てきたんですよ。別荘持ってるわけだものね」

滋子はウエイトレスの言葉のひとつひとつを心のメモに書き付けた。少しばかり意地悪な意図に裏打ちされた好奇心が、頭の隅でチカチカと点滅し始めたのを感じた。

網川浩一とは、そも何者なのか？

今まで誰も問いかけることがなく、エアポケットに落ちていた問いだった。栗橋浩美と高井和明の幼なじみで、和明の汚名を晴らすべく立ち上がった好青年。和明の妹の由美子を自分の妹のように愛し、案じ、会った者をひとしなみに惹きつける魅力を有し、頭の回転が速く、弁も立ち、ハンサムで姿勢の良い若者。それらの〝形〟を見て、それに接するだけで気が済んでしまって、今まで誰も素のままの網川浩一を追求しようとはしなかった。

遊んで暮らしていかれるほどの金持ちの御曹司が、何故《なにゆえ》に、栗橋浩美と高井和明と同じ、公立の小中学校に通っていたのだろう？

調べて、わかってみれば何ということもない事情かもしれない。だが――

「彼、ここに名刺を置いていきましたか？」

滋子の問いに、ウエイトレスはうなずいた。

「ええ、もらいましたよ。でも、出版社気付になってたけど」

今現在、彼はどこに住んでいるのか。彼の両親はどこにいるのか。彼の子供時代は、本当に、彼が語っているとおりのものなのか。


「意地悪な好奇心というヤツだな」

電話の向こうで、手嶋編集長はせせら笑うように言い放った。

「ええ、わかってますよ、わたしはいけずなあら探し女です」

滋子はベッドの上に座り込み、取材ノートやアドレス帳、電話帳や地図を、ところ狭しと広げていた。

「でも、彼個人がどんな人間なのかってことは、実はとても重要な情報ですよ。わたしはこのまま、彼の学校時代の友人たちの家を回ってみます。ですから何とか――」

「戸籍謄本《とうほん》や住民票を勝手に調べることは禁止されてるんだ」

「ちゃんとした手続きを踏めば大丈夫なはずでしょ？」

「電話一本でなんでもお調べしますというわけにはいかないんだ。うちは興信所じゃなくて、雑誌編集部だからな」

「お願いします。気になるんですよ。引っかかるんです」

「たとえば彼に離婚歴があったり、子供がいたりしたら？　それをネタに書き立てようっていうのか？　ワイドショウ並みだな」

「わざとまぜっかえしているんだとしたら、時間の無駄だからやめてください。わたしは、網川浩一のスキャンダルを探してるわけじゃありません。ただ彼という人間を知りたいだけなんです。何も知らずに、彼の主張していることだけを信じるわけにはいきません」

「嫌な人間でも、主義主張は正しいということだってあるぞ」

「もちろん承知の上です」

手嶋編集長は、ため息と鼻息の中間のような音を発した。それから、おもむろに言った。

「捜査本部が、網川浩一の周囲を張ってる」

滋子は受話器をつかみ直した。「何ですって？」

「真犯人Xが網川に接触してくるかもしれないと期待してるんだ。それで彼の周辺に網を張って待ってるわけよ」

「じゃ、捜査本部も真犯人X生存説を認めたってことですか？」

「記者発表はしてないがね。実際、賢明な判断だとは思うよ。もしも真犯人Xが実在するのならば、彼を差し置いて世間に名を売って、注目も人気も独り占めしている網川浩一を、放っておくわけはないからね」

「網川本人は、警察の動きを知ってるんですか？」

「公式に知らされてはいないだろう。それをやっちゃ、捜査本部の面子《メンツ》は丸潰《まるつぶ》れだからね。だが、うちの記者が気づいたくらいだから、網川シンパの記者やライターのなかにだって、警察の網を感じ取っている連中はいるだろうよ。彼らの口から報告が行ってるかもしれないな」

「どのみち、命を狙《ねら》われるなんてことはないでしょうからね」

「そうかな。危ないかもしれないよ」

「真犯人Xだってバカじゃありませんよ。派手に動けば、かえって警察の目を惹きつけてしまうじゃないですか。ま、それも真犯人Xが本当にこの世にいるならばの話ですけど」

手嶋編集長は笑って電話を切った。滋子は電話機のフックを押すと、アドレス帳を眺めて次の連絡先を考えた。それから、思いついて自分の電話の番号をプッシュした。とりあえず留守番電話をチェックしてみよう。

電話がつながり、ボタンを操作すると、何と十件以上もメッセージが入っていることがわかった。滋子の留守番電話はテープ録音式なので、巻き戻しに時間がかかる。ベッドから裸足《はだし》で降りて、冷蔵庫から冷たいオレンジジュースを取り出した。缶を開けてぐっと半分ほど飲んだとき、やっと再生が始まった。

最初の三件は、一種の業務連絡だった。四件目にはライター仲間からの伝言。その次は友人から。その次はまた業務連絡。メモをとるまでもない些細《ささい》な用事だ。

次の再生――無言。

滋子は男のように荒っぽく舌打ちした。この暇人め。メッセージの録音時間は昨日の深夜だ。イタズラ電話だろう。

その次――また無言。次もまた無言。

滋子は鉛筆の端を鼻の頭に押しつけて、ちょっと首をかしげた。三つのメッセージは、五分おきくらいに録音されている。いやにしつこい、せっかちなイタズラではないか。

さらに次。ピーという電子音の後に、

「――前畑さん」

滋子は目をしばたたいた。この声は、高井由美子じゃないか。

「あの……遅い時間にごめんなさい。何度かかけてますけど、お留守で……」

間違いない、由美子の声だ。少しろれつがまわっていないような感じがする。

「お話ししたくなって、かけたんですけど……今さら合わせる顔がないこともわかってるんですけど……」

酔っているのだろうか。滋子が知る限り、由美子は下戸《げこ》ではなかったが、酒好きでもなかった。うんと飲める口だったなら、和明の死後のいちばん辛《つら》かった時期に、とっくにアルコールに逃げ込んでいただろう。

それとも、薬でもやっているのだろうか？

「あたし……よくわからなくなってて」

耳を澄まさないと聞き取れないくらいの小さな声だ。メッセージはそこで切れていた。録音時間切れだ。次の再生が始まる。

「スミマセン……」

明らかにしゃべり方がおかしい。正常な状態ではないのだろう。それなのに、深夜に滋子に連絡してくる。不在とわかっているのに、留守番電話に向かってしゃべらずにいられない。いったいどうしたんだろう。滋子は、焦《あせ》る余りに電話機を引っ張ってベッドサイドのテーブルから落としてしまった。

結局、残りのメッセージはすべて由美子からのものだった。だが、一生懸命に集中して聞いても、何を言っているのかよく聞き取れない。ただしきりに謝り、「よくわからなくなった」と繰り返すばかりだ。

由美子に何が起こっているのだ?

## 21

『ドキュメント・ジャパン』編集部の手嶋編集長の計らいで、有馬義男がようやく高井由美子と会うことができるようになったのは、二月も二十日過ぎのことだった。ただし、高井由美子と連絡をとることは容易だったと、手嶋編集長は説明した。ただし、前畑滋子を通してではなく、網川浩一を通してである。

「今の彼は、まるで高井由美子の保護者のようにふるまっていますよ。事実そうなのかもしれないが」

網川が例の本を書き例の主張を始めた段階で、高井由美子と前畑滋子のつながりも切れた。それどころか、滋子のルポは頓挫《とんざ》しかけているらしい。義男は少し心配になった。事実の行く先は義男自身にも見当もつかない。だが、最終的に姿を現した事実の有り様によって、彼女がこの硬派のルポの執筆と連載に失敗し、元の女性雑誌記事のライターとしての仕事も失うことになるとしたら、それはずいぶんと酷に過ぎると思う。

そして、そんなふうに感じる自分に皮肉なものを感じて、少しのあいだひどく滅入《めい》った。前畑滋子が仕事人としてどれほど酷な目に遭おうと、それが何だというのだ。鞠子が被《こうむ》った悪夢のような災厄に比べたら、それが何だというのだ。それなのに、前畑滋子の身の上に同情するなんて……。自分ではそんなつもりはないけれど、本当のところ、俺は鞠子の無念を忘れかけているんじゃないのか。鞠子から遠ざかりつつあるのじゃないか。

網川浩一は、義男が高井由美子に会いたがっているという話を聞くと、手放しで喜んだそうだ。本を書いたりテレビに出たりした甲斐《かい》があったと、ほとんど泣かんばかりに感激していたという。

「それでも私は、高井由美子さんとだけ会いたいんですがな」と、義男は手嶋編集長に言った。「編集長さんには立ち会ってもらうにしても、あの網川という青年にはいて欲しくないんです」

手嶋は特に表情を動かさずに問い返した。

「なぜですか?」

「だってあの青年は第三者でしょう。いくら友達だって、他人です。事件の関係者じゃない。私は彼の口上を聞くために出かけて行くんじゃないんですから」

おっしゃるとおりですと手嶋は認め、何度か交渉を繰り返してくれた。が、高井由美子は、網川の付き添いなしでは誰とも会う意思はないという返事を寄越すばかりだった。

「私は鞠子のおじいだけれども、あなたを捕って食うために会うわけじゃないから、怖がることはないと言ってみてください」

手嶋は伝えてくれた。が、それでも駄目だという。最終的には義男が折れて、先方は網川と由美子、こちらは義男一人、会見場所は由美子たちの指定するところ——という約束を固めるまでに、無駄な時間ばかりを費やすことになってしまったことになる。ようやく日取りが決まったという手嶋からの電話を切りながら、義男はため息をついた。

「女の子っちゅうもんは、ボーイフレンドができると、ほかの誰の言うことよりも、そのボーイフレンドの言うことが世界でいちばん正しいんだと思っちまうもんかね?」

と、水野久美に問いかけた。彼女はバンダナで髪を包み、セーターの袖《そで》をまくり上げ、ジーンズの裾《すそ》をゴム長靴に突っ込んで、コンクリートの床をモップで洗い流す作業に没頭しているところだった。彼女から二メートルほど離れた店の奥、かつて大型のフライヤーが据えてあった地点では、やはり勇ましくモップを振り回して、塚田真一が天井を掃除している。そして二人は同時に手を止めると、ちょっと顔を見合わせてから義男の方を見た。

「何ですか?」と、久美が訊《き》いた。

「ああ、いやいや」義男は笑って手を振った。

「何でもない、何でもない」

義男は、閉店した有馬豆腐店の後片づけのために、真一を雇った。すると、どういう次第か彼のガールフレンドの水野久美も、いつの間にか手伝ってくれるようになったのだ。

最初のうちは、真一にとっても久美の協力は意外なことだったようで、しきりに照れたり当惑したりしていた。が、義男はすぐ久美が気に入った。真一と彼女のあいだには、義男の知らない衝突と諍《いさか》いの経緯が——幼いなりに深刻な経緯が——あり、久美はそれを修正し、新しいところへ進むべく、真一のそばに戻ってきたらしいと察しがついたからである。それに久美は気性が明るくはきはきしていて、よく働いた。彼女を見ていると、義男は鞠子を思い出した。久美は鞠子と似てはいないが、鞠子を思い出させるものをたくさん持っていた。夢や希望、優しさ、咲きかけの美。

思いのほか時間のかかった店舗の片づけのほかに、義男は、思い切って東中野の家の荷物の整理も、若い二人に頼むことにした。さすがに真一はひるんだが、久美の方は元気良く引き受けてくれた。そして訊いた。

「だけど有馬さん、もしも気を悪くなさらなかったら——」

自分だけでなく、うちの母や姉にも手伝わせてくれないか、という。

「あたしだけじゃ手が回りきらないと思うんです。塚田君には女性の荷物のことわからないだろうし。あ、もちろん日当とかは要りませんよ。あたしが勝手に助《すけ》っ人《と》を頼むんですもん」

真一が目を丸くしているのを横目に、義男は笑って承知した。そして数日後、さかんに恐縮しながら久美の母親と姉がやって来て、一緒に東中野まで行き、まる一日大奮闘をして、ほったらかしになっていた家財や衣類を点検整理する作業をきれいにやってのけてくれたのだった。

義男と真一は、彼女たちの指図に従って、粗大ゴミを運搬したり家具を移動したりする〝兵隊〟として働いた。

「この家はどうなるんですか？」と、真一が訊いた。

「わからないねえ」

「名義は古川さんなんですよね」

「そうだよ。だからとっくに売られてたとしても不思議はないんだがね。まあ、こっちとしては荷物を片づけて掃除をしておくぐらいのことしかできないやね」

こうして、残るは「元有馬豆腐店」だけとなった。それも大型機械の処分や移転は済み、後は建物を磨き上げて、いつでも売りに出せるようにするだけ――となったわけだ。

若い二人はモップを振り回して奮闘し、義男は事務机のなかを片づけていた。真一も久美も、話の様子から今の電話がどんな内容だったのか察しているに違いないが、気をそろえたように知らん顔をして、何も尋ねなかった。だから義男は自分から報告した。

「あさっての日曜日、二十三日か、高井由美子さんに会えることになったよ」

二人のモップの動きが停まった。また顔を見合わせる。

「赤坂の〝メルバホテル〟ってところだ。場所知ってるかい？」

久美は首をかしげた。真一は「あんまり聞いたことないですね」と言った。

「小さいところなのかもしれないね。由美子さんは今そこに住んでいるらしい」

「ホテル暮らししてるんですか？」

「うん。金、かかるだろうねえ」

「誰が払ってるのかしら」

「網川って人じゃないの」真一がこともなげに言った。「今は高収入だろうし」

「網川さんが由美子さんの生活を面倒みてるってこと？」

「不思議なことでもないじゃない」真一はあっさり言って、モップの水をはらった。

「それより、有馬さん一人で行くんですか」

義男は面子《メンツ》の説明をした。久美が心配そうに顔を曇らせた。

「向こうには弁護士役がついてるのに、有馬さんだけ一人で行くんですか」

「別に、何かの決着をつけにいくというわけじゃないがね」義男は言って、にっこりとしてみせた。一人でいるときよりも、笑うことがずっと易しく感じられる。
「だがねえ、やっぱり緊張するだろうから、終わったらすぐに、あんたらと落ち合って、どっかへ旨《うま》い鍋《なべ》料理でも食いに行かれたら嬉《うれ》しいねえ」

あいにくなことに、当日は朝から雨天だった。みぞれ混じりの凍りかかった雨が、厚い雲から間断なく落ちてくる。

会談は午後一時から始まる予定だった。塚田真一は、午前中から有馬豆腐店に顔を出し、倉庫のなかの古新聞の整理をした。早めの昼飯を老人と二人で食べて、十二時には家を出る老人を送り出し、元店舗と住まいの戸締まりをきちんとして、傘をさして駅へ向かった。

両国駅の入口で、午後一時半に水野久美と待ち合わせをしていた。義男と高井由美子の会談がどれくらいかかるものかわからないが、二人とも、メルバホテルの喫茶室かロビーで、終わるまで老人を待つつもりでいた。二人なら話題には事欠かない。喧《けん》嘩《か》別れしているあいだに起こったことや考えたこととか、久美が石井家を訪れる気になったきっかけは何だったのかとか、話したいこと聞きたいことはいろいろあった。

雨は足元からも忍び込み、歩いていると身体《からだ》が冷えた。それでも駅に近づいて、小さな駅の入口の前の歩道に、赤いチェック柄の傘の柄を肩に載せるようにして立っている水野久美の姿を見つけると、ほっと温かくなった。混色織りのセーターが、久美の健康的な顔色によく映っていた。温かそうなキルティングのミニスカートから伸びる足は、ボア付きのブーツに包まれている。寒がりの森の妖精のように見えた。

水野久美は、狭い道の反対側にいる真一に気づくと、傘を傾けて笑顔になった。が、瞬《また》く間にその笑顔が凍りつき、瞳《ひとみ》の色が暗くなる。彼女の視線は真一の脇《わき》をかすめすぎて彼の背後に向けられていた。

真一はさっと振り向いた。傘の縁から滴《しずく》が飛んだ。その滴が跳ねかかるくらい近い距離に、樋口めぐみの青白い顔が浮かんでいた。

色あせたジーンズの裾に、雨水が染《し》みて色が濃くなっている。ビニールの安っぽい雨合羽を着込んだ身体は、この前、最後に会ったときに比べて、さらに痩《や》せたようだ。そういえば、前回彼女に会った時が、久美と喧嘩別れした時でもあったのだ。

石井家に戻って以来、ずっと気をつけてきたつもりだった。心構えもできているつもりだった。有馬豆腐店に出かけるとき、そこから帰るとき、朝起きて窓を開けるとき、近所のコンビニに買い物に行くとき、ロッキーを散歩に連れ出すとき——再びあの人なつこい犬と共に暮らせるようになったのは、ほかの何よりも大きな喜びだった

――真一は常に意識し、準備していた。そこの角を曲がって、樋口めぐみに出くわすことを、支払いを済ませて店を出るとき、彼女の影が自分の後ろに落ちているのに気づくことを、夕暮れの電柱の陰に向かってロッキーがしゃにむに吠えたてるとき、そこに彼女が隠れているのを見つけることを、想定し、思い描いていた。

だがしかし、今まではー度もそれが現実化しなかった。覚悟を決めた真一は、拳《こぶし》のように堅くなった心臓が自身の胸の内側で密《ひそ》かに動悸《どうき》を打つのを聞きながら、追われる者にふさわしく呼吸を潜め影を短く引き寄せているのに、追跡者は一向に姿を現さなかった。ひょっとしてもう諦《あきら》めたのかもしれないと、かすかな希望の片鱗《へんりん》を、真一は心の隅に感じ始めていたところだった。

ところが、これだ。ちゃんと出てくるじゃないか。ちゃんと姿を現す。今までの空白期間は、こちらを安心させるための計算ずくのものだったんじゃないかと疑いたくなる。

それでも真一は、彼女が怖くなかった。少なくとも、これまでのような怖さは感じなかった。間近に樋口めぐみの瘦せた顎《あご》を見つめながら、これまでの逃走・追跡・対決また逃走の繰り返しのなかでは一度も得ることのなかった、一種の勇気のようなものを心に感じて、自分でも驚いていた。有馬義男の励ましは、けっしてその場限りのものではなかったのだ。

　――もう、逃げ回るのはやめな。

　そうだ。追いかけっこはもう終わりだ。

「何の用だよ」と、真一は訊いた。自分の声が、きわめて平静に聞こえることに、さらに勇気づけられる気がした。

「ずっと後を尾《つ》けてきたのか？　用があるなら、そんなやり方はするなよ」

　樋口めぐみは、凍死しかけた動物のように、のろのろと生気のない瞬《まばた》きをした。そして真一を見た。真一は彼女の視線を受け止めた。真《ま》っ直《す》ぐに。こんなことは初めてだった。

「オレ、今日はこれから出かけなきゃなんないんだ」

　真一は、傘を反対側の手に移した。これで、めぐみの立っているところから、水野久美の姿がいっそうよく見えるようになるはずだった。ちらりと見ると、水野久美はさっきまでと同じ姿勢で、ただ顔から笑みだけをぬぐったように消し、両手で傘の柄を握りしめて、じっと雨の下に立っていた。

「友達と一緒なんだ」と、真一は久美の方を目顔で指し示した。「だから、おまえとゆっくり話す時間はないんだ。また別の時にしてくれよ」

樋口めぐみは化粧気のない顔をしていた。頰は土気色で、くちびるはひび割れていた。その日に知性の色がないように感じられて、真一は寒くなった。

「あたしと話する気があるの？」と、彼女は低く問いかけた。

「あるよ」と、真一は短く答えた。「ちゃんとした場で、おまえもちゃんとするなら」

「あたしはいつだってちゃんとしてるわよ」

「それは受け取り方次第だけどな。ともかく、こんなコソコソしたやり方じゃなくて、きちんと連絡してきてみろよ。オレ、話を聞くよ。口先だけじゃない。本気で言ってるんだ」

そう宣言すると、真一は彼女に背中を向けて道を渡り始めた。水野久美が小走りに歩道の端まで近寄ってきた。

不意に、何かを読み上げるように一本調子に、樋口めぐみが大声で言った。「あたしたちはこんな悲惨な目に遭ってるのに、あんたはガールフレンドとデートだってさ」

真一は振り返らなかった。黙って水野久美を促し、雨のかからない軒の下まで行って、一緒に傘をたたんだ。久美はしばらく彼の横顔を見てから、道路越しに樋口めぐみの方を振り返った。真一は久美の手から傘を取り上げ、彼女の空いた手を握って、券売機へと歩き出した。

「あたし、やっとわかった。彼女、塚田君に憑《つ》いてる幽霊だったのね」

水野久美は、小声でそう囁《ささや》いた。それから、しっかりと真一の手を握り返してきた。

メルバホテルの一階には、美しいエッチングガラスの衝立《ついたて》で仕切られた小ぎれいな喫茶室があった。しかも、久美が大いに喜んだことに、そこでは午前十一時から午後三時まで、ケーキバイキングを行っていた。

二人は窓際《ぎわ》の二人掛けの席に座った。喫茶室はほとんど満員だったが、店内は騒がしくはなかった。ここでなら、あてもなく待つのもそれほど辛《つら》くはなさそうだ。

「有馬さんに給料もらったばかりだからさ。好きなものオゴるよ」

「だけどあんまり食べちゃうと、あとで水炊《みずた》きを食べられなくなっちゃう」

真一は笑いながら、何気なく店内を見回した。そのとき、喫茶室の入口で、小柄で太った中年の女性と、たぶんその女性の息子だろう、体格のいい、真面目《まじめ》そうな顔つきの若者が、いかにも不慣れな様子で店内を見回していることに気がついた。中年の女性が大事そうに胸元に掲げている品物に目を惹《ひ》かれた。

本だった。遠目でもわかる。『もうひとつの殺人』だ。何かの目印のように、表紙を外に向けて抱えている。

――待ち合わせかな。

網川浩一の本を目印に、人と落ちあう約束をしている？　今現在、当の網川がこのメルバホテルの部屋のどこかにいることを考えると、それはひどく意味深な偶然のように感じられた。そんなことってあるかな？

喫茶室のいちばん奥で、三十歳ぐらいのスーツ姿の男性がさっと立ち上がった。急ぎ足でその二人連れの方へと近づいてゆく。本を掲げていた中年女性に話しかけると、しきりとおじぎを始めた。女性の方もペコペコする。連れの若い男性の方は、第三者的な茫洋《ぼうよう》とした風情《ふぜい》でそれをながめている。

まわりが静かなので、耳を澄ますと、会話の断片がきれいに聞き取れた。スーツ姿の男性がせっせとしゃべっている。

――どうもご苦労様で。

――カメラマンももうすぐ来ます。

――お二人だけですよね。

――今まだ先約のほうがあって。

合流した一人と二人連れは喫茶室のなかに入ってきて、スーツ姿の男性が陣取っていたテーブルに落ち着いた。

「あの人たち、見える?」久美に向かって、彼らのテーブルの方を指し示して、真一は言った。久美はそっと振り返る。

「カメラマンがどうこう言ってるところを見ると、雑誌の取材か何かだろうな。網川浩一は、有馬さんの後、どこかのインタビューを受ける予定を入れてるのかもしれないよ」

とたんに、久美はしかめ面をした。「有馬さんと高井由美子さんの会見の取り次ぎをするってことは、マスコミの取材とは全然別次元の大事なことよ。それを一緒にやっちゃうって、そんなのありかしら?」

「そんな怒るなよ。ただ想像してるだけなんだから」

それでも、確かに気になった。雑誌記者か編集者であるかもしれない人間とカメラマンが揃《そろ》ってここにいて、頭上のどこかの部屋では有馬義男と高井由美子の会見が行われていて、その場に網川浩一が居て――

真一はスッと立ち上がった。驚いて見上げる久美に、ちょっと待っててと言い置くと、喫茶室を出てフロントに走った。

午前中、出かける前に有馬義男は、「フロントで〝網川〟の部屋番号を尋ねて、直《じか》にそこに来てくれ」と指示されたと言っていた。つまりフロントで訊《き》けば部屋はわかるわけだ。けっして伏せられてはいない。

予想通り、フロントマンはすぐに部屋番号を教えてくれた。一一〇一号室だ。大急ぎでエレベーターに乗り、十一階で降りると今度は迷路のような長い廊下を駆けた。部屋番号を確認しながら駆けてゆくと、驚いたことに、一一〇一号室の前には、大きなカメラバッグと機材を廊下の床におろして、ジーパンにジャケット姿の女性カメラマンが、所在なさそうに佇《たたず》んでいたのだった。

「あの」真一は女性カメラマンに声をかけた。

「この部屋に取材に来た方ですか？」

三十歳ぐらいだろう、整った顔立ちの、いかにもしなやかで健康そうな女性カメラマンは、ほっと表情を緩めた。

「そうなんですけど、約束の時間は過ぎてるのにまだ誰も来なくて。行き違ったのかしら？」

「部屋はここですね？　網川浩一さん」

「ええ、そうよ」

「じゃあ、僕がなかに入って訊いてきます」

真一はノックせずに静かにドアを開けた。女性カメラマンは、真一が新聞社か雑誌社かテレビ局か、とにかくどこかのメディアの助手だとでも勘違いしてくれたのだろう、少しも警戒することなく通してくれた。

出入口のドアのすぐ前に衝立があった。静かだ。真一はゆっくりとドアを閉めたが、そのあいだも人声はまったく聞こえない。衝立の陰から首を出してのぞくと、パステルカラーの洒落《しゃれ》たソファに向き合って座っている、網川・高井由美子の二人と、有馬義男の背中が見えた。

網川が最初に真一に気づいた。端正なその顔に、滑稽《こっけい》なくらいの驚きの色が広がった。彼はその場で立ち上がった。

「あれ、君は！」

有馬義男が振り返り、やはり驚いて中腰になった。「どうしたんだよ?」

真一は進み出て有馬義男のそばに立った。「邪魔してスミマセン、有馬さん」

そして有馬義男が何も言わないうちに、網川の方へきっと顔を向けて続けた。「取材のカメラマンが廊下で待機してます。どういうことですか?」

箱の底が抜けたみたいな、ぽかんとした沈黙が来た。有馬義男は真一を見て、それからさっと網川浩一を見た。高井由美子も網川を見ていた。

「どういうことだね、網川さん」

網川はチッと舌打ちした。瞬間、彼の顔の上をよぎったいかにも悔しそうな表情が、ひどく下賤《げせん》に見えたことに真一は驚いた。

「待っていてください、これには事情があって」いつもの落ち着いた好青年に戻って、網川は有馬義男に言った。「ここにいらしてください」

「だけどあんた——」

「待っていてください！」網川は声を大きくした。高井由美子が、脅かされた子猫みたいにびくんとした。「ちゃんと説明できます。何か手違いがあったんでしょう。君、一緒に来てくれよ」

網川が「君」と呼んだのが自分のことであると、真一にはわからなかった。腕をつかまれて引きずられそうになり、やっとわかった。

網川はしゃにむに部屋の出入口のドアに突進し、ノブをつかんで引きむしるように開けた。するとそこにはさっきの女性カメラマンと、喫茶室で見かけた二人連れプラス背広の男性が、驚き顔で突っ立っていた。背広の男性は、まるで真一に握手を求めるように右手を突き出していた。ちょうど、ドアのノブを握ろうとしていたところであるようだった。

「初めまして、わたしは、足立好子と申します」

喫茶室にいた小太りの中年女性は、堅苦しい口調で自己紹介をした。ひどく緊張しているようで、化粧をした顔いっぱいに汗をかいていた。連れの青年は彼女の息子ではなく、家業の印刷屋で働いている従業員の青年だという。増本ですと、こちらは見かけから想像するよりも落ち着いた声で名乗った。

そのころになってやっと、真一は、この部屋がスイートルームであることに気がついた。だから、急に人数が増えて大所帯になっても、狭苦しい感じはしなかったし、一同が座る椅子《いす》にも不自由しなかった。

メルバホテルは構えこそさほど大きくないが、内装や家具備品、それらが醸《かも》し出す雰囲気は高級ホテルのそれで、きっと料金も高いに違いない。いくら網川浩一が今現在金持ちであっても、たった三人の会見のためにわざわざスイートをとる必要はない。ざっと見回しても、まるっきり生活感のない部屋だから、高井由美子がこの部屋に宿泊しているということもあるまい。だとすると、このスイートを用意したのは取材する側で、いわばこれはセットであり、現在のこの事態は、計画的に引き起こされたものだということだ。

「たいへん申し訳ありませんでした」

網川浩一は、椅子から立ち上がって深く頭を下げた。横で高井由美子が半泣きの顔をしている。初めてあのバスターミナルで会ったときも、やっぱりこういうベソをかいたような表情ではあったけれど、もう少し彼女自身の意志というか、姿勢というか、必死の情熱のようなものの感じられる顔をしていたと、真一は思う。だが、今の由美子はまるで網川浩一の付属物のようだ。

「こちらの足立さんと増本さんは、生前の高井和明君の、あるエピソードをご存じなんです。それで、僕の意見に賛同して、あの和明君が殺人者であるわけがないと信じて、僕に会いに来て下さったんです」

足立好子が太めの身体《からだ》とがっちりとした肩をすぼめるようにして恐縮した。

「それで、こちらの『週刊ジャパン』でお二人と僕の会見を記事にすることになりました。その約束が今日の午後だったんですが――」

「我々が少し早く到着しすぎまして」背広の男性が如才なく割り込んだ。妙に愛想がいい。もらった名刺には、「週刊ジャパン　デスク　城下勝《しろしたまさる》」と刷られていた。

「けっして、有馬さんと由美子さんの会見に割り込むつもりはなかったんです。こうして一緒になってしまったのは、あくまでも手違いの結果でして」

真一は腹の底に黒い反問が湧《わ》いてくるのを感じた。到着が早すぎるどころか、喫茶室では「カメラマンが遅れてる」と言っていたではないか。あんたらが、あくまでも足立好子と網川との会見のためにこのスイートを用意したのであって、有馬義男の件はノータッチだというのなら、どうして彼をこの部屋に連れ込んだりしたのだ。どうして、有馬義男が部屋から引き上げた気配もないのに、網川からそういう連絡があったわけでもないのに、ずかずかとこの部屋にあがってきたんだ。

「私は、ここで高井さんと会ったことをマスコミに記事にしてもらう気はないですよ」

ずっと沈黙していた有馬義男が、手にとってながめまわしていた城下の名刺をガラステーブルの上に置きながら、静かな口調で言った。「私らのことが記事になるっていうのなら、最初から会いに来ませんでしたよ」

城下は網川の横顔を盗み見た。網川の方が役者が上で、まったく彼にはとりあわず、有馬義男に向かってもう一度頭を下げた。

「ご気分を害されたなら、本当に申し訳ありません。僕も、由美ちゃんと有馬さんの話し合いをマスコミに公開する気持ちなどまったくなかったんです。これは純然たる手違いです。ただ――」

芝居がかった感じでぐいと顔をあげると、

「こちらの足立さんのお話は、ぜひとも有馬さんにも聞いていただきたいんです。肉声で、直接聞いていただきたいんです。その願いがあったので、敢えてふたつの会見場所をここに設定したんです。それはわかっていただけないでしょうか」

義男は眉間《みけん》にしわを寄せて黙っている。さっきまでの高井由美子との会見のあいだに、どんなやりとりが交わされたのだろうかと、真一は考えた。有馬義男は怒っているのだろうか。失望しているのだろうか。ただ疲れているだけだろうか。

「お願いです、ぜひ足立さんの話を聞いて下さい」網川浩一は身を乗り出す。「もちろん、記事にはしません。いいね、城下さん」

城下ははいはいとペコペコした。

「写真もなしだ。撮らないでよ」網川は女性カメラマンの方に指を突きつけた。彼女は両眉《まゆ》をぐいと持ち上げ、何もしないわよと見せつけるみたいに腕組みをした。

真一の目には、それらの動作がみんな、安っぽいドラマみたいに見えた。

「足立さん、お願いします」

義男が承諾したわけではないのに、網川は足立好子を促した。いかにも働き者らしい荒れた手をよじりながら、彼女は話を始めた。しかし、しょせんはまったく素人《しろうと》である。話し慣れていないのは当然だし、こんな雰囲気のなかでは緊張してしどろもどろになってしまうのも無理はない。すぐに、何を言いたいのか、何を言っているのかさっぱりわからなくなってしまい、そのたびに、網川が横から口を挟むようになった。

ところが、意外なことが起こった。「おかみさん、あがってるから」と、増本という青年が助け船を出したのだ。「僕が説明します。おかみさんと旦那さんと僕と、一緒にテレビの特番を観《み》ていたところから始まるから」

増本青年は、語彙《ごい》こそ少なかったが、足立好子よりもはるかにてきぱきと、しかし要所要所で足立好子に「これでいいですよね？」と確認するようにうなずきかけながら、彼女の話をまとめて聞かせてくれた。真一にも、彼の話は楽に理解できた。そうかこの人は、栗橋浩美の母親、寿美子と病院で同室だったのか——見舞いに来た高井和明と会って、少しだが話もしているのか——

有馬義男は、途中で何度か質問を投げ、それに足立好子が言葉を探しながら答え、増本青年が補強した。網川浩一は強張《こわば》った顔をしてそのやりとりを見守っており、高井由美子はうつむいており、城下記者とカメラマンはそわそわしている。

「犯人はボイスチェンジャーを使っていたから」と、増本青年は言った。「おかみさんが聞いた高井和明さんの声と、犯人の電話の声を比べたって、意味はないですよね」

「そうだねえ」と、義男はうなずく。

「けども、声は変えられても、話し方はそう簡単には変えられないでしょう？　おかみさんは、病院で会った高井和明さんの話し方と、ＨＢＳの特番に電話をかけてきた――栗橋浩美ではない方の電話の男とは、話し方が違うって感じるんだそうです。ね、そうですよね？」

足立好子は勢いよくうなずいた。両手を握りしめている。「あたしは学もないもんで上手《うま》く言えないけども、増本君の言うとおりなんですよ」

有馬義男は、足立好子の方に顔を向けて、しげしげと彼女を観察した。年齢的には義男の方が上だが、二人は世代としては同じところに属している。戦前に生まれ、戦中に辛《つら》い子供時代を過ごし、戦後に働きづめに働いて生きてきた世代だ。その世代だけに通用する、独特の人間判別法があるのかもしれないと、真一は思った。義男は今、その判別法で足立好子を計っている。計られている方もそれと承知していて、真っ直《ます》ぐに義男に対峙《たいじ》しているのだ。

「おっしゃることはよくわかりましたよ、奥さん」

義男が言うと、足立好子はぺこりと頭を下げ、ごつい手で口を押さえて、急に涙ぐんだ。

「すみません……本当にすみませんねえ」

「おかみさん」増本青年がなだめる。

「可愛《かわい》いお孫さんを亡《な》くされて、どれだけお辛いか、あたしにもわかります。わかりますのに……こんなことお聞かせして」

　義男は黙って首を振った。足立好子は大きな手提げ袋をかきまわし、ガーゼのハンカチを引っぱり出すと、それで顔を押さえた。

「さっきまで高井由美子さんのお話を聞いていて、考えていたんですがね」と、有馬義男は言った。「やはり、話だけでは駄目です」

　由美子がはっとしたように目をあげる。網川がぐいと口元を引き締める。

「兄さんは人殺しなどする人間じゃないと信じるのは、身内の感情としては当然でしょう。病人にあんなに優しく接していた若者が、面白半分に女性を誘拐して殺すはずがないと思うのも、自然な気持ちです。でもねえ、足立さん。私はやっぱり話だけで自分の心を納得させることはできんですよ。揺れるけれど、納得はできない——いや、納得というよりは、むしろ〝安心〟と言った方がいいですわ。これでこいつが犯人であることに疑いがないと、安心したい。鞠子を殺した奴《やつ》は確かにこいつだ、問違いないと確認して重荷をおろしたい。それには、やはり欲しいのは証拠です。動かしよう増本青年がうなずいて、慰めるように足立好子の肩を叩《たた》いた。

「栗橋浩美の場合は、声紋鑑定をすることができた。だから彼に関しては疑いの余地がない。だが高井和明にはそれがないから、今は諸説乱れ飛んでいるわけです。生前の彼の声を録音したテープのひとつでもあれば、問題はすべて解決するんですがねえ」

今度は、箱の蓋《ふた》を閉めきったみたいな沈黙が来た。一同うつむいているなかで、増本君という青年だけが、義男に向かってうなずきかけている。

「そんな都合のいい物証がポンと出てきてくれるなら——」網川浩一が、口元をかすかに歪《ゆが》めながら言った。「僕らだって、こんなに苦労せずに済むんです」

「そうだよねえ、網川君の言うとおりだ」城下が揉《も》み手しながら言う。しかし、有馬義男はまったく彼らにかまわず、高井由美子に話しかけた。

「お兄さんの声が録音されているテープとかビデオの類《たぐい》を、警察はずいぶんと熱心に探したことでしょうな？」

直《じか》に尋ねられて、由美子はまたびくりとし、網川の横顔をうかがった。網川も彼女の方を見る。そうやって二人のあいだに流れる何ものかを言葉で断ち切ろうとするように、有馬義男は身を乗り出して続けた。

「私ぐらいの世代の人間にとっては、政治家でも芸能人でもない一般庶民が、自分自身の声が機械で録音されたのを耳にする機会を持つなんて、それ自体がほとんど想像できんことなんですわ。留守番電話だって、私はよう使えんからね。せいぜいラジオぐらいのもんですよ。ホラ、午後のラジオ番組で、電話でクイズとかやっとるでしょ？　あれぐらいなもんです。だからね、あなたのお兄さんの声が録音されて残っていそうなものを、頭に思い浮かべることができん。あなたに頼るしかないです。警察にもさんざん尋ねられたでしょうが、もう一度考えてみてください。何かありませんかね？」

高井由美子は目に見えておどおどした。そんな彼女を見ていると、真一は心の底が、シュレッダー屑《くず》のなかに腕を突っ込んだときみたいにチクチクするのを感じた。すごく嫌な気分だった。ただそのとき、こんなふうにことさらに由美子を厭《いと》わしく思うのは、彼女のこの怯《おび》えぶりが、樋口めぐみから逃げ回っていたころの自分自身とダブって見えるからではないかと、ふと気がついた。そうすると、急に汗が出てきた。

「有馬さん、それは酷な要求だと思います」網川が言った。「有馬さんの辛いお気持ちは充分わかりますが、僕らはもう、物証は無い、高井君の無実を証明するためには、たくさんの状況証拠と心証を積み重ねていくしかないと、覚悟を決めているんです。どうかそれをご理解くださ――」

有馬義男は網川をさえぎった。「あんたが覚悟を決めるのは勝手だが、私がそれに付き合わなきゃならない義理はない。それは、この妹さんだって同じだよ」

この場を包み込んでいた、見せかけだけの平和的雰囲気の「箱」は、完全に壊れた。一瞬だが、網川は明らかに怒ったような表情をした。有馬義男は涼しい顔で見返していた。それは、これまで網川が出演してきたどんなテレビ番組でも、どんなインタビューでも、けっして生まれることのなかった「場」の誕生だった。

真一は一瞬、痛快な気がした。この場には一人の悪人も存在せず、立場と意見は違ってもみんな正義を求める人びとなのだから、そんな感情を抱くのは不謹慎であるはずだった。だが、それでも痛快さを覚えた。

「ラジオ――」と、増本君が呟《つぶや》いた。皆の視線が彼に集中すると、真っ赤になって頭をかいた。「いや、すみません」

「かまいませんよ。言ってみてください」と有馬義男が促す。

「そうスか、それじゃ、あの」

増本君は足立好子の顔をのぞきこむと、

「おかみさんは覚えてませんか？　さっき有馬さんがおっしゃったみたいな、ラジオ番組の公開録音がうちの近所にも来たことがあったスよね？　もう五、六年前になるかな」

足立好子はちょっと考えてから、丸い顔をほんの少しほころばせた。「ああ、そういえばあったたね」

「あったッスよね？　うちは印刷屋だから出なかったけど、商店街の人たちはけっこう出ました。レポーターとかけあいしたりして。後で、録音した番組を、あっちでもこっちでも聞かされて参ったスよ」

網川が露骨に焦《じ》れた。「で？　何が言いたいんだ？」

「ああ、ですから、高井さんの家は蕎麦屋《そば》さんでしょう？　しかも地元で長いこと店やってたわけでしょう？　ラジオの公開録音、来ませんでしたか？　もしそういうことがあったなら、蕎麦屋さんなら、マイクを向けられる機会だってあったかもしれないと思いついたんスけど」

「仮に公開録音や中継があったとしても、カズはそんなところにしゃしゃり出る奴じゃなかった」網川は激しくかぶりを振りながら、さっさと否定にかかった。「背中を押されたって、マイクの前に立ったりしなかったよ。君は生前の彼を知らないから、そんなあてずっぽうな推理ができるんだ」

増本君は、シュンとして小さくなった。足立好子も一緒になって恐縮した。城下は貧乏揺すりを始めた。

そのとき、弱々しい声が聞こえた。

「ラジオ……は駄目だと思います」

高井由美子だった。真一がこの部屋に入ってから、彼女が自発的に発言するのを聞くのは初めてだ。

「駄目ですか」反問というよりは、助け船を出すように有馬義男が訊《き》いた。

「ええ。兄は内気でしたから」

「ラジオの公開録音というのは、警察との話のなかでも出てきましたか？」

「いいえ、それは出ませんでした」由美子は上目遣いに増本君の顎《あご》のあたりを見た。

「今、初めて出てきた話です」

有馬義男は増本君に笑いかけた。「そんなら、まだほかにも、警察が思いついてない可能性を、我々が思いつくことができるかもしれないっちゅうことだよね」

「無駄だと思うけどな」網川が切り捨てるように言った。「思いつきだけじゃ何にもならない」

そのとき、真一の頭の底で、何かがチカリと閃《ひらめ》いた。それが何なのか捕まえるために、ちょっとのあいだ意識を集中して考えなければならなかった。

「網川さん、由美子さん――」真一は、考え考え呼びかけた。「あなた方はずっと、高井和明さんは栗橋浩美のやっていることに気づいていて、そのために悩んでいたと主張してますよね？」

「そうだけど、闇雲《やみくも》に主張しているわけじゃない。そう考えた方が、明らかに理にかなっていると言っているだけだ」

この際、そんな言い回しはどうでもいいのだ。真一は由美子に訊いた。「和明さんは、一人では解決できないような悩み事を抱えたとき、誰かに相談してましたか？」

由美子は絵に描いたような当惑の顔をして、また網川の表情をうかがった。真一は食い下がった。「あなたに訊いてるんですよ、由美子さん。あなたは家族でしょう？ひとつ屋根の下に暮らしてたんだから、ここにいる誰よりも、お兄さんのことをよく知ってたはずです」

城下が貧乏揺すりを続けながら割り込んだ。

「君は何を言いたいんだね？　由美子さんを問いつめたってしょうがないし、だいいち君にそんな権利があるわけじゃないだろ？」

由美子は救助隊が来たとばかりに目を背け、音もなく立ち上がると部屋の奥に消えた。ドアが開閉される音がする。洗面所だろう。真一は由美子が、この部屋の豪華な鏡に今の彼女自身の顔を映し、それがどれほど情けなくだらしなくいくじなく見えるものか、とっくりと確認して欲しいものだと思った。

彼女に続いて、網川も、急に何かを思い立ったみたいにパッと席を立ち、由美子の消えたドアの陰に消えた。残された一同の上にバツの悪い沈黙が落ちてきたが、そのバツの悪さをかき消すために誰かが何か発言するよりも前に、網川は席に戻った。そして、座るや否《いな》やいきなり真一に言った。

「君は少し口を慎んだ方がいいな」口を尖《とが》らせている。「ただの野次馬のくせに、言いたいことを言っている。可哀想《かわいそう》に、由美ちゃんは動揺してしまった。おとなしくしていられないなら、部屋から出ていってもらうぞ」

「この子は私の身内みたいなものだ」有馬義男が反問した。「野次馬じゃあないよ。塚田君が何か考えてるなら、私は聞きたいね」

「それなら、あなた方の家に帰ってから話し合えばいいでしょう！」

網川は、一同が驚いて一瞬顔を見合わせるほどに、攻撃的な声を出した。そういう皆の表情を見て、自分が言い過ぎたことに気づいたのだろう、急に目を伏せると、片手を額にあててうつむき、ため息をついた。

「すみません……」

城下が、ようやく貧乏揺すりをやめて、とりなすように愛想笑いを浮かべた。「網川君は、ここんとこずっと取材続きでしてね、夜もロクに眠っていないんですよ。疲れてるんです。そのへんのところはわかってあげてください」

由美子が洗面所から戻ってきた。場の雰囲気を察知したのか、ソファの後ろで立ちすくむ。化粧直しをしてきたらしく、口紅の色が鮮やかになっていた。真一は、今度は、〝反感〟というシュレッダー屑の山のなかに、裸で飛び込んだような気がしてきた。

「塚田君、帰ろう」有馬義男が立ち上がった。「これ以上お話しすることもなさそうだよ」

真一は黙ってうなずいた。足立好子がおろおろしている。しかし増本君は落ち着いていて、有馬義男と視線を合わせると、

「おかみさん、僕らも帰りましょう。網川さんに聞いてもらいたいことは全部お話ししして、おかみさんの気も済んだスよね？」

足立好子の太い腕を、優しくつかんだ。おかみさんは息子のような従業員に促され

て、急に安心したようだった。そうだね、と同意して、不器用にテーブルに膝頭《ひざがしら》をぶつけたりしながら立ち上がる。

城下があわてて引き留める。「だけど足立さん、あなたたちと網川君の会談は、うちで記事にさしてもらう約束になってるんですよ。だからカメラマンだって呼んで――」

増本が答えた。「そうなんスか。でもおかみさんも俺も、そのことは何も聞いてなかったスから。雑誌とかに出るのは、おかみさんの気持ちとは違うし」

「いいよ、城下さん。やめにしよう」網川が、うつむいたまま鋭く言った。「もういいよ」

城下は不承不承という感じで口をつぐんだ。

「由美ちゃん」手を額にあてて固まったまま、網川は、今度はソファの後ろの由美子に呼びかけた。ダーツの矢を投げるような鋭い呼びかけで、由美子は両肩をびくんと震わせた。

「君、皆さんをロビーまで送ってあげるといいよ」

由美子は、今度は有馬義男や真一たちの顔をうかがうように見ておろおろした。何ひとつ、自分では判断がつかなくなっているのだ。「私らなら見送りなど要らないですよ」有馬義男は静かに言った。

「いや、送っていきなさい」顔を上げて、かすかに由美子に笑いかけながら、網川は言った。「ずっと僕がそばに張りついていて、由美ちゃんとさしで話す機会は一度もなかった――なんて、後で言われたくないもんな。一緒にロビーへ降りて、そうだ、喫茶室で話をしてくるといい。それなら、有馬さんだってご異存はないはずだ。申し訳ないけど、僕はここで少し休ませてもらうから。いいでしょう、城下さん？」

「ああ、もちろんどうぞ。横になるといい」

結局真一たちは、豪華なスイートルームに、網川と城下と女性カメラマンの三人を残して、ぞろぞろと廊下に出た。高井由美子はいちばん最後に部屋を出て、ドアを閉めるときにも、名残惜しそうに室内の様子をうかがっていた。彼女一人だけが、〝仲良しの輪〟から締め出しをくったみたいな顔つきをしていた。

一同は、黙りこくってエレベーターを降りた。ロビーに出ると、真一はさっさと喫茶室に向かった。由美子はノロノロとついてきた。真一は肩越しに彼女を振り返ると、素っ気なく言った。「何も、本当に網川さんに言われたとおりにする必要なんかないんですよ。喫茶室に行くのは、そこに僕の友達が待ってるからなんだから」

水野久美は、真一に置き去りにされたまま、辛抱強く待っていてくれた。窓からぼんやりと外を見ていたが、彼らが近づいてゆくと、明らかな安堵《あんど》の色に頰をなごませた。

「置いてきぼりにしてゴメン」

真一は言って、手早く足立好子と増本君を紹介し、事情を説明した。今日、足立さんは、有馬さんと同じように網川さんと面会する約束があったんだって。それがさ、やっぱり勝手に取材を入れられちゃってて――

水野久美の視線は、一人だけ紹介されずに、皆から一歩離れたところで下を向いている由美子の方へと流れた。有馬義男が言った。「高井由美子さんだよ」

水野久美は両目を見開いて、まじまじと由美子を見つめた。ちょっとのあいだ、息も止めているみたいだった。

久美はほんの少し斜視で、真一にはいつも、それがとても可愛《かわい》らしく思えた。同時にそれは、ちょっと神秘的でもあった。彼女の視線のベクトルは、他の人間とは少しだけ角度がずれている。それ故《ゆえ》に、他の人間たちの目には陰になって見えない何かが見えるのではないか――そんなふうに思えるから。

「怖くないですか？」と、久美は小さく訊いた。由美子はそろそろと視線を上げて、彼女の方をうかがい見た。

「怖い?」と、さらに小さな声で問い返した。

「ええ。ここ、人が大勢いるから」

由美子はほっと息を吐いた。「いえ、大丈夫です。このホテルのなかなら」そして、また、怯えるように肩を縮めて真一を見た。

「さっき、塚田君の話、途中になっていたでしょう？　わたし、あの続きが聞きたいです。兄は、大きな悩み事があったとき、誰に相談していたかって」

一同は再び喫茶室に落ち着くことになった。水野久美が気をきかし、窓際《ぎわ》から遠い、奥まったボックス席を選んだ。席に座って注文した飲み物が運ばれてくるまで、皆それぞれにくたびれたような安心したような顔をして黙っていた。

真一は説明を始めた。「ほんの思いつきなんですよ。だからあてずっぽうです。ただ、もしかして和明さんが、いわゆる電話悩み相談室みたいなところを利用することがなかったかなって、ちょっと考えたんです」

思い出したのだった。滋子のドキュメントが評判になっていたころ、声優の川野レイ子が、雑誌の対談で話していたことを。

「事件の犯人像がまったく見えなかったころに、電話相談室に、たくさんの電話がかかってきたっていうんですよ。曰《いわ》く、自分が犯人だ。あるいは犯人を知っている。あるいは、自分の身近のあの人が犯人ではないかと疑っているんだけど、どうしたらいいだろうか」

はああと、増本君が感心した声をあげた。

「そうかあ、そういうことか」

「和明さんはとても内気な人だったというし、実際、ご家族にも何もうち明けていなかった。思いあまって、こっちの名前とか住所とかを明らかにしないで話すことのできる、そういう媒体に相談していた可能性はないかなと思ったんです。どうでしょう?」

由美子は口元に手をあてて、じっと考え込んだ。そのとき、隣に座っていた水野久美が、真一のシャツの袖《そで》を引っ張った。

「カメラ」と、小声で素早く言った。「写真、撮られてる」

真一はパッと振り返った。目がうわずって、周囲に見えるはずのものはたくさんあるのに、その何処《どこ》にも焦点が合わない。

「どこ?」と、鋭く久美に問い返した。彼女は真一の袖をつかんだまま囁《ささや》いた。

「塚田君から見て、向かって左の柱の陰。ゴムの木の鉢があるでしょ、あのすぐそば」

とたんに、ピントがあった。確かにいる。さっきのあの女性カメラマンだ。向こうも真一の視線に気づき、カメラをおろして顔をのぞかせた。

「どうかしたのかい？」

有馬義男の問いかけを背中に、真一は椅子《いす》を蹴《け》って女性カメラマンのいるところまで走った。きっと逃げ出すだろうと思ったけれど、案に相違して彼女はその場を動かなかった。手元で何やらカメラを操作している。

「フィルム」足を止めて、真一はいきなり言った。「フィルムを渡して下さい」

彼女に向かって、真っ直《ます》ぐ右手を突き出した。ロビーを通りかかる人びとが、何事かというように眉《まゆ》をあげてこちらを見ている。女性カメラマンは自分の手元ばかりを見て、カメラをいじる作業をやめない。

「フィルムを下さい」と、真一は大声で言った。「今、盗み撮りしたフィルムですよ。僕らは写真に撮られることに同意してません」

「社会的な価値のある情報なのよ」目を上げて、真一を斜《はす》に見ながら彼女は言った。「報道する権利が、こっちにはあるわ」

「どういう価値です？　写真週刊誌に売りつければお金になるってことですか？　ついでにあなたの名前も売れる？」

「そうじゃないわよ。網川さんの努力の甲斐《かい》があって、被害者の遺族の有馬義男氏さえも、高井和明無実説に傾きかけてるって、世間にアピールできるってことよ」

真一は激しく首を振った。「有馬さんは高井和明無実説に傾いてるわけじゃない。さっきのやりとりをあなただって聞いてたでしょう？」

「だけど、高井由美子と仲良くお茶を飲んでるじゃないの。それは価値ある情報よ」

「写真を公開すれば、そういう偏《かたよ》った印象を広めることにはなりますね。つまり、網川さんはそれが狙《ねら》いなんだ」真一は再度手を突き出した。「フィルムを下さい」

女性カメラマンは口元を歪《ゆが》めた。「あたし一人の判断じゃ渡せないわ」

「どうしてです？　撮影者はあんたじゃないか」真一は怒りを抑えるのが難しくなってきた。「あんた、いい歳《とし》して自分のやってることにも責任持てないのかよ」

女性カメラマンの瞳《ひとみ》にも怒りの色が浮いた。

「浩一さんに訊《き》いてみなきゃわからないのよ！」

真一のそばで、誰かがはっと息を呑《の》んだ。驚いて振り向くと、高井由美子が立っていた。青ざめた月のような顔をして、両手を胸の前でぐっと組み合わせている。

「何よ」と、女性カメラマンは由美子に言った。「なあに？　何か言いたいの？」

震える声で、由美子は言った。「フィルムを渡してあげて」

女性カメラマンの眉が鎌のような形になった。「何言ってるの？　あんたなんか黙ってなさ――」

皆まで言わせず、由美子は遮るように強く言った。「フィルムを渡して」

そして急に声を落とし、女性カメラマンの目を見て付け加えた。「浩一さんには、わたしから話すから」

女性カメラマンは、一瞬だけ由美子を睨《にら》みつけた。由美子は下を向いて自分の爪先《つまさき》を見つめている。それなのに、二人のあいだで視線よりも強い何かがぶつかって火花を散らすのを、真一は感じた。

突然、女性カメラマンは手にしていたカメラのなかからフィルムを取り出し、真一に投げて寄越した。真一はあわててキャッチした。その隙《すき》に、女性カメラマンはとっとと逃げ出して、エレベーターの方へと走っていってしまった。

彼女の姿が見えなくなると、由美子は真一の手のなかのフィルムに視線を落として、小さく言った。「ごめんなさい」

ああ、またこの人は謝っている。

「一緒にロビーに降りて、彼女が写真を撮ることができるくらいのあいだ、皆さんを引き留めておくようにって、浩一さんに言われたんです」

真一は黙っていた。腹が立つ一方で、頭のなかに、今まで思ってもみなかったある考えがわき出してきて、すぐには口がきけなかったのだ。心臓が胸の内で乱れ打っていた。これと似たようなことが前にもあったじゃないか、これと似たようなことが以前にも——

「わたし、もう部屋に戻らなくちゃ」由美子は真一の顔を見ないままにそう呟《つぶや》いて、身体《からだ》の向きを変えようとした。

真一は素早く言った。「由美子さん、飯田橋のアークホテルで写真を撮られたときのこと、覚えてますか?」

由美子は足を止め、ようやく真一の目を見た。「あの写真週刊誌のこと?」

「そうです。あなたが有馬さんたちに会いに押し掛けてきて、騒動になった」

由美子は痩《や》せた手首を持ち上げて、手で額を押さえた。「ごめんなさい。そういえばあなた、あのとき怪我《けが》をしたのよね」

「そんなことはいいんです。それより思い出してみてください。あのとき、有馬さんたちがアークホテルに集まることを、あなたに教えたのは誰でしたか?」

由美子は手をおろし、怪訝《けげん》そうに首をかしげる。

「教えたのは、網川さんだった。滋子さんは、あなたの気持ちを騒がせたくなくて、黙っていた。そうじゃありませんでしたか？」

由美子は口を閉じて、白い顔を真っ直ぐに真一の方に向けている。怒っているのか驚いているのか、そこからは何の表情も読みとれない。

「僕、今ふっと思いついたんです。あのときも、今と同じような状況だったんじゃないでしょうか」真一は、思い切って言った。「網川さんは、あなたにアークホテルでの集まりのことを教え、そこに行けば有馬さんに直接会うことができる、直《じか》に話ができればわかってもらえるかもしれないと希望を持たせ、あなたを焚《た》きつけた。あなたがたまらずにアークホテルに向かうことを、彼は期待していた。そして……」

さすがに動悸《どうき》が激しくなって、真一は息が切れた。

「そしてそのネタを、スクープを欲しがっている写真週刊誌に売りつけた」

由美子はさらに青ざめた。正面から見る彼女の瞳は色が薄かった。いや、彼女全体が薄れていた。まるで誰かに吸い取られて色あせてしまったみたいに。

「あのころのあなたの精神状態からいって、騒ぎになることはわかっていた。だから写真は派手なものになった。当然大々的に報道される。彼はそれを狙っていたんじゃなかったのかな？　あとで滋子さんから聞いたけど、あの日彼はあなたのためにアークホテルへすっ飛んできたそうですね。あなたを助けるために。その後あなたが自殺未遂事件を起こしたときも、彼が助けにきた。そうやってあなたの信頼を勝ち得、それからおもむろに彼はルポを出版し、滋子さんと袂《たもと》を分かち、あなたをがっちりと抱え込んで、心優しい正義漢としてマスコミの寵児《ちょうじ》への道を驀進《ばくしん》し始めたってわけだ」

由美子はじっと固まっている。

「あなたは彼に利用されてるだけかもしれない。最初から彼の手の上で転がされてたのかもしれ――」

真一の頬がぴしゃりと鳴った。痛みは感じなかったから、とっさには平手打ちをくったのだとわからなかった。塚田君と、水野久美が呼ぶ声が聞こえ、彼女がそばへと駆け寄ってきた。

由美子は彼女自身の手を見おろし、まるでそれが意志に反して勝手に動いて真一を叩《たた》いてしまったのだと責めるかのように、眉をひそめて見つめていた。それからその手を拳《こぶし》に握ると、うつむいたまま半泣きの声で呻《うめ》いた。

「なんて非道《ひど》いことを」

真一を守るように彼の肘《ひじ》をつかんで立ちはだかった水野久美が、「非道いのはあんたの方よ」と言い返す。「なんで塚田君を叩いたのよ?」

「いいんだ」真一は言って、久美の肩を叩いた。「俺が由美子さんを怒らせたんだから」

有馬義男が、喫茶室の出口のところでこちらを見守っている。心配そうなその顔に、真一は目顔でうなずきかけた。それから、由美子の方に視線を戻した。

「もう部屋に戻った方がいいですよ。隠し撮りに失敗したんで、網川さんは怒ってるでしょう。彼があなたに向かって何を言うか、どんな態度をとるか、よく観察してください。なんなら、僕が今あなたに話した考えを、彼にもぶつけてみたらどうですか。彼、何て言うかな？」

由美子は両手で顔を覆《おお》うと、スカートの裾《すそ》をひるがえして逃げ出した。彼女が転ばずにエレベーターホールの方へ消えたのを見届けて、真一はうなだれた。

「どうしたの？」水野久美がのぞきこむ。気がつくと、有馬義男がすぐそばに来ていた。

「とにかく、ここから引き上げようかね」と、老人は静かに言った。「足立さんと増本さんは、もう帰ったよ。今後も連絡がとれるように、住所と電話番号は教えてもらったから」

真一は黙ってうなずいた。

「あんたの思いつきはいけるって、増本さんは言ってた。命の電話とか、悩み相談室とか、そういうところに当たってみるのは悪くないってな。警察にも話してみたらどうかねえ。ただ問題は、そういうところに電話の声の録音が残ってるかどうかってことだがよう」

「そうですね」真一は言って、促されるままに三人で歩き出した。

「ところで、まだ水炊《みずた》きを食う元気はあるかい？」

「あります、あります」

「急に元気になっちゃった」と、水野久美が吹き出した。

有馬義男の連れていってくれた水炊きの美味《おい》しい店は、鍋《なべ》料理屋ではなく居酒屋で、陽が落ちると早々に混みあってきた。義男はこの店の主人と親しいらしく、店の奥の四人掛けのテーブルを確保してもらったので、三人は、何の憂《うれ》いもなく楽しげな客たちの、賑《にぎ》やかな話し声と湯気に包まれ、心温かくなりながら、三人だけの話をすることができた。

真一は、喫茶室の外のロビーで由美子に話したことを、義男と久美に説明した。義男は咎《とが》めるようなことは言わなかったし、久美は悲しげに黙って聞いていた。

「あんたの考えが、当たってるんじゃないかという気がするね」有馬義男は鶏肉《とりにく》をつつきながら言った。「そういうの、あたしらだったら〝マッチポンプ〟というんだが……今はそんな言葉は死語かねえ」

「自殺未遂するくらいに追いつめておいてから助けてあげれば、いっぺんでトリコにすることができるかもね」久美が箸《はし》を置いて言う。「だけど、そんな手間のかかることをして何になるのかな。目的は何？」

真一はすぐに答えた。「自分の本を大々的に売り出せる」

「それだけ？　うーん……どうかなあ。だって『もうひとつの殺人』はさ、べつに由美子さんを抱き込まなくたって書けたでしょう？　ただポンと本を出しただけだって、あの内容ならば、充分に話題にもなったと思うよ」

有馬義男は考え込むように真一と久美の顔を見比べた。真一は首を振る。

「俺はそうは思わない。網川浩一が出てくるまで、世間は栗橋・高井二人犯行説にほとんど疑いを持ってなかった。警察は何度か、一連の犯行がこの二人組によるものだと断定はできない、特に高井の方には証拠が無いってことを発表してる。でも、何となく〝この二人に決まってる〟という空気ができてた」

「うん、それはそうだな」義男がうなずく。

「そういう空気の中に、ただポツリと『もうひとつの殺人』を出版してごらんよ。読者のなかには、〝そうだな、この著者の言うとおり、高井和明は巻き込まれただけかもしれないな〟と賛同してくれる人もいるかもしれないけど、今みたいな派手な動きは出てこなかったと思うよ」

「でも、〝真犯人X生存説〟はショックじゃない？　話題性はあるわよ」

「刺激的すぎて、キワものっぽいよ。それだけ単独じゃね。証拠はなくても、高井和明の立場は、普通に暮らしてる人たちの普通の感覚では、どう好意的に考えたって怪しいんだ。自発的に栗橋と行動して、自分の車に木村庄司さんの死体を積んで、栗橋と一緒に走らせてたんだからね」

久美は「ううん」と箸を噛《か》む。

「網川の主張は、そういう、漠然としてるけど強固な印象を、根こそぎひっくり返すくらいのインパクトを持ってなくちゃいけなかったんだ。それには下準備が要った。まず、由美子さんがアークホテルで被害者の遺族に直談判しようとする騒ぎを起こして、それが記事になって、彼女の追いつめられた心理状態が報道されて、世間に知られる。これが第一段階。次には、彼女にそんなことをさせるきっかけを作ったのが、〝栗橋・高井の暗い親友関係と犯罪への道〟というテーマで話題のルポを書いている前畑滋子という新進気鋭の女性ジャーナリストであったということが報道され、また世間はびっくりする。これが第二段階。で、第三段階が、自殺未遂を起こすほどに追いつめられている幼なじみの妹の必死の訴えを聞き、無理解な世間と、取材のルールと取材される側の心さえ踏みにじって平気な顔をしている今のジャーナリズム——この代表が売り出し中の前畑滋子さ——それらすべてに〝もう黙っていられない！〟とばかりに正義の剣を振りかざして立ち上がった網川浩一の登場——というわけだよ」

「ふむむ」と、義男が唸《うな》った。「なるほど、よくできてるねえ」

水野久美は、しばらくのあいだ、ふつふつと沸き立つ水炊きの鍋を睨んでいたが、やがて湯気ごしに真一の目を見て、ちょっと笑った。「塚田君、名探偵みたいね」

「そりゃどうも、恐縮です」真一はひょいとおじぎをした。

「確かに、なんか筋が通ってる感じがするよね。網川ってイヤな奴《やつ》。実はあたし、最初から嫌いだった」

久美は菜箸を取って、鍋の中身をかき回した。義男が野菜を足す。

「でもね……こんな美味しい水炊きを食べてるせいかな、寛大な気持ちでもいられるの。ねえ塚田君、網川は確かに塚田君の言うとおり、自分を売り出すために由美子さんを利用してるのかもしれない。だけどね、それでも、彼の主張は主張としてちゃんと聞かなきゃいけないでしょ？『もうひとつの殺人』に書いてあることは、あたし、けっこううなずけるの。高井和明さんは、鞠子さんたちの誘拐殺人事件に手を染めてはいないと思う。彼は巻き込まれたのよ。気の弱い人だったことは確かでさ、だから巻き込まれて抜け出せなくなっちゃったのよ」

「じゃ、鞠子さんたちを手にかけた真犯人Xは、まだどこかでのうのうとしてると思うのかよ？」

「そうなるわよね」

言ってしまってから、真一と久美は同時に有馬義男の顔を見た。老人は何も言わず、黙って灰汁《あく》をすくっていた。煮汁がすっかりきれいになると、ついでのように言った。

「真犯人Xが本当にいるとしたら、そいつは、網川浩一をどう思っとるだろうね？」

## 22

こちらからアクションを起こす必要などなかった。メルバホテルでの不本意な会見の翌朝、網川浩一から電話がかかってきたのだ。最初に電話に出たのは石井良江で、目を丸くして真一に受話器を差し出した。

「網川さんて、あの本を書いた人でしょう？　いつ知り合いになったの？」

「いろいろあって」

真一は短く答え、リビングの時計を見た。まだ午前八時にもならない。今日は有馬義男のところでのアルバイトも休みの日なので、寝坊をしていてもよかったのだが、散歩をせがむロッキーに起こされてしまったのだ。しかし、受話器に向かって「おはよう」なんて挨拶《あいさつ》をする気にはなれなかった。

「どうしてここの電話番号がわかったんですか？」開口一番、そう尋ねた。

「驚かせたなら謝るよ」網川は低い声で応じた。「ひと言お詫《わ》びをしたいと思って電話したんだ。昨日は本当に申し訳なかった」

意識して爽《さわ》やかな口調になるのを抑えているのか、それとも本当に気が重いのか。真一には計りかねた。

「僕なんかより、有馬さんとあの足立さんておばさんに謝るべきですよ。僕はただの添え物なんだから」

「お二人にも電話したよ。足立さんとは話せたけど、有馬さんは不在だった。こんな朝早くからどこへ出かけているのかな。あの人は家で商売をやってるはずだろう？」

「豆腐屋はたたんじゃったんです。機械から道具から、一切合切を元の従業員に譲っちゃって。だけど長年の習慣だから、有馬さんは凄《すご》い早起きなんですよ」

「そうか……店はやめてしまったのか」

いかにも心が傷《いた》むというような口振りだ。真一は、洗濯物を山積みにしたカゴをかかえたまま、様子を見るような顔でそばに立っている良江に向かって、大丈夫だからというようにうなずきかけた。彼女は仕方ないわねという顔で離れていった。

「とにかく、僕には謝罪なんか必要ないですから。おばさんが心配するんで、こういう電話はかえって迷惑ですし」

「ちょっと待ってくれ、切らないで」網川はあわてて言った。「ほかにも話があるんだ」

ちょっと黙ってから、ゆっくりと続ける。「昨日……君たちが帰ったあと、由美ちゃんの様子がおかしくてね。僕と話もしてくれないし、一人で考え込んでいる」

真一は壁に向かって顔をしかめた。「僕には、あの人の様子はずっとおかしく見えますよ。マスコミにまわりをウロウロされながら、ホテルになんかこもってるのがいけないんだ。あの人の家族はどうしてるんです？」

「母親は、とっくに東京を離れてるよ。どこかの温泉町で仲居してる。入院していた父親も、今はそっちで母親と一緒にいるらしい。彼女一人が置いてけぼりさ」

「お母さんが由美子さんを置いていったんじゃない。あなたがあなたの都合で彼女を引き留めたから、彼女はこっちに残ったんだ。由美子さんだって、今は東京を離れて、ご両親のそばにいるのが一番いいのに」

「親娘そろって傷を舐《な》めあうのかい？　そしてどんどん内にこもって追いつめられて、しまいには誰かが自殺する羽目になる」

　真一が言い返そうとするのを遮って、

「こんな話を電話でしてたってらちがあかない。これから会えないかな？」

　これにはちょっと虚をつかれた。

「僕なんかに会ってどうしようっていうんです？　有馬さんと由美子さんのご対面シーンほどの売りにはなりませんよ」

「大人相手に皮肉を言うもんじゃないよ」網川は冷静な口調だった。真一の方は、自分で口にした言葉で昨日味わった嫌な感情が喚起されて、ちょっと腹が立ってきてしまった。「君は、不幸な事件で家族を亡《な》くした被害者だ。勇敢な生き残り《サバイバー》だ」

　石井善之《よしゆき》に勧められて、ＰＴＳＤに関して一般向きに易しく書かれた本を何冊か読んでみたことがある。そのなかに「生き残り」という言葉も登場していた。ここでわざとそんな目新しい単語を使うところに、網川の人をたらす手つきが見えるような気がして、真一は腹の底から不愉快になった。だから黙っていた。そうやすやすとあんたなんかに懐柔されるものか。

網川は、真一が何か言うのを期待していたのか、しばらく黙った。が、やがて勝手に続けた。「そういう意味では、由美ちゃんと同じだ。彼女だって被害者なんだよ。それはわかってくれるだろ？　だから、彼女の心のケアをしてゆくために、君の助言が必要なんだ。由美ちゃんの心の傷を、君こそがいちばんよく理解できるはずだから」

網川がしゃべっているあいだに、真一は、彼が今さらとってつけたみたいに由美子を口実にして真一と会いたがる理由を推し量ろうと、昨日の喫茶室前での出来事を、大急ぎで思い出していた。あの女性カメラマン——初めて会ったときには、真一の目にも魅力的な女性に映った。彼女とのやりとり。フィルムを渡せと要求したこと。ためらう彼女。

——あんた、いい歳《とし》して自分のやってることにも責任持てないのかよ。

——浩一さんに訊《き》いてみなきゃわからないのよ！

真一は目を見開いた。そうか。これだ。

浩一さん。女性カメラマンはそう呼んだ。えらく親しげじゃないか。普通なら網川さんと呼ぶべきところだ。せいぜいが網川くんだ。それなのに浩一さんときた。真一に責め立てられて、思わず口にしてしまったのだろう。いつの間にかそばに来ていた由美子が、それを聞いてはっとたじろいだ。女性カメラマンも一瞬だがバツの悪そうな顔をした。その表情を、由美子は、女性だけがそのやり方を知っている因数分解にかけて、二人の関係に疑問を持ったのかもしれない。だから様子がおかしくなった。そういうことじゃないのか？

無論、網川は喫茶室の前の出来事を知らない。だが由美子の様子が変わったのはわかった。だから昨日あそこで何があったのか知りたいのだ。それで真一から聞き出そうとしているのだ。

現在の網川浩一にとって、高井和明が愛《いと》おしんでいたたった一人の妹、彼の無実を信じてやまない悲劇の女性である由美子をがっちりと摑《つか》んでおくことは、端《はた》から想像するよりも遥《はる》かに大切な戦略的意味のあることなのだろう。実際、由美子が網川を頼りにしているということが、どれほどにか彼のイメージアップにつながっているか知れないのだ。高井和明には、一連の犯行に関与していたという動かし難い物証が全くと言っていいほど存在しないから、印象ひとつ、感情問題で世論の風向きなど簡単に変わってしまう。

飯田橋のアークホテルであんな騒動を起こしたおかげで、由美子には、自分勝手で反省のかけらもないヒステリックな女というイメージがついてしまった。が、網川はその後の巧妙な演出で、それを、自力では自身の無実を証明する術を持たない亡き兄のために孤軍奮闘する、健気《けなげ》で勇敢な妹というイメージに塗り替えた。それは見事な手際《てぎわ》だった。今となっては、四面楚歌《しめんそか》のなか、由美子が兄のために必死になっていることを強調するには、そして、網川がそんな彼女のために戦う戦士であることをアピールするには、むしろ、アークホテルでの騒動があってよかったとさえ思えるくらいだ。

真一のなかに、意地悪な好奇心が湧《わ》いてきた。大事な旗印である由美子の機嫌を損ねて、人気者網川浩一が泡をくっている。その顔を見てやるのも悪くない。

「いいですよ。僕はヒマな身の上だから」あっさりとそう言ってやった。「網川さんがどうしてもって言うのなら、会いましょう。ただし、念を押すけど、今度こそ取材は抜きですよ」

「もちろんさ。僕は同じミスを二度繰り返したりしない」網川はきっぱりと言った。「君の家の近くまで行くよ。場所を指定してくれ。どこがいい？」

ちょっと迷ったが、結局真一は大川公園を選んだ。あそこはいわば〝爆心地《グラウンド・ゼロ》〟であり、今はかえって取材陣も姿を見せなくなっているし、野次馬もいない。

約束は十時だったが、真一は三十分以上早く家を出た。ロッキーを一緒に連れてゆくことにした。良江に、コイツ朝の散歩だけじゃ足りないらしくてうるさいからと、外出の言い訳をするのに都合がよかったし、なんとなく一人で行くよりも心強いような気がしたのだ。

ぐいぐいと引き綱を引っ張るロッキーの元気良い足取りをながめながら、真一の心は現実を離れ、様々な考えや推測や疑惑の雲のなかにさまよい漂った。

動物には不思議な力がある。石井家に来て間もなく、まだ自分の身に降りかかった災厄だけで頭がいっぱいだったころから、いつでも真一は、ロッキーと歩いているときだけは、心の傷が癒《いや》される気がした。そのすべすべした毛並みを撫《な》で、冷たい鼻面《はなづら》がふくらはぎをこすり、ロッキーの脚が真一の足の上にぽんとのっかるのを感じると、生き物の血のぬくもりが心に流れ込んで、真一に生きる力を分けてくれるような気がした。そして、今も、行きつ戻りつしながらときどき真一を見上げて楽しそうにしているロッキーを見ていると、カッとなっていた頭が冷えて、少し離れたところからものを考えられるようになってきた。

網川の言うとおり、真一は生存者だ。だがただの生存者じゃない。有責生存者だ。

真一の不用意なおしゃべりが、一家皆殺しという犯罪を呼び込んでしまった。それはもう訂正もきかず、言い訳もできない。

今でこそ皆口をつぐんでいるけれど、樋口たちが逮捕されたばかりで、まだ詳細が判明していなかったころ、彼らの情報源が真一のおしゃべりだったという一点のみを取り上げて、真一も犯行に一枚嚙《か》んでいたのではないかと疑う人びとがいた。他人や警察関係者ではなく、親族のなかにだ。確かに真一は両親とよくケンカをした。妹もうるさいばかりで煩《わずら》わしく、口ゲンカのあげく手をあげようとしたことだってあった。思春期の子供がいる家庭なら、ありふれた現象だ。だがそれさえも、真一への疑惑の眼差《まなざ》しを招く理由づけになったのだ。

周囲の目など、そんなものだ。人間は、それが自分の身に降りかかり、否応《いやおう》なしに逃れることができないものでない限り、真実に直面することなどない。自分にとっていちばん居心地がよく、納得がいって気分の良い解釈を〝真実〟として採用するだけだ。真一を疑った人びとは、自分がうっかりおしゃべりしたことが惨事を招くような事もあるのだという怖い可能性に直面するよりも、真一も一味だったという説を採用する方が安心だったのだろう。他愛ないおしゃべりが事件の原因だったという理不尽な現実を否定して、心の底に親と妹に対する凶悪な殺意を抱いていた目立たない少年を現実化する方が、より人生を受け入れやすくなったのだろう。ただ、それだけのことだ。

だが、その〝それだけ〟が問題なのだ。網川浩一に対して、今の真一はそれと同じことをやってないだろうか？　確かに真一はあいつが嫌いだ。むしずが走る。あのええカッコしい、目立ちたがりの正義漢面《づら》には耐えられない。だけど、だからといって、彼を否定する居心地の良い説を作り上げて、そのなかに座ってしまうのはフェアじゃない。

網川は本当に、由美子に同情し、高井和明の被《こうむ》った汚名に憤慨し、果敢に立ち上がった男なのか。それともただ単に世間に売り出す機会を待っていたジャーナリスト志望の自分勝手な男なのか。

少なくとも最初は、義憤に動かされて始めたことだったのに、急に時の人となり、もてはやされていい気になってしまった――ということだって考えられる。人間なんてみんな弱いものだ。特に、全国津々浦々に名前と顔を知られるなんてことは、そうそう誰の身の上にも起こることじゃない。網川がバランスを崩して、当初の目的を忘れはしないまでも、優先順位をはき違えてしまったとしても、そう激しく責めることはできないかもしれない。

彼が、彼一人が由美子の味方であり、白馬の騎士であるという態度をとりながら、一方で由美子に隠れて他の女性と付き合っていたとしても、もちろんそれは由美子の目からは不実きわまりないことに映るだろうけれど、網川は最初から由美子の恋人として登場しているわけではないのだから、そのことで彼を裏切り者と責める権利は、実は由美子にはないのである。

だが、たったひとつだけ、確かに言えることがある。由美子は自分の足で立つべきだということだ。どれほど辛《つら》くても、現実が過酷でも、一度逃げないと決めた以上は、彼女はそれと向き合わねばならない。網川が善意の人でも、有馬義男が闇雲《やみくも》な憎悪《ぞうお》に走る人でなくても、由美子はそれに寄りかかってはならない。協力は仰いでも、任せて隠れてしまうことはできない。それだけはやってはならないのだ。

もしも網川が、由美子に対して同情心を持ち、幼なじみの彼女の兄への想《おも》いもあって活動しているけれど、彼女個人への恋愛感情は持っていないということだったとしたならば、それはそれで仕方がない。そのことを以《もっ》て網川を責めることは不当だ。確かに彼は由美子を担《かつ》いでいる。由美子を切実に必要としている。だが、担がれている側の由美子の意志ひとつで、彼に利用されず、彼の協力を勝ち得ることだってできるはずだ。要は、由美子が舵《かじ》を握ることにある。

大川公園に着いて、約束の東屋《あずまや》のベンチに腰をおろしたときには、真一の腹は決まっていた。網川に対して、率直に質問をぶつけてみよう。あなたは由美子さんをどう思っているのか。そして、由美子さんを傷つけないためには、あなたがまやかしの「白馬の騎士」の座から降りて、根本的に彼女の信頼を勝ち得るためには、まず彼女を自立させることが必要なんだと説得しよう。それこそが、〝生き残り〟である真一のできる、いちばん誠実なアドバイスだ。

真一の膝《ひざ》のすぐ脇《わき》に座っていたロッキーが、ひょいと顔をあげた。そちらに目をやると、網川が公園内の散歩道をこちらに向かって歩いてくるところだった。

今日も洒落《しゃれ》たいでたちをしている。高そうな革のジャケットだ。サングラスをかけて、ちょっと顎《あご》をあげ、滑るように歩いて来る。彼も取材で何度かここを訪れているので、真一の指定した東屋はわかると言っていた。そのせいか、きょろきょろする様子はないが、まだ真一には気づいていない。真一は手をあげて場所を報《しら》せようかと思った——

しかし、目は網川を見つめながら、真一の手は、いつの間にかロッキーの引き綱を強く握りしめていた。

心臓がどきどきした。何だろう？　なぜだろう、この感情は。かさかさした紙の蛇が、群をなして喉元《のどもと》を駆け上がってくる。むらむらとしたこの反感は、いったいどこから来るものなのだ？

網川は歩いてくる。モデルのように歩いてくる。ああオレはやっぱりコイツを信用できない。闇雲なしかし強烈な直感が真一を打った。理屈も冷静な推論も反省も、いっぺんで消し飛んだ。なぜだ？　なぜこんなに嫌な感じがするんだよ？

突然、ロッキーがわん！と吠《ほ》えた。網川が足を止め、こちらを向いた。サングラスを額の上にずらし、まぶしそうな顔をして真一を見た。それから、早足で近づいてきた。

真一はロッキーの首を撫でてやった。おとなしい犬で、今のような吠え方をするのは珍しい。黒目がちの瞳《ひとみ》で真一を見上げるロッキーは、もの問いたげな表情を浮かべているみたいに見えた。

「待たせて済まなかったね」

網川は言って、身軽な動作で真一の向かい側に腰掛けた。真一が黙っていると、ロッキーの方に笑顔を向けた。

「いい犬だ。君のペット？」

真一は、内心の動揺が鎮《しず》まるまでは網川の目をのぞきたくなかった。網川は手を伸ばし、ロッキーに触ろうとした。真一は反射的に腕を動かしてその手を振り払った。意図した以上に乱暴な動作になった。

網川は目を見開いて、非常に珍しいものを見るみたいに真一の顔を、それから振り払われた自分の手を見た。

「人見知りする犬なんです」真一は短く言い捨てて、ロッキーの首輪を引っ張り、自分の膝のそばに寄せた。「だけど、おばさんをごまかすには、犬の散歩だって言って出てくるしかなくて」

まだ心臓がドキドキしていた。わずかにむかつくような感じもした。どうしてこんなふうになるんだろうという疑問は、網戸にとりつくうるさい羽虫のように、真一の頭の内側をつついている。

網川は微笑した。すぐそこにテレビカメラが待機しているのじゃないかと探したくなるような、非の打ち所のない営業用スマイル。

「僕も子供のころ犬を飼ってた。アーサーっていう名前のジャーマン・シェパードでね。すごく頭が良くて、頼れる犬だった」

懐《なつ》かしそうな口調だった。

「アーサーと一緒にいると、この世に怖いものなんかないって気がした。僕のいちば

ん の親友、いちばん仲良しの友達だったんだ」

何気なく、真一は訊《き》いた。「栗橋浩美や高井和明よりも？」

瞬間、網川の顔から表情が消えた。何も表示されないキーを押したみたいに、空白になった。真一は驚いた。たとえ一瞬でも、網川がこんなふうにノーガードの顔をするのは初めてだ。

「そうだよ。犬は特別だからね。特に子供にとっては」網川の顔に笑みが戻った。ミス入力は訂正された。「でも、栗橋もカズも大事な友達だったよ」

「そうでしょうね、当然」今度は意図的に皮肉を込めて、真一は大げさにうなずいてみせた。が、さっきのような効果をあげることはなかった。あれはラッキー・パンチだった。

「出てきてくれてありがとう」と、網川はあらたまったように言った。「君は僕のこと、あまり信用してくれてない。それはわかってるよ。だからこそ、こうして会えてよかった」

「僕はあなたのガールフレンドじゃないから、そういう台詞《せりふ》を吐いても無駄ですよ」

網川は吹き出した。「別に君を丸め込もうってわけじゃないよ。でも、まあいいか」

「由美子さんは今日、どうしているんですか？」

「どうって……ホテルにいる。少し頭が痛いから横になるって」網川は肩をすくめた。

「昨夜《ゆうべ》からそうなんだ」

「それであなたは、有馬さんや僕が、あの人に何か吹き込んだんじゃないかって疑ってるんですね？」

「吹き込んだって言葉は適当じゃないな」

真一は迷っていた。ついさっきまでの殊勝で客観的な考えと、ほとんど本能に近い嫌悪感のあいだで揺れていた。いろいろ言いたいこともあれば聞き出したいこともあるけれど、何から始めたらいいのか、それもよくわからなかった。自分よりもずっと実力が上の相手と将棋を指しているみたいな感じだった。最初の駒《こま》をどこに置いても、完璧《かんぺき》な反撃を食いそうな気がした。

そして結局、ひどく短兵急に口にした。「網川さん、恋人はいるんですか？」

網川はさも驚いたというように目をぱちぱちさせた。「なんでまたそんなことを訊くんだい？」

「由美子さんはあなたの恋人ですか」

網川はくちびるを一文字に結ぶと、目を伏せた。

「気をもたせるような、芝居がかったことをしなくたっていいですよ。僕はただ事実を知りたいだけだから」

網川は苦笑した。「君は若いんだなあ。いや、幼いんだね。君こそガールフレンドはいないの？」

「僕の話をしてるんじゃない」

網川は人差し指で鼻の脇をこすると、指を顔にあてたまましばらく考え込むように間をおいた。それから、

「人を好きになるには、いろんな形があるだろ」と、ゆっくりと言い出した。「恋にもさまざまな色がついてる。濃い色も、薄い色も、形だってとりどりだ。自分では恋だと思っていたものが、実は友情だってこともある。肉親愛に似たものだってこともある。二人の人に、まったく同じ色合いの恋を感じることだってある。そうじゃないか？」

真一は、網川が塾の生徒たちを集めて、こうして一席ぶっている様子を思い浮かべた。だがあいにく、この手の話術にコロリと参るほど、真一はもう子供ではなかった。

「演説はけっこうです」と遮った。「僕はすごく単純な感覚で質問してるんですよ。あなたと由美子さんは、二人でホテルにこもって暮らしている。傍目《はため》には恋人同士みたいに見える。常識的にはね」

「部屋は別だよ」

　真一は鼻先で笑った。「恋人なんですか？　違うんですか？　あなたには由美子さんのほかにも親しい女性がいるでしょう？」

「どうしてそんなことを訊くんだい？」

「由美子さんがあなたを避けて考え込んでるのは、あなたに裏切られたんじゃないかと思ってるからですよ」

　真一は女性カメラマンの一件を話した。網川は無表情だったが、女性カメラマンが「浩一さん」と呼ぶのを聞いて由美子が息を呑《の》んだというところでは、わずかだが眉《まゆ》をひそめた。しかし、すぐに笑顔を戻し、ため息をつきながら言った。「なんだ、そんなことだったのか……」

「ナンダはないでしょう。由美子さんはあなたに頼り切りだ。あなたに見捨てられたら独りぼっちだ。あなたにしがみつくのも無理はないです」

「僕のことを〝浩一さん〟て呼ぶ女性は、ほかにもいるよ」

「だとしても、由美子さんは、今までそれを目《ま》の当たりにしたことがなかったんでしょうよ。あるいは、もともとあなたとあの女性カメラマンの関係を疑ってたのかもしれない。その疑いが裏付けられたので、ショックを受けたのかもしれない」

「僕と彼女は何の特別な関係にもありゃしないよ」

網川は余裕を取り戻した様子で、長い足を組んでベンチにもたれた。

「由美ちゃんが僕を頼ってくれてるのは、よくわかってる」少し仰向いて、呟《つぶや》くように言った。「僕も彼女の信頼に応《こた》えたいと思ってるよ。それは真実そう思ってる。でも……」

真一は先回りした。「恋愛感情はない？」

網川は真一を見た。そして、ため息と共に言った。「そうだ、恋愛じゃない。だけど由美ちゃんにはそれがわかってない。彼女は僕のことも、彼女自身の気持ちについても勘違いをしてる。実は、しばらく前から、僕らのあいだで、そのことは問題になりつつあったんだ」

「由美子さんが、あなたと彼女が恋人同士だと思い込んでいるから？」

網川はうなだれた。「……そうだ」

「だけどそれは仕方ない。あなたはずっと、彼女がそう誤解するようにし向けてきたんだから」

網川はゆるゆるとかぶりを振った。「それこそ誤解だ。僕はそんなふうにし向けてはいない」

「そんなの嘘《うそ》だ」真一は斬《き》りつけるように言った。また頭に血がのぼってきて、喉元がざわざわした。

綱川は頭をかしげて、少しばかり悲しそうに真一をながめた。同情するようなその視線の色に、真一は身震いが出そうだった。

「君は、ご家族を失った事件で傷ついてる」綱川は滑らかな声で言った。「由美ちゃんと同じだ。考えてごらん。君だって、君の心の傷を癒《いや》そうと、献身的に尽くしてくれる医者がそばにいたら、そしてその人が美しい女性だったら、そしたらどうだ？その人を好きになることだってあるんじゃないか？　相手は犠牲者としての君を助けようと手を差し伸べているのであっても、その手のぬくもりを誤解しないと、自信を持って言い切れるかい？」

真一は正面から綱川の視線を受け止めた。「あんたは医者じゃない。心を癒す専門家でもない。思い上がるのもいい加減にしろよ」

震える声を抑えるために、真一は歯の隙間《すきま》から言葉を押し出した。そうしないと、怒りで暴走しそうだった。今や、客観的な見解とやらは、その最後のかけらの一片まで、どこかにすっ飛んで消えてしまった。それではまずい、引き返せと、身体《からだ》の底の底で、小さなもう一人の真一が、手足をバタバタさせながら忠告しているのがわかるのだけれど、後戻りすることはできなかった。本能は、感情は、あまりにも強力だった。

網川は真一を見つめた。そして、愛《いと》おしむように言った。「気の毒に。君にも助けが必要なんだ。今の君は、まるでハリネズミみたいに攻撃的になって——」

真一は拳《こぶし》を握った。光速よりも速く動く脳の映写機は、すでにその拳で網川をぶん殴るシーンを目の底に映し出していた。が、現実には拳は動かなかった。

ロッキーが唸《うな》っていた。真一の横で、頭を低くして、背中の筋肉も首の構えも、すぐにも網川に飛びかかることができるように、力を秘めて準備している。

犬には飼い主の思考が伝わる。犬は飼い主の心を読む。相対している男が真一の敵だと、ロッキーは察しているのだ。

真一はゆっくりと拳を開き、ロッキーの首を揉《も》んでやった。網川はその様子を見ていた。賢明にも指一本動かさずにじっとしている。ロッキーの威嚇《いかく》は、充分な効果があったようだった。

真一は、伏せた目の下から網川の表情をうかがった。犬に気をとられている彼は、真一の方に半ば横顔を見せて、わずかにうつむいている。ほんの数瞬のあいだだが、さっき園内を歩いてくる網川を一方的に観察することができたのと同じように、真一は網川の〝隙〟を見た。

そして、そこから驚くべきものを感じ取った。

網川の瞳のなかには、この状況下ではけっして生まれるはずのない感情が躍っていた。それはそこにあってはならない種類のものだった。だから、ベビーベッドの上の果物ナイフのように、花束のなかのアイスピックのように、それは露骨に目立っていた。

網川は面白がっていた。

真一はそれを、ほとんど手で触れることができるくらいにはっきりと感じた。彼の愉悦を。彼の喜びを。彼の快楽を。

こいつは俺の怒りを、俺の混乱を、俺のぶつける言葉を玩具にして遊んでる。

こいつは、最初から、この状況を期待してここに来たんだ。

「本当にいい犬だ」網川は優しく、なだめるようにロッキーに話しかけた。「塚田君、少なくとも君はまったくの独りぼっちじゃない、こんな心強い味方がいる。安心したよ」

真一は足元がすうっと寒くなるような感覚を覚えた。

こいつは全部計算してるんだ。

目を開いた。ほとんど即座に真一は言った。「やっぱりそうだ。わざとやったんだな。僕の思いすごしなんかじゃない」

網川は怪訝《けげん》そうな顔をした。「何だって？」

「わざとやったんだ。飯田橋のアークホテルの騒動だよ。あんた、あの日有馬さんたちがそこに集まることを、わざと由美子さんに教えたんだ。そして彼女を焚《た》きつけたんだ。あんたには、ああいう騒動が起こることがわかってた。騒動を起こすために、わざと彼女に教えたんだ」

そうだ。さまざまなことのきっかけになったあの事件は、結局網川のお膳立《ぜんだ》てに乗せられて起こったことだったのだ。

アークホテルでの騒動が起こる以前は、網川は由美子の付き添いとして、前畑滋子と頻繁に接触していた。あれだって、網川自身がルポを書いて売り出すための下準備だったんだ。事件の捜査状況に関する情報を集め、世論の風向きを観察するためには、話題のルポを書いていた滋子のそばに張り付いているのがいちばん効率がよかっただろう。滋子はああいう開けっぴろげな人で、しかもあんな硬派な仕事をするのは初めてだったから、今振り返ってみるならば、素人《しろうと》の真一の目から見ても、ずいぶんと脇《わき》が甘かった。網川はそれを承知で、滋子を情報源として利用して、時機が到来したと見るや、アークホテルの一件をテコにして滋子と由美子を引き離し、囲い込んだ——そして今や、彼はマスコミの寵児《ちようじ》だ。

由美子は彼のトリコだ。

彼のまわりはファンでいっぱいだ。

だが、それじゃ足りない。網川は貪欲《どんよく》なのだ。いちばん手強《てごわ》い真一も、有馬義男も、みんなみんな手なずけたい。前畑滋子も自軍に引き込みたい。順番に、手際《てぎわ》よく、作戦をたてて、いつかは全員を自分のコントロール下に置きたい。それがこいつの願望なのだ。だから喜んでいやがる。今の真一は暴れ馬だ。乗りこなすまで時間がかかる。だが手強いほど面白い。だからこいつは嬉《うれ》しくってしょうがないんだ。

いい、いい、いい、

それがこいつの正体だ。

圧倒的な直感の渦に巻かれて、真一はすぐには口もきけなかった。網川はなおも何か言おうとして真一の方に身を乗り出したが、つと目を見開いて、真一の後ろに目をやった。

「君の知り合いかい？」と、視線をそちらに固定したまま尋ねた。

真一は振り返った。そして、東屋の後ろの植え込みの向こうに、樋口めぐみの顔を見つけた。驚きはしなかった。閃光《せんこう》のように襲いかかってきた網川に対する洞察に、ほかの感情など動く余地がなかったのだ。

樋口めぐみは、いつものように恨みがましい目つきで睨《にら》んでいた。真一が反応できずにいるうちに、彼女はすたすたとこちらに近づいてきた。真一ではなく、網川の方に歩み寄ってきた。

「あんた、網川浩一って人？」と、彼女は訊《き》いた。真新しいブルーのハーフコートの下から、裾上《すそあ》げしていないジーンズがのぞいている。血色は悪いが、髪はカットしたばかりのようだった。

「ああ、そうだよ」網川は立ち上がりながら返事をした。「君は塚田君の友達？」

樋口めぐみは、真一の方を見もしなかった。「あたしはこいつの敵」と、短く言い放ってから、網川をつくづくと見あげた。「ねえ、あたしあんたに本を書いてほしい。あたしのパパのこと書いてほしいんだ。やってくれる？」

真一は唖然《あぜん》とした。顔を殴られるかと身構えていたら、足元をすくわれたような感じだった。あたしのパパ？　パパのことを本に書いてくれだと？

「君は——塚田君の敵？」

網川浩一は、真一と樋口めぐみの顔を見比べた。きわめて真面目《まじめ》な表情を浮かべているが、その目の奥にはまたあの光が躍っていた。面白くなってきたぞ、こいつは愉快じゃないか。

「ひょっとしたら君は、塚田君のご家族の事件の関係者なのかな？」

「そうよ」樋口めぐみは悪びれる様子もなしにうなずいた。真一の存在など、完全に無視している。「あたしのパパが主犯だったの。樋口秀幸《ひでゆき》。だけど、あんなことやったのには理由があったのよ。事情があったの。ホントなら、パパは人殺しなんかできる人じゃなかった。そのへんのところを、あなたに本に書いてもらいたいんだ」

「冗談じゃない」真一の口から、やっと言葉が飛び出した。「オレはそんなこと許さないぞ。誰が許すもんか」

「あんたの許可なんか必要ない」樋口めぐみは、真一を無視したまま口先だけで言った。「これはあたしの家族の問題なんだ。どうして、赤の他人のあんたにいちいち許してもらわなきゃなんないのよ？」

赤の他人。真一の目の前が真っ赤になった。胸の底から何か熱い血の塊みたいなものが急上昇してきて、それが頭へ昇った。手足の先にも駆け廻《めぐ》った。気がついたら拳を固めて、樋口めぐみに殴りかかっていた。

「やめないか！」

思いがけないほど素早く網川が進み出て、真一を阻《はば》み、突き飛ばすようにして樋口めぐみから引き離した。東屋のベンチに尻餅《しりもち》をついた真一は、視界の赤い霞《かすみ》のなかでもがくようにして立ち上がり、再び樋口めぐみに向かっていったが、また突き飛ばされた。網川が、今度は真一の両肩を押さえた。

「暴力はいけない。何の意味もないことだ」

冷静な声でそう言った。真一は息ができなくてあえいでいた。「赤の他人のあんた」という樋口めぐみの言葉と、「暴力はいけない」という網川浩一の言葉が、酸素の代わりに真一の肺の隅々まで入り込んで、内側から真一を食い破ろうとしていた。

「落ち着けよ。彼女を殴ったって何にもならない。いいね？」網川は真一に言い聞かせるような口調になっていた。まるでケンカの仲裁だった。真一はバカみたいにぐるぐる考えていた。これはケンカじゃないのに。オレが悪いわけじゃないのに。殺されたのはオレの家族なのに。殺されたのはオレの人生なのに。それなのに、ケンカを止めるようにして止められる。それなのに、関係のない他人だと言い捨てられる。

網川は真一にぐっと顔を近づけると、場違いな親密さを、共犯者のような親切さをにじませて囁《ささや》いた。「このところずっと、僕には警察の警護がついてるんだ。だから、ここで騒ぎを起こさない方がいいぞ。刑事が飛んできて、面倒なことになるよ」

真一はようやく目の焦点を合わせて、網川の顔を見あげた。「警護がついてる？」

網川はうなずいた。「真犯人Xが僕に接触してくるんじゃないかと思ってるんだ。言っておくが、彼らは警戒してるんじゃなくて、期待してるんだよ。僕は囮《おとり》みたいなもんさ。もちろん、このことはおおっぴらにはできない。だってそうだろ？　僕に警護をつけるってことは、捜査当局が公《おおやけ》に、僕の説の信憑性《しんぴょうせい》の高さを認めたってことになるからね」

真一は急にぐったりと疲れた。何のためにここにいるのか、さっきまで何を話していたのかも、わからなくなってしまった。

「何ごちゃごちゃしゃべってるのよ」樋口めぐみが、首を伸ばしてこちらを窺《うかが》っている。

「網川さん、あたしの話を聞かないつもり？」

網川は両手で真一の肩をぽんと叩《たた》くと、めぐみのそばに近づいた。ジャケットの内ポケットを探ると、名刺を取り出し、彼女に渡した。

「今夜、ここに電話をくれ。日をあらためて、ゆっくりと話をしよう」

樋口めぐみは名刺を受け取ると、にやりと笑った。そして初めて真一の方に目を向けた。そのまま言った。「あたし、あんたに手紙を書いたんだよ。出版社宛《あて》に送ったんだ。だけど返事は来なかった」

「手紙は山ほど来るからね」

「そう。だけど今日は運が良かった。一昨日《おととい》だっけ、あんたテレビで、こいつのこと話してたよね？」と、鼻先で真一を指した。「それ観《み》て、あたし、こいつの後を尾《つ》けてたら、いつかはあんたのところにたどりつくかもしれないって思ったんだ。でも、こんなに早く上手《うま》く行くとはね」

「もう行きなさい」網川は手を振ってめぐみを追い払った。「少しは塚田君の側に立って考えてごらん。君に尾けまわされて、塚田君がどんな気持ちがするか、想像したことはあるかい？」

樋口めぐみはくるりと踵《きびす》を返すと、網川の問いかけには返事をしないまま駆け去った。その足取りの軽さに、真一はまた追いかけていって殴ってやりたくなった。だが、足が動かなかった。身体も重かった。何から何まで敗北感にまみれて、ただただこの場から消えていなくなってしまいたかった。

網川は、しばらくのあいだ真一を見おろしていたが、ちょっと声をひそめて言った。

「さっき彼女が言ってたテレビ番組、君は観ていないんだね？」

観ていない。そんなものをやっていたこと自体知らなかった。だから黙ってかぶりを振ったが、急にそれだけでは足りない気がして、「あんたの出てるテレビなんて観るもんか」と言ってやった。

綱川は落ち着いていた。「観てほしかったな」と、いたわるように言った。「僕には君の気持ちがわかる。君は、ご両親と妹さんを助けられなかったことで自分を責めてる。前畑滋子に付き合って、彼女が闇雲《やみくも》に栗橋浩美とカズを悪者にする手伝いなんかしていたのも、別の犯罪の関係者を糾弾することで、君自身よりももっと悪いヤツらをやっつけることで、少しでも心の重荷を軽くしたいからなんだ。だから君は、冷静に事実に向き合うことができずにいるんだ」

「あんたのご託宣なんか聞きたくもない」

「もちろん、テレビのなかじゃ君の名前は出さなかったよ。だって、悪いのは前畑滋子の方だ。彼女は君のそうした心理を知っていて、利用してたんだからな」

「滋子さんはそんな人じゃない」真一は言ったが、かすれた声しか出せなかった。髪をかきむしり、引っ張ると、その痛みでちょっと気力が戻った。綱川を見上げて言った。「樋口秀幸のための本なんか、絶対に書かせないからな」

綱川は憐《あわ》れむように眉《まゆ》を下げて、首を振った。「ジャーナリストを止めることは、誰にもできない」

「あんたなんか、ジャーナリストじゃない」

「じゃあ、何とでも、君の好きなように呼べよ。でも僕は、書きたいものを書く。いいかい、塚田君」

網川は再び真一に顔を近づけた。真一は目を背けた。彼の息が耳にかかった。

「人間は誰でも心に闇を持ってるんだ。犯罪者だけが邪悪なわけじゃない。君だって、僕だって、同じように真っ黒な部分を持って生きてるんだ。そして僕はそれを書くんだ。だから、カズの汚名を晴らすことができたら、次はヒロミのことを書いてやろうと思う。確かに彼は恐ろしいことをやってしまったけれど、それにはそうせずにはいられなかった理由があるはずなんだ。そしてそれを、大勢の人たちが知りたがってる。どうしてかっていったら、みんな、自分のなかに〝栗橋浩美に似た部分〟が隠されてることを知ってるからさ。だから恐ろしいし、だから興味を惹《ひ》かれるんだ。僕はそこに光を当てたい。そして僕なら、たぶん、前畑滋子よりもずっと上手に、その作業をやってのけることができる」

あんたのその立派な所信表明のなかに、犯罪の犠牲者の占める場所はあるのか——

真一がやっと言葉を取り戻し、そう尋ねようと目を上げたときには、網川はいなくなっていた。

武上の名字を思い出すまで、しばらくかかった。名刺をもらっておけばよかったと、真一は強く後悔した。あの日、墨東警察署でたった一度だけ言葉を交わした刑事に、こんな形で会いに行くことになるなんて、思ってもみなかったのだ。

突っ放して考えるならば、栗橋・高井の捜査本部の刑事にすがってみたところで、網川浩一が樋口秀幸についてルポを書くことを止められるわけがない。彼らが接触することを止める足しにさえならない。だが真一は、とにかく誰かにこの憤懣《ふんまん》を、この恐怖をぶちまけずにはいられなかったのだ。理屈も順序立てた話の道筋も、強い感情の前には吹っ飛んでしまった。こんなバカな話があるか？　こんな不公平なことがあっていいのか？　言い分を聞いてもらえるのは、いつも殺人者の側ばかりなのか？　真犯人Xが接触してくることを期待して、警察は網川に警護をつけてるって？　それほどに彼の主張は認められているのか？　捜査本部もとうとう網川に脱帽したっていうのか？　網川浩一は、それほど信頼のおける人物なのかよ？

オレはあいつが信じられない。あいつが嫌いだ。あいつには何かおかしなものを感じる。このほとんど本能的な嫌悪《けんお》を、どうしてほかの連中は感じないんだ？

先に電話するという器用なことを考えつかなかったので、墨東警察署受付の脇のベンチで長く待たされた。一緒に待たされている人びとは、たぶん交通違反の罰金でも払いに来たのか、補導された子供を引き取りに来たのか、あるいは人を殺したと自首しに来たかしているのだろう。みんな等しく所在なさそうで、ちっとも切迫感がなかった。警察も所詮《しょせん》は役所なのだ。

「君が塚田真一君だね？」

声をかけられて、真一はそちらを見るよりも先にぱっと立ち上がり、がっかりした。眼鏡をかけた気の弱そうな若い男が立っている。武上刑事ではない。

「武上さんに会いたいんですけど」早口に言って、首を振った。「困ったことがあったらいつでも相談にこいって言ってくれたんだ」

「うん、わかってるよ」若い刑事はとりなすようにうなずいた。「武上さんは今、ちょっと用があって本庁に戻ってるんだ。連絡してみたら、とりあえず僕が代わりに君に会って話を聞くようにって」

おずおずと、申し訳なさそうな口調だった。

「僕は篠崎といいます。ここの捜査課の者だけど、今は特捜本部の方で、武上さんの下で働いてるんだ。まあ、ここじゃ何だから、こっちへおいでよ」

狭い会議室に案内された。机の隅に、ノートパソコンが一台。スクリーンセーバーが動いていて、その脇《わき》にファイルが山積みになっていた。あわてて閉じたものらしく、ページが乱れて表紙からはみ出している。

「座って、座って」篠崎と名乗った刑事はせかせかと椅子《いす》を引いて真一に勧め、自分はパソコンのそばに腰をおろした。

「最初に断っておくけど、僕なんかに、完全に武上さんの代理が務まるわけはないからね。ただ君から聞いたことはちゃんとガミさんに伝えるし、僕で答えられることなら答えるよ。で、どうしたんだい？」

あまりにも型どおりの前置きで、真一は全然信頼できないと思った。ニコニコして愛想がいいのは、無能を隠すためだ。こいつじゃダメだ、帰ろう、と思った。

「怪我《けが》の方は、もう大丈夫なんだね。傷跡が残らなくてよかったね」

突然言われて、真一は驚いた。「怪我って――」

「あれ、飯田橋のホテルで怪我したの、君だったよね？」

「何で知ってるんですか？」

「僕らだって週刊誌は読むよ。ガミさんの指示で、ワイドショウやニュース番組のチェックもしてるし」ニコニコと、篠崎刑事は言った。「もちろん君の名前は出てなかったけど、ガミさんから聞いてたし。心配してたよ」

「武上さん、何で僕のことなんかをあなたたち部下にしゃべるんだろう」

真一は闇雲に攻撃的な気分になっていた。

「やたらにしゃべってるわけじゃないよ。ただ心配してたというだけだよ」

篠崎刑事はまたおずおずした感じになった。どうも気が弱い。こんな刑事を使ってるから、網川浩一なんかのいいようにされてしまうんだ。

「網川浩一の身辺警護をしてるって、本当ですか?」

篠崎刑事は、頰に微笑のあとを残したまま固まった。

「本当なんですか、、、、」

真一は声を尖《とが》らせた。篠崎刑事の口元がぴくりとした。

「そのこと、誰に聞いたんだい?」

「じゃ本当なんですね?」

篠崎刑事は、なぜかしら救いを求めるような目をしてノートパソコンを見た。それから、もごもごと答えた。「本当だよ」

真一はまたぞろ頭が熱くなってくるのを感じた。椅子を引くと、耳障《みみざわ》りな音がした。

「帰ります」

「おいおい――」

「バカみたいだ。警察なんかちっともあてにならない」

「ちょ、ちょっと待ってくれよ。どうしてそんなに怒ってるんだい？」

「怒るのが当たり前でしょう？　ちっとも捜査が進まないのに、なんであんな奴《やつ》を特別扱いするんですよ。身辺警護をするってことは、あいつの〝真犯人X生存説〟とやらを認めるっていうことでしょう？」

「まあ、そうなるよね」篠崎刑事は目を伏せた。

「本人は得意満面でしたよ。自分は囮みたいなもんだなんて言ってたけど、本心としちゃあなたたちを出し抜いて天下とったような気分なんだ」

「本人がそう言ったのかい？」

「鼻高々でしたよ」

「いや、そうじゃないんだ。本人が〝自分は囮みたいなもんだ〟って言ったのかい？」

「言いましたよ。ついさっき、この耳で聞きました」

篠崎刑事は、縁なしの眼鏡の奥で細い目を見開いた。「塚田君は彼に会ったの？」

「呼び出されたんです」

「なんで網川氏が君を呼び出すんだろ」ぱちぱちとまばたきをして、刑事はしげしげと真一の顔を見た。「君たち、昔からの知り合いかい？　ひょっとして、君は彼の塾の教え子だったとか」

「冗談じゃない」真一は吐き捨てた。「あいつはただ、探りを入れにきただけです。由美子さんのことでドジ踏んだから」

「由美子さんて、高井由美子さんのことだね？」篠崎刑事の声が跳ね上がった。「彼女に何かあったのかい？」

今度は真一がしげしげと若い刑事の顔を見る番だった。今の口調には、えらく個人的な感情が混じっているような気がしたからだ。

篠崎刑事はあわてたように眼鏡をはずすと、目をそらした。そしてシャツの袖《そで》で、凄《すご》い勢いでレンズを磨き始めた。

「刑事さん、高井由美子さんのこと知ってるんですか」

「もちろん、知ってるよ。関係者だからね」

「そうじゃなくて、個人的に」

レンズを磨く手を止めて、刑事は目をあげた。眼鏡のない彼の顔は、妙に無防備で子供っぽく見えた。真一と同年代ぐらいに見えた。

「君は前畑滋子さんのルポを手伝っていたんだろう？」

「それほど役に立ってたわけじゃないけど」

真一は答えて、椅子に座り直した。この刑事のことが、ちょっと気になってきた。

「で、高井由美子さんはずっと前畑さんの取材を受けていた。今は網川の元にいる。そのへんの事情は、僕らにはわかってるようでわかってないんだ。その……君が嫌でなかったら、話してもらえないかな」

真一はため息をついた。それはごく自然な反応のようなもので、篠崎刑事に向かって〝ああ面倒だ〟とあてこすったわけではなかった。しかし刑事はまたあわてた。

「いや、本当にその、嫌でなかったらでいいんだけど」

真一は首を振った。まだ笑顔にはなれなかったけれど、今のため息で身体《からだ》のこわばりがとれたような感じだった。

「話します。うまく説明できるかどうかわからないけど。僕は頭かっかしてたし、警察の人が言う――なんですか、予断とか偏見とかそういうものも混じってるかもしれない」

「それはかまわないよ」刑事は静かに言った。「一昨日《おととい》のテレビで、網川氏は、前畑さんについて、かなり一方的なことを言ってたからね。おあいこさ」

前畑滋子とのそもそもの出会いから説明を始めたので、話はけっこう長くなった。

篠崎刑事はメモを取りながら聞いていて、時々日付を確認する以外は、質問らしい質問をはさむことはなかった。

感情の高ぶりが戻ってこないように、真一としては極力気をつけたつもりだった。それでも、一人語りが終盤にさしかかり、網川に対する不信感と嫌悪感を語るところに至ると、やっぱり頭が熱くなった。したり顔で樋口めぐみにうなずきかけている彼の顔を思い出すと、胸の奥からふつふつと怒りが湧《わ》いてきた。

「いろいろ……あったんだね」

篠崎刑事は鉛筆を置くと、眼鏡をはずして鼻筋を揉《も》んだ。普通は疲れたときにする仕草のはずだが、なぜかしらそんなふうには見えなかった。ふと見ると、刑事の頬は少しばかり紅潮しているのだった。

「実は僕も、一度だけだけど、網川浩一に会ったことがあるんだ」と、篠崎刑事は言い出した。

「取り調べとか、事情聴取とかで？」

刑事は苦笑した。「いいや。そんな立場でじゃない。あのね、話が前後して悪いんだけど、僕らのポジションを説明しておくと、デスク係と言って、書類仕事の担当なんだ。ガミさん――武上さんはこの部門のエキスパートで、僕ら所轄者《しよかつ》はいろいろ教えてもらいながら仕事をしてる」

　つまりは、捜査担当ではないのだという。

「あくまで後方支援なんだ。もちろん、僕らは提出される捜査資料を全部扱うわけだから、それらを概観して個人的な意見を持つことだってあるけど、よっぽどの特殊なケースでない限り、それを捜査会議で発表するような立場にはない。取り調べも聞き込みもしない」

　真一はひどくがっかりした。「武上さんも同じなんですね？」

「そうだよ。あの人は、一警察官としては、捜査本部の出している公式見解を支持するしかない立場なんだ」

　それから、あわてて言い添えた。

「ただガミさんはベテランだから、僕らと違って影響力はある。現に、網川浩一に身辺警護をつけるよう、本部に進言したのはガミさんだから」

　これはかえって逆効果だった。なんだ、頼みの綱と思って訪ねてきたのに、その武上刑事が、一番の網川浩一信者だったのか。

　真一の顔に浮かんだ落胆と怒りの色を、篠崎刑事は黙って観察していた。それから、ゆっくりと言い出した。

「君は、だいぶ混乱してるよね」

「混乱？」

「うん。君の腹立ちはよくわかる。網川が君の目の前で、樋口めぐみの申し出を受け入れるような態度をとったのは、無神経を通り越して残酷でさえあるよ。でも、その件と、今ここの本部で扱っている連続殺人に対する彼の関わり方の問題とは、厳密に分けて考えないとね」

真一は黙って若い刑事の小作りな顔を見た。彼はパソコンの方を向いていた。

「僕も、網川は嫌いだ。信頼できない人間だと思う」篠崎刑事は、ためらいも見せずに言い切った。「おそろしく自己中心的な人間だとも思う」

「『もうひとつの殺人』を書いたのも、由美子さんの味方をしているのも、結局は売名行為に過ぎないという意味ですか？」

ちょっと言葉を選ぶように間をおいてから、刑事は首を振った。「売名行為——ではないと思う。正直言って、あれがこれほど話題を呼んで、現在のように、マスコミがこぞって彼の味方をして持ち上げてくれるなんてことまでは、彼も予想してなかったんじゃないかな。もちろん話題になることは期待してたろうけど、ここまでとはね」

「一気に有名人になりましたからね」

「うん」篠崎刑事は眼鏡をかけなおした。フレームが光った。

「その嬉《うれ》しい計算違いが、さすがにきいてきてるのかな。ちやほやされて浮かれて、脇《わき》が甘くなってるね」

「どういう意味です？」

刑事は真一にちょっと笑いかけた。「だってそうだろう？　ここで君を傷つけて怒らせるなんて、本当はしちゃいけないことなんだ。あまつさえ、彼は次は栗橋浩美のことを本に書くとまで言った——。そりゃ、いずれは書くだろうさ。書かなきゃならない。だって、『もうひとつの殺人』の読者は、みんなそれを期待してる。彼は栗橋の幼なじみでもあるんだからね。でもね、それは公的にこの事件が終結して、栗橋浩美と高井和明が殺人者としての黒い認定を受けて、社会がそれをすっきりと受け入れて、一段落してからのことだよ。今はまだ早すぎる。網川浩一が世論の後押しを受けているのは、あくまでも、〝知られざるもうひとりの犠牲者〟である疑いが濃厚な高井和明の弁護に立ち上がったからであって、事件全体の分析が面白かったからじゃないんだ。それをはき違えたら、彼なんか一夜のうちに、今の人気者の立場を失うことになるだろうね」

「じゃ、僕の家族についての本も——」

「すぐに書いたら減点だよ。この事件が終息しないうちは、ほかの何をやっても減点なんだ。だって彼は、高井和明と由美子さんのために戦う正義の戦士なんだからね。戦いを終わらせないうちに、よそ見するなんてダメだ。それぐらいのこと、あれだけ頭のいい男なんだ、わかってるだろうに」

篠崎刑事は、一瞬だけちょっと怖い目をした。真一は驚いた。頼りなさそうなこの若い刑事が、その瞬間だけ豹変《ひょうへん》したように見えたからである。それとも、刑事という職業を選ぶ人間は、一見どんなおとなしそうな人でも、みんなこういう目をどこかに隠し持っているのだろうか。

「浮かれてるんだ」と、篠崎刑事はもう一度言った。「君にそんなことをペラペラしゃべるなんて。願わくば彼が、出演しているニュースショウのなかででも、同じような発言をポロッとしてくれればいいんだけどな。反発を受ければ、彼だって慌《あわ》てるだろ？　今必要なのは、彼を慌てさせることだと思うんだ」

真一は、ざわっと心が騒ぐのを感じた。何か——何か真一の知らない、世間も知らない、網川浩一も知らないことを、捜査本部は考えているのではないのか。

「刑事さんはさっき、網川浩一は売名が目的で活動してるんじゃないって言いましたよね？　ここまでハイスピードで話題になるとは期待してなかったって」

「うん。そう思うよ」

「だったら彼は、何が目的だったのかな？」

篠崎刑事はゆっくりと目をしばたたくと、パソコンの方に、まるでそれが生きた会話の対象で、彼の言葉に賛同してくれるものであると信じ切っているような親しげな眼差《まなざ》しを向けて、静かに言った。

「彼の目的は――状況を仕切ること。それだけだったんじゃないかな」

「状況を仕切る？」

「うん。舞台の演出家になること。あくまでも彼が中心で、この一連の事件が動くこと。彼がすべてを掌握していると実感すること。彼だけが知っていることを世間に知らしめること。何度も言うように、人気もお金も、それの副産物だよね」

真一には抽象的に過ぎる答だった。すべてを掌握するって、どういうことだ？

「僕には、なんかよくわからない」

「わからなくて当然だよ。僕らだって、実はまだよくわからない。だからこそ、網川浩一を観察してるんだから」

篠崎刑事は言って、微笑した。

「ごめんよ、奥歯にもののはさまったようなことしか話せなくて。だけど、最初の話に戻るけど、網川が君のご家族の事件について本を書くという企てね、それについては心配しなくていいよ。そんなことはさせないから。それは——あってはならないことだから」

静かだが、意気込んだ口調だった。真一は、ひどく宙ぶらりんな慰められ方をしたみたいで、かえって落ち着かなくなってしまった。それでも、いかにも話はもう済んだという感じで刑事が立ち上がったので、つられて椅子《いす》を引いた。なんとか話をつなげたくて、大急ぎで考え、思いついた。

「篠崎さん、さっき一度だけ網川と会ったことがあるって言ったでしょう？　どこで会ったんですか？」

篠崎はみるみる狼狽《ろうばい》して、眼鏡が鼻筋からずれた。これには真一もかえって慌てた。

「あの、オレそんなにおかしなことを訊《き》きましたか？」

「いや、そんなことじゃないけど」

「ただその、もしかして刑事さん由美子さんの知り合いかなんかなのかなと思って。知ってるでしょうけど、彼女は今ずっと網川と一緒にいるから」

「ホテルにこもってるんだよね？」

「ええ。今でも由美子さんから事情聴取したりすることがあるんですか？」

「このところはずっと無いよ。家族に確認しなくちゃならないような種類の新事実が出てきてないし……。だからご両親が東京を離れるときも、こちらとしては止めなかった」

真一はややためらいを感じたが、思い切って言った。「由美子さんは、今あんまり良い状態じゃないです」

篠崎刑事は、狼狽よりも心配の色を濃くして顔を翳《かげ》らせた。「良い状態じゃない？」

「ええ。網川はあんなふうに人気者になって、忙しく飛び歩いてて、それは必ずしも由美子さんのためだけじゃなくて」ぼやかすのが面倒くさくなって、言ってしまった。「つまり、網川のまわりには女性が寄ってくるでしょ？　あいつだって悪い気はしないでしょ。どうしても、由美子さんのことはほったらかしになるんです」

「彼女、ひとりぼっちの気分なんだね」

篠崎刑事は少女小説のような言い回しをした。だが、それは真一によく伝わった。

「そうか……」若い刑事はため息をついた。「ただそれは、僕らがすぐにどうこうしてあげられることじゃない。できたら、君とかが力になってあげてもらえると嬉しいけど――君は彼女とぶつかってるからダメかな」

その口調はあまりにも悲しげなので、真一はまた考えてしまった。警察は、高井由美子にとって、さらに良くない事実をつかんでいるのじゃないか。今はまだそれを隠しているけれど、やがては公《おおやけ》にすることは決まっており、だから由美子の心中を察して、こんな悲愴な顔になるのではないのか。

「刑事さんは、オレなんかには言えないこと、いっぱい抱えてるんだな」

真一の探るような問いに、篠崎刑事は力弱く笑っただけだった。

「ガミさんが戻ったら、きっと君に電話すると思うよ」

「でも、篠崎さんと同じようなことしか教えてくれないんでしょう？」

「それはどうか、わからない」刑事は真顔で首を振った。「でもね、僕らみんな、おそろしく真剣に取り組んでいるんだ。こんな事件、前代未聞《みもん》だからね。二度とあってはならない種類の事件だからね。僕ら捜査する側も、人間というものに対する考え方を変えなくちゃならないほどの事件なんだから」

過去にも女性を狙《ねら》った連続殺人は起こっている。人の命を紙屑《かみくず》のように扱う犯罪者だって存在している。確かに今度の事件は恐ろしいけれど、なぜ篠崎刑事はこんなに力むのだろう？　真一の心に、その疑問は引っかかった。棘《とげ》のように刺さった。そして初めて——大川公園で右腕を発見したときにも感じなかったような——深いところから来る悪寒《おかん》に震えた。

# 23

東京の自宅に戻るとき、昭二はまだ怒ってるかな、今度はあたしの方から謝らなくちゃと、前畑滋子は考えていた。やはり飛び出したことには反省していたし、頭もだいぶ冷えて、また前向きに取材に取り組む姿勢を取り戻していたからだ。とにかく、昭二とは素早く仲直りをして、高井由美子と連絡をとろう。彼女にはできるだけ早く会った方がいい。あの留守電のメッセージが気になる。

しかし、アパートのドアを開けるなり、そんな計画や段取りは吹っ飛んだ。

「どの面《つら》さげてノコノコ帰ってきたんだ」

それが昭二の第一声だった。滋子は、顔から音をたてて血が引くような気がした。昭二の形相が変わっているのが、すぐにわかったからである。

「ちゃんとメモを残して出かけたでしょう。取材だって書いておいたでしょう」

滋子はひるんだふりを見せないようにぐいと顎《あご》を引き、できるだけ冷静に穏やかに、昭二の目を見て答えた。

「喧嘩《けんか》したまま出かけてしまったのは悪かったわ。だけど、あのままここで顔をつきあわせていたって、結局気まずいだけだと思ったの。それに、急ぎの取材があったことも事実だし」

ウソつき、本当はあてもなく飛び出したくせに……と、内心の声が揶揄《やゆ》する。滋子はその声を身体《からだ》の底へ追い返した。

「あたしの仕事の状況は、あなただって理解してくれてるはずでしょ？　今回に限って、どうしてそんなに怒るの？」

昭二は作業着姿で、簞笥《たんす》の前にいた。何をしているところだったのだろうと、滋子はいぶかった。だいいち、普段ならまだ工場にいる時間帯だ。

「工場のほうはいいの？」

昭二は何も言わず、口をへの字に曲げて、その場に仁王立ちになったまま滋子を睨《にら》みつけている。その顔は蒼白《そうはく》で、心なしかやつれたようにさえ見える。あたしが書き置きを残して飛び出したことが、そんなにもこの人には衝撃的なことだったのかしら？

昭二はようやく口を開いて、しゃがれた声を出した。「親父《おやじ》が倒れたんだ」

「いつ？　どうしたの？」

「おまえが飛び出して——一時間ぐらい後だった。頭が痛いって言い出して、先に家に帰ったんだ。それからしばらくして、おふくろが親父の様子がおかしい、眠ったまんま、揺り起こしても起きないって知らせにきて、それで救急車を呼んだんだ」

激しているのか、昭二は喉《のど》をつまらせた。

「脳卒中だって。ずっと意識が戻らないんだ。病院の先生は、助かる見込みは五分五分だって言ってる」舅《しゅうと》は高血圧で、かかりつけの医者からずっと降圧剤を処方してもらっていた。だが、昔気質《むかしかたぎ》の人の常で、すぐに薬を飲むのをサボり、家族がそれを咎《とが》めるとなんだかんだ理屈を並べたり、逆に怒ってしまったりするのでいつも手を焼かされていた。おまけに、どれほど医者に厳しく指導されても酒をやめなかった。

真っ先にそれが頭に浮かんだ。滋子も驚いて動転していたから、浮かんだ言葉を吟味する余裕もなく、口に出してしまった。

「また降圧剤を飲んでなかったのね、そうなんでしょ?」

とたんに、昭二の両目がつり上がった。一瞬、滋子には鬼のような顔に見えた。

「だから自業自得だっていうのか?」怒りのあまり語尾を震わせて、彼は怒鳴った。

「倒れて死にかけてるのは本人の責任だっていうのかよ?」

昭二の勢いに、滋子は半歩後ずさった。「そんな意味で言ったんじゃないわよ」

「じゃあどんな意味なんだよ? 言ってみろよ。説明してくれよ」

「そんなに怒鳴らないでよ！　どうかしてるわよ昭二さん」

昭二はいきなり簞笥の引き出しをけっ飛ばした。「親父が死にかけてるのに、どうもしないでいられるわけねえだろうが！」

両肩をいからせ、拳《こぶし》を握りしめ、息を切らしている。滋子は両手で胸を抱いた。心臓が飛び跳ねている。今何か言ったり身動きしたりしたら、きっと殴られる——と思った。

悲しいより恐ろしかった。昭二がまったく見知らぬ他人のように見えた。見慣れたはずのアパートの室内でさえ、他人の家のように見えた。

回れ右をして逃げ出したくなった。

「昭二、タオルはあったかい？」

背後で声がした。振り返ると、姑《はは》がドアのところからのぞきこんでいた。滋子と目があうと、充血したその目が大きく見開かれ、口元が歪《ゆが》んだ。

「あれまあ」さもさも驚いたという声を出す。「あんたも、いたんだね」

帰ってたという言葉を、わざと避けたようだった。わざわざ「いた」という言葉を選んだように聞こえた。この状況にもかかわらず、姑は余裕綽々《しゃくしゃく》のように見えた。それも当然だろう。なにしろ圧倒的に有利なのだ。

これまでには、二人が揃《そろ》って滋子に辛《つら》くあたるようなことはなかった。滋子が姑に嫌味を言われたり叱《しか》られたりすると、昭二は必ずかばってくれた。そして自分たちが夫婦喧嘩をしても、それを母親のところへ持ち込んで愚痴るようなことはなかった。たまさか、滋子と昭二が口喧嘩をしているのを姑が聞きつけて、これ幸いと割り込んでこようとすると、昭二はきまって矛をおさめて、母さんには関係ないことなんだからと姑を牽制《けんせい》し、そのまま喧嘩そのものをやめてしまうのだった。

だが、今は違う。しかも、何よりも腹立たしいのは、こんな状況を招いたのが、滋子自身だということだった。

「お義父《とう》さんのことは、今聞きました」姑に向かい、滋子はできるだけやわらかく言った。「仕事で家を空けていて、すぐに連絡がつかなくて申し訳ありませんでした。これから病院に行くんですね？　一緒に——」

滋子の言葉を肘《ひじ》で押しのけるようにして、顔はそっぽを向いたまま、姑は言った。

「あんたには、もう用はないよ」

滋子は口をつぐんで姑を見つめた。姑は横目で滋子を睨むと、勝ち誇ったように言い捨てた。「黙って出かけて、二日も三日も勝手にほっつき歩いて、ハイ帰ってきましたもないもんだ。まったく、どこまで図々《ずうずう》しいんだろう」

滋子は懸命に努力して、やわらかい口調を保った。「怒るのは当然ですけどお義母《かあ》さん、わたしだって、お義父さんが倒れたのを知っていたら、出かけたりしませんでした。タイミングも悪かったんです」

昭二は簞笥からタオルや衣類を取り出して風呂敷《ふろしき》に包んでいる。病院に持ってゆくのだろう。滋子は半分そちらに気をとられながら、「とにかく、わたしもお義父さんのことは心配です。一緒に病院へ行かせてください」

突然、手を休めないまま昭二が言った。「そんな口先ばっかりのことなんか、もう言わなくていいよ。無理するなよ」

滋子は立ちすくんだ。「何ですって？」

「無理するなって言ってるんだよ」昭二は風呂敷包みを持って立ち上がった。「おまえは仕事の方が大事なんだろ？　仕事仲間とのお付き合いの方が楽しいんだろ？　だったらそっちを優先しろよ。もううちになんかいなくたっていいよ」

姑が尻馬《しりうま》に乗る。「そうだよ、あんたなんかもう縁切りだ、嫁でも姑でもないね」

「母さん、行こう」

昭二は姑の腕をとってドアを開けた。二人で滋子に背中を向けて、今にも出ていこうとしている。

「ちょっと待ってよ！　こんなのひどいわ」

滋子が叫ぶと、昭二は背中を向けたまま足を止めた。そして姑に風呂敷包みを渡すと、先に行っててよと短く言い、廊下へ押しやった。そしてバタンとドアを閉めた。

喉が詰まってしまって、滋子はすぐには何も言えなかった。昭二もじっと固まっている。

「本当に出て行けっていうの？」

やっとそう尋ねると、急に泣けてきそうになって、滋子はうつむいた。

昭二は振り返り、ひどく疲れたような目をして滋子を見た。実際、彼はくたびれているのだろう。ずっと病院に詰めていて、眠っていないのかもしれない。

「もう無理だよ」と、彼は小声で言った。「さっき、滋子、タイミングが悪かったって言ったよな？」

「ええ、言ったわよ」

「自分がいないあいだに親父が倒れるなんて間が悪いって意味だろ？」

「そうよ、それ以外のどんな意味がある？」

昭二は両肩を落としてため息をついた。「おまえ、それしか思いつかなかったのか？」

「どういうこと？」

「そんなこと思いつく前に、留守にしていてスミマセンでしたって思わなかったのかよ。大変でしたねって、思わなかったのかよ。申し訳ないって思わなかったのかよ」

「だって……だからタイミングが悪かったって言ったのよ」

確かに滋子は何も知らず、家族に迷惑をかけたかもしれない。だが、遊んでいたわけではないのだ。仕事を持っていれば、たとえばそれがルポライターのような職種ではなくても、ときにはこういう間の悪いことだって起こり得る。それなのに、なぜ真っ先に謝らなくてはならないのだ？　悪いことをしたわけではないのに。

「あたしは仕事を持ってるの。そっちだって無責任なことはできないの」

「家族に迷惑をかけてもか？」

「留守にしてたのは申し訳なかったわ。だからこれからその分一生懸命手伝うって言ってるの。どうしてそれじゃいけないの？」

昭二はゆるゆると首を振った。「それじゃダメなんだよ」

「何がダメなのよ！」

「俺なんかは頭が古いのかもしれない。だけどな滋子。俺はやっぱり、自分の女房には家族を第一に考えてほしいんだよ。自分がいないときに家族が病気になって、それを申し訳ないとも思わないで、仕事があるんだからしょうがないでしょっていうような女には、俺はやっぱり辛抱できないんだ」

滋子はしばらく昭二の顔を見つめていた。彼は目をそらしていた。

「昭二さん。だけどそんなの、最初からわかっていたことじゃない？」

あたしは結婚前からこの仕事をしていた。あなたはずっとあたしの仕事を応援してくれていた。そうじゃないの？

「あたしのルポが評判になったときには、あなた友達に自慢してたじゃないの。うちの女房は凄《すご》いんだって。そうだったわよね？」

滋子は一歩昭二に近づいた。

「だけどね、こんな仕事をしてたら、いいことばっかりじゃないのよ。今度みたいなことだってあるのよ。社会に評価されるような結果を出そうと思ったら、犠牲にしなくちゃならないことだってあるの。あなたの自慢の仕事のできるルポライターでありながら、妻としても嫁としても満点をもらうなんてこと、あたしにはできないわ」

「だから、もう無理だと言ってるんだよ」

冷たいというよりも、平坦《へいたん》な口調だった。

「俺たち、もう一緒にやってはいけないよ」別れよう——ということなのだ。滋子は、ようやくレンズの焦点があったような気がした。昭二は別れようと言っているのだ。

「あなたは」自分を落ち着かせるために、必死で指を握りしめた。「離婚だなんて大事なことを、こんな短いあいだに決めてしまうの？　たったこれだけのトラブルで、結論を出してしまうの？」

「俺は、今度のことを、たったこれだけのトラブルだなんて思わない。すごく大事なことだったと思う」

「お義父さんが倒れたとき、あたしが家にいなかった。それがそんなに大事《おおごと》？　人生を変えるほどの大事件？」

「そうだよ」昭二は静かに答えた。「俺にとってはそうだ」

堂々巡りになる——滋子はそう思って、唇を噛《か》んで言葉をこらえた。あたしは仕事を持ってるのよ！　こういうことだってあり得るって、最初からわかっていたじゃない！

「滋子、おまえ、出先から電話一本寄越さなかったよな？　だから、親父が倒れたこともわからなかった」

罪状を読み上げられてるみたい——と、滋子は思った。流刑《るけい》になる前に。

「俺が問題にしてるのは、おまえが居なかったことじゃない。出かけたきり、家族のことなんかまったく省みようとしないおまえの気持ちが問題だって言ってるんだ。いくら忙しかったたって、家の方で変わったことはないかって電話かけるぐらい、ほんの一分もあればできることじゃないか」

「喧嘩してたから、電話しにくかったのよ」

「そういう問題じゃない」

昭二はもう結論を出しているのだ。滋子は凍るような思いで悟った。

「おまえだって、自分で自分の本音に気づいてないだけだよ。家のことが気にならないっていうのは、今のおまえなら当然なんだ。外の社会の方が面白いし、おまえにふさわしいんだもんな」

滋子は目をあげた。「ふさわしい？」

「うん」昭二は子供のようにうなずいた。「俺なんか頭バカで、工業高校だってやっと出られただけだ。親父もおふくろも教養なんてかけらもない。おまえのやってることにはついていかれないし、おまえの足を引っ張るようなことばっかりやってる」

「そんなことないわよ」

昭二はふと笑った。「おまえの活躍を喜んでたからか？」

「そうよ、応援してくれてたじゃない」

「なんだかよくわからなかったけど、みんなが騒いでるから凄いんだと思ってただけだよ。親父《おやじ》やおふくろや工場のみんなはそうだ。テレビに出てる、雑誌に載ってる、凄いなあ、有名人じゃないか、金だって儲《もう》かるんだろ？　そんなレベルだよ」

俺だって大差ないよと、昭二は呟《つぶや》いた。

「俺には——俺にはついていかれないような立派な仕事をやろうとしてる女房より、頭は悪くても教育はなくても、家族の誰かが病気のときにはつききりで看病してくれるような、そんな優しい女房の方がよかったんだ。そういう意味では、俺が間違ってたんだ。よく考えないで、滋子に向かってきれい事ばっかり言ってきた。応援するから頑張れなんて安請け合いしてきた。それ、間違ってたんだ」

だから滋子が悪いんじゃないよと、小さく付け加えた。

滋子には何も言えなかった。こんなふうに言われたら、何も言い返せなかった。仕事をやめて家庭に入ります、優しくてよく気のつく妻になりますなんて、言えるはずがない。「そのこと、ずっと感じてたの？」やっとそう訊《き》いた。「昨日今日始まったことじゃないでしょ」

ちょっとためらってから、昭二はうなずいた。「うん、そうだね」

「どうして早く言ってくれなかったの？」

「俺も——自分が変われるんじゃないかって思ってたんだ。変わらなきゃいけないって思ってたんだ。滋子を応援するって約束したんだから、その約束を守れるようにならなきゃいけないって思ってたんだ」

滋子は目に涙がにじんでくるのを感じた。「ありがとう」

「お礼なんか言うなよ」昭二も初めて泣き声になった。「結局ダメだったんだから。親父が倒れて大騒ぎになったとき、俺、痛感したんだ。ああ俺にはもう自分をごまかせない、これ以上、滋子の生き方に合わせることはできないって」

滋子はゆっくりうなずいた。気持ちはおさまらなくても、理屈は通っている。昭二はただただ感情的になっているわけじゃない。

「滋子、このまえ言ってたよな」優しい声で、昭二は言った。「俺がさ、どうして犯罪のルポを書くのかって訊いたら、それが人間のなかにある闇《やみ》をのぞくことになるからだって。その闇を理解することにつながるからだって」

ずいぶんカッコいいことを言ったものだ。滋子は苦笑混じりにうなずいた。「うん、そんなようなこと、言ったね」

「俺はさ、その答え聞いて、滋子は凄いな、俺にはかなわないって思ったよ」

だけど俺はさ——と、小さく呟いた。

「人間の心の闇のことなんかわからなくていい、頭が軽くてもいい、俺と同じように家族や人生のことを考えてくれる、優しい世話女房がほしかったんだ。それが俺の本音だったんだ。自分でも、やっとわかった」

滋子は黙ったまま、何度も何度もうなずいた。ごめんよと、囁《ささや》くように言って、昭二はドアを開けて出ていった。

滋子は荷物をまとめ始めた。

## 24

――はい、足立印刷です。

――もしもし？　そちらは足立さんですよね？

――そうですが。

――ひょっとすると君は増本君？

――自分は増本ですけれども……。

――よかった。僕は網川浩一です。

――ああ。どうも。

――日曜日はわざわざご足労いただいてしまって。それに、嫌な思いもさせて、申し訳ありませんでした。

――あれ、そんな、僕はいいんスよ、そんなこと。

――足立さんも気を悪くしてはおられなかったかな？

――大丈夫です。おかみさんは、そういう人じゃないですから。気を悪くなんて。

――よかった。足立さんの証言は、ちゃんと次の本のなかで使わせていただくよ。もちろん、テレビでも。カズの人となりを証明する、大事な証言だからね。

――はあ。おかみさんに用ですか？　今、うちも昼休みで、おかみさん買い物に行ってるんですけども。

――いや、いいんだ。実はおかみさんじゃなくて、君に用があって電話したんだよ。

――は？　僕に？

――うん。増本君、今は一人かい？　誰かそばにいる？

――いいえ。社長は銀行に行ってますから。

――そうか、じゃあますます都合がいい。ねえ増本君、君に頼みがあるんだ。聞いてもらえるかな。

――何でしょう？

――電話じゃ話せない。会えないかな？　今夜でも？

――いやー、それはちょっと。うちも今忙しくて、夜なべしてるくらいですから。

――この不景気に、けっこうなことだね。じゃ、明日は？

――やあ、でも……あの……どういう用ですか？　電話じゃ言えないなんて……。

――うん。大事なことだからさ。

――どんなことでしょう？

――だから電話じゃしゃべれないんだ。君だって立派な社会人なんだから、察してくれてもいいじゃないか。顔を見ないと話せないようなことなんだよ。

――それでも……オレちょっと……そういうことは苦手で。

――困ったなぁ。子供みたいだ。

――すみません。

――あのね、何も難しいことじゃないんだよ。君に手伝ってほしいだけなんだ。

――そりゃ、無理です。オレ、物書きの人の手伝いなんかできませんから。

――そうじゃないんだ。原稿を書いてくれなんて言ってないよ。ただちょっとね。

――ちょっと、何ですか。

――僕に電話をかけてほしいんだ。明日ね、昼間のワイドショウに出るからさ。

――番組に電話するんですか？

――うん。僕を脅すような、そういうことを言ってほしいんだ。内容は僕が考えるから。君はただテレビ局に電話して、それを読むだけでいいんだよ。

――脅すって……。

――知ってるだろ？　警察は僕の説を黙殺してる。いくら真犯人Xはほかにいるって訴えても、聞こえないふりをしてるんだ。だからさ、連中の目を覚ますためには、真犯人Xが本当に僕に電話をしてきたりすると、すごく効果的なんだよね。

――よくわからないんですけども。

――だからさ、君が真犯人Xのふりをして、テレビ局に電話してくれればいいんだ。簡単なことだろ？　電話なんだからさ。どこか、そこから離れた場所の公衆電話からかけてくれればいいんだ。できるだけ都心がいいな。ボイスチェンジャーもちゃんと用意するからさ。

――それはでも、警察やテレビの人を騙《だま》すことでしょう？

――そうだけど、でも、警察に本腰入れて真犯人Xを探してもらうために、敢《あ》えてやることなんだよ。ただ騙すわけじゃない。ちょっとした芝居をうつんだ。パフォーマンスさ。

——でも、やっぱりそれはインチキですよ。

——違うよ、君は頭が悪いわけじゃないんだから、わかるはずだ。

——オレは頭悪いけど、でもやっぱりそれはインチキだってわかりますよ。

——なんだよ、がっかりさせるなぁ。君は、おかみさんの意見に賛成じゃないのか？

僕に協力しないってことは、つまりはおかみさんに反対することになるんだぞ。

——そうは思えないです。オレは中学を出てからずっとここでお世話になってるから、社長のこともおかみさんのことも、よくわかってます。おかみさんは、曲がったことは嫌いです。人を騙すなんて、とんでもないって言いますよ。

——目的があるからやることなのに。

——駄目なものは駄目です。

——残念だよ、君に期待してたのに。君も僕と一緒に働いてくれる人だと見込んでいたのに。

——もう切りますから。

——わかったよ。だけど増本君、このことは、おかみさんにはしゃべっちゃいけないよ。余計な心配をかけるからね。

——そんじゃ。

電話は切れた。網川浩一は携帯電話を握りしめ、「クソ!」と吐き捨てた。

「あのバカ、脳味噌《のうみそ》なんか空っぽのくせに、なんで素直に俺の言うことを聞かないんだ?」


有限会社足立印刷では、今そこに置いたばかりの受話器を見つめて、増本青年が考えこんでいた。

日曜日のメルバホテルでの話し合いは、いろいろゴタゴタもあったけれど、良いことだったと彼は思っていた。何より、おかみさんが胸の内を吐き出すことができてよかった。おかみさんの知っている高井和明という青年は、けっしてあんな恐ろしいことのできる人間ではなかった。それを思う存分話して、聞いてもらうことができてよかった。

それに、あの子は頭がいい。あの子——塚田真一と言ったっけ。高井和明の声が、悩み相談室とかそんなところに、録音されているかもしれないという意見。あれには驚いた。今まで誰も、テレビでも新聞でも、そんなことを思いついた人はいなかった。少なくとも、増本青年が知っている範囲内では。

あの提案は優れている。放っておいたらもったいない。だから、社長とおかみさんに相談して警察に行こうかと、あれ以来、増本青年はずっと考えていた。捜査本部では、ずっと市民からの情報を求めている。きっと聞いてくれるだろう。もちろん、自分の意見だとして持ち込むのではなく、ちゃんと塚田君の考えだということも言って、相談するのだ。警察なら、あっちこっちの相談所とかを調べて、もしかしたら本当に、高井和明の声を発見することができるかもしれないじゃないか。

だけど今、うちは本当に忙しい。これも、社長がどんなときでも真面目《まじめ》に商売をしてきたから、景気に左右されない手堅いお得意がたくさんいるからだ。こんなときに、余計な手間を増やして社長とおかみさんを煩《わずら》わせるのは気が引ける。

「ただいま」

足立社長が銀行から帰ってきた。

「三間工務店からの支払い、ちゃんと入ってたよ」

「ああ、よかったですね。ご苦労様です」

「昼飯、食ったか？」

「はい。社長の分はとってあります」

「そんじゃ、急いでかっ食らうとするか」

笑いながら事務室へ入ってきた社長の顔を、増本君はじっと見つめた。話そうか、話すまいか。

それに、今のおかしな電話のことも――。あの網川浩一って奴《やつ》は、実はけっこう嫌な奴なんじゃないだろうか。あんな提案を大真面目で持ちかけて、こっちがほいほい引き受けると思ってるなんて、まるっきり人をバカにしている。

(だけどおかみさんは、あいつのこと誉めてたよなぁ)

「何だ、俺の顔に何かついてるか?」

「いや、違います」

「おかしな奴だなあ」

社長は笑う。増本君は考える。話そうか、話すまいか――

25

行ってしまう。

彼は行ってしまう。

高井由美子は、ホテルの自室で一人、ベッドに座り込んで壁を見つめていた。朝食はとらなかったし、昼も何も食べる気になれなくて、ただぼんやりしている。かろうじて着替えだけはしたけれど、靴下ははかずに裸足《はだし》のままだった。この数日、ずっとこんな調子だ。今日は何日だっけ？　あれから何日経《た》ったのだろう。

由美子の様子がおかしいことに、網川浩一はとっくに気づいているはずだった。今の由美子には、内心の動揺を押し隠すだけの気力はなかったし、本音としては、彼女の混乱した心を彼に読みとってほしかったから、むしろことさらに感情の乱れを面に表していたので、これは当然のことだった。

それでも、彼は出かけて行ってしまう。人に会う用事があるのだと言っていた。忙しいのだと言っていた。約束なのだと言っていた。連日そうやって出かけている。由美子を置き去りにして。

一人にしてほしい、考え事があるから——そう言ったのは由美子の方だ。だから、一人になったのは当たり前だと他人は言うだろう。だけど内心は逆だったのだ。今まではこんなことはなかった。由美子が「一人にして」というと、網川は心配してそばにいてくれた。一人にすると、由美ちゃんはすぐくよくよ考え込むからと、そばに付き添っていていろいろ話をしてくれた。彼が由美子の言葉を額面通りに受け取って行動したのは、今度が初めてのことなのだった。

あの土曜の夜には、夜の闇《やみ》の重さに耐えられなくなって、衝動的に、何度も何度も電話をかけた。前畑滋子にかけたのだ。衝動的に、訊《き》いてみたくなったのだ。滋子さん、あたし間違ってますか。あたしのしてることは間違ってますか。あたしは網川さんと一緒に、兄さんの汚名を晴らすために戦ってるつもり。だけどそれは、外側からもそのように見えていますか。

あたしの本音は、滋子さんの側からも透けて見えていますか。

あたしは網川さんが好きです。網川さんにずっとそばにいてほしいです。網川さんに、あたしのことをいちばんに考えてほしいです。ずっと網川さんに守ってほしいです。

いつのまにかそのことの方が、兄さんの汚名を晴らすということよりも、あたしのなかで大きくなっていました。

その本音が、滋子さんの側からも見えていますか？ 滋子さんに見えるということは、世間の人の目にも見えるということですよね？ あたしはみっともないですか？ あたしは勘違い女ですか？

前畑滋子は不在だった。彼女の声を録音した留守番電話が応答した。それに向かって話をしようと思ったけれど、あまりにも情けなくて、みっともなくて、結局やめてしまった。留守番電話には、中途半端《はんぱ》な由美子の涙声が録音されていることだろう。

それを聞いて、前畑滋子はどう思うだろうか？　何を今さらどの面《つら》さげてと、怒るだろうか。どうせ網川浩一とケンカでもしたんだろうけど、あたしは彼の代理にはなれないわよと、鼻先で嘲笑《あざわら》うだろうか。それが怖くて、あれから電話はかけていない。

本が売れ、名前が売れ始めてから、網川は変わった。いや、彼自身が変わったというよりは、彼と由美子の関わり方が変わったというべきなのだろう。有名になり、人気が出て、ジャーナリストとして認められた彼は、由美子から少しずつ離れていこうとしている。優しさ、親切さ、思いやり、それらのものは何も欠けず、最初のころと同じように由美子を包んでいてくれるけれど、それでも彼と由美子のあいだには溝《みぞ》ができつつある。

本が出る前は、二人は同志だった。網川は強い戦士で、由美子は力弱い役立たずだったけれど、それでも立場は同じだった。高井和明という不器用で不運だった青年の、無実を訴えて立ち上がった戦友だった。

それが――今ではまったく違う。

網川浩一は世に出た。道を歩けば女の子たちから黄色い声が飛ぶ。激励の手紙やファンレターが山ほど届く。そのなかには、ラブレターに近いような内容の文面も混じっている。何を勘違いしているのか、写真を同封してきたり、電話番号やメールアドレスを書いて、返事がほしい、二人で会いたいと訴えてくる女性たちも少なくない。網川浩一は英雄《ヒーロー》になった。不幸な幼なじみのために、勇を鼓して社会に立ち向かい、人びとを説きつけ、その目を開きその耳を惹《ひ》きつけた。今では、警察さえも、彼の主張を容《い》れつつある。面子《メンツ》があるから公《おおやけ》にはできないけれど、この一週間ほど、網川にはずっと警護が付いている。これこそ、捜査本部が彼の意見を認めたという、動かし難い証拠だ。

そして由美子は――取り残された。

由美子は英雄じゃない。網川と同じ場所に立つことはできないのだ。堂々と行進してゆく英雄の影を踏んで、こそこそとついてゆくことしか許されない。誰も由美子の方など見ていないし、気にしてもいない。

伝説や神話のなかの英雄は、怪物や魔物から救い出した姫と結ばれ、二人は手に手をとって、民衆の歓呼の声に迎えられることになっている。それがお約束だ。そういう決まりになっている。だから由美子は勘違いしていた。網川が社会に受け入れられたあかつきには、自分も一緒にそこに並ぶことができるのだとばかり思い込んでいた。

だがしかし、伝説と現実は違う。何よりも、由美子は最初から「姫」ではなかった。

確かに英雄の手で救い出されたけれど、由美子はただの名もない田舎娘にすぎないのだ。田舎娘と英雄が結ばれることなどあり得ない。英雄は都に凱旋《がいせん》し、そこで彼にふさわしい姫に迎えられる。田舎娘は英雄を見送って、すごすごと畑仕事に戻るのだ。

それを由美子は勘違いしていた。

英雄は、田舎娘に恋をしたから救いに来てくれたのだと思い込んでいた。

英雄は、困っている人を救うことが英雄のなすべきことだから、そうしただけだったのだ。

田舎娘が好きだったわけではないのだ。

世に出てからの網川のまわりには、彼にふさわしい「姫」たちがたくさん寄ってきた。みんな由美子よりあか抜けていて、美人で、頭もよくて、網川はそういう女性たちと実に楽しそうに時間を過ごしている。年上の人気女性キャスターと、臆《おく》することなく対等に話し合い、笑い、冗談を飛ばす網川をながめていると、由美子の胸は誇りでふくらむ。だがしかし、勘違いの夢から覚めてみれば、彼女には網川を誇りに思う権利なんてなかったのだ。

――浩一さん。

あの女性カメラマンと彼が親しくしていることは知っていた。バーで二人きり、遅くまで飲んでいることがよくあった。だけどそれは、仕事だと思っていた。思おうとしていた。そうやって、由美子は自分をごまかしてきたのだ。数多い物語のなかでは、英雄が名もない田舎娘と結ばれるおはなしだって、あっておかしくないんだから、と。あたしと網川さんは、高井和明という死者の魂でつなぎ止められているのだから、と。

でもそれは空《むな》しい思いこみでしかなかった。あの日曜日の一件、由美子には事前にまったく相談がなく、網川は勝手な取材のお膳《ぜん》立《だ》てをして、有馬義男や塚田真一を怒らせた。すると今度は、由美子を利用してもう一度彼らを騙《だま》そうとした。最初から最後まで、由美子はただの駒で、網川から計画を相談され、気をあわせて行動していたのは、あの女性カメラマンの方だった。その彼女が彼を「浩一さん」と呼ぶ声を聞いた瞬間に、由美子は、もうあいまいな霧のなかに身を隠して自分をごまかすことはできないと、無理矢理悟らされてしまったのだ。

そして彼は行ってしまう。

由美子をおいて、行ってしまう。

ドアチャイムが鳴った。由美子はのろのろと顔をあげてドアの方を振り返った。

チャイムがまた鳴った。苛立《いらだ》たしそうな、せき立てるような鳴り方だった。由美子がベッドから立ち上がり、ドアへ近づいて行くあいだにも、何度も何度も鳴った。

ドアを開けると、十センチほどの隙間《すきま》から、あの女性カメラマンの顔がのぞいていた。ふたつの瞳《ひとみ》が、すくうように下から由美子の目をとらえ、すぐに手が伸びてきて、外からドアを押し開いた。彼女はポケットのたくさんついた丈の短いベストを着て、タイトなジーンズをすらりとはきこなしていた。爪先《つまさき》の尖《とが》ったブーツを突き出し、ズカズカと室内に踏み込んできて、片手でドアを押さえたまま、怒ったように口元を尖らせて由美子を睨《にら》んだ。

「大丈夫なの？」と、いきなり訊いた。大丈夫ではいけないみたいな口調だった。

由美子は黙って彼女の脇《わき》をすり抜け、廊下へ出ようとした。すると腕をつかまれた。

「今朝出がけに、網川さんがあなたのこと心配して、あたしに様子を見てくれって頼んで行ったのよ。ここんとこ、ずっとふさぎこんで不機嫌だからって。だから来てみたの。別に、あたしだって好きでやってるわけじゃないわよ」

由美子はどろんと振り向いた。「網川さんが」と、わざと聞き返してやった。

「ええ、そうよ、浩一さんに頼まれたの」と、彼女も言い返してきた。由美子の心はまた痛んだ。結局、これは勝ち目のない戦いだった。

女性カメラマンはバタンとドアを閉めると、由美子とドアのあいだに立ちふさがった。両手を腰に当て、早口で言い出した。

「あなた、何か誤解をしてるようだから言っておくけどね。浩一さんが誰と付き合おうと、誰を恋人にしようと、あなたにとやかく言う権利はないんだからね」

由美子は黙って足元の絨毯《じゅうたん》を見ていた。

「そうやって悲しそうな顔をしてれば、みんなが同情してくれるって思ってるんだろうけど、そうはいかないわよ。浩一さんだって、あんたがあんまり覇気がないんで、近ごろじゃウンザリだって言ってるんだから」

彼女はますます早口になった。口にするそばから、自分の言葉を置いてきぼりにして逃げ出そうとしているかのように。

「あんたはけっして悲劇のヒロインなんかじゃないのよ。そこんところ、大きく目を開いて、よく現実を見ることね」

由美子は目を上げて彼女を見た。相手がひるんだので、心の底で少しだけ驚いた。

「な、何よ？」

「今の話、網川さんがあたしにそう言ってやれって、あなたに頼んだんですか？」

女性カメラマンは口をつぐんだ。自分の放った言葉に追いつかれ、追いつめられたみたいに、急に青ざめた。

由美子は繰り返した。「あなたに頼んだんですか?」

「彼は——それほど無神経じゃないわよ。あんただってそれは承知でしょう? だからこそ、彼によりかかってこれたんじゃないの」

由美子はドアを開けた。「出ていってください」

「由美子さん、あなたね——」

「もうお話しすることはありません。出ていってください」

「あら、そう」女性カメラマンは吐き捨てた。そして、たくさんのポケットのなかの、いちばん深いポケットに手を突っ込むと、封書を一通取り出した。

「これ」と、由美子の鼻先に突きつける。「フロントに届いてたの。あなた宛《あて》よ。お母さんからみたいね」

由美子は封書を受け取った。確かに、ホテル気付で由美子宛のものだ。切手が曲がって貼《は》りつけてある。裏返して差出人のところを見ると、小さく歪《ゆが》んだ文字で「母より」とだけ記してあった。

女性カメラマンを追い出して、ドアを閉めるとチェーンをかけ、ベッドのところまで戻ってから、封を切った。封書は厚く、中身は手紙だけではなさそうだった。

逆さにして振ると、由美子の膝《ひざ》の上に、スナップ写真が二枚落ちてきた。おかしな写真だった。全体に薄暗い。被写体が曲がっている。しかもその被写体は、何か手紙みたいなものだった。由美子は目を近づけた。

みたいではなく、それは本当に手紙をアップで撮ったスナップ写真だった。枠いっぱいに、手書きの縦書きの文字が綴《つづ》られた便箋《びんせん》が写っているのだ。表面がてかてかしているので、写されている文面が読みにくい。由美子は顔をしかめた。これは――

読み進むうちに、足元がぐらりと揺れるのを感じた。ベッドカバーの端をつかんで、かろうじて身体《からだ》を支えた。

これは――いったい――

封筒の方をつかむと、指で探って中身を取り出した。こちらはぺらりと一枚、コピー用紙だった。ワープロ文字がびっしりと横に並んでいる。

「高井由美子へ

現実を直視しろ

この写真に写っているのは　高井和明の残した遺書の一部である　遺書のなかで高井は　栗橋浩美と共に犯した残虐《ざんぎゃく》な犯罪について　すべてを認め告白している　彼らの事故死は　少なくとも高井にとっては　覚悟の自殺であった　高井には　死をも

ってしか　栗橋にそそのかされて犯した自らの罪を償うすべが残されていなかった

この遺書は　網川浩一宛に送付されたものである　彼はずっと　これを隠し持っていた

事件が栗橋と高井二人の手で起こされたものであることを　彼は最初から知っていた　知っていて隠していたのである

私は網川の周囲を探り　ようやく　この二枚のスナップを撮影することに成功した

言うまでもなく　ネガはこちらの手元にある　スナップを処分しても　事実は消せない

この真相が暴露されれば　どんなことが起こるか

網川もおまえも　もとのもくあみだ

網川にこの手紙を見せろ

こちらは取引を望んでいる

おまえたちは　今さら引き返せない

サル芝居を続けて世間を欺《あざむ》きたいならば　相応の出費を覚悟することだ」

差出人の名前はなかった。日付もなかった。

由美子の手から、手紙が落ちた。ひと呼吸おいて、身体ごと床の上にくずおれて座り込んだ。

現実を直視しろ。

どれぐらいのあいだ、一人で座り込んでいたのだろうか。ワープロ文字が頭のなかでぐるぐると渦巻き、綴られていた文章のひとつひとつが、千切れてはまたつながり、輪になっては離れ、由美子を嘲笑うように極彩色にきらめいて、瞼《まぶた》の裏で乱舞し続けた。ふと思った——ひょっとしたら意識を失っていたのかもしれない——そうして悪夢を見ていたのかもしれない。

だが、自分の手元を見おろせば、そこにはまだあの手紙があった。我と我が指が、しっかりとそれを握りしめている。足元にはスナップ写真が二枚、由美子の方に表を向けて床に落ちている。確かに存在する。捨てられない。消すことはできない。

現実を直視しろ。

兄さんが、犯行を告白した遺書を残していた。浩一さんは、それを知っていた。

ドアチャイムがまた鳴った。さっきのようなせっかちな鳴らし方ではなく。ゆっくりと訪《おとな》いをいれるように、二度、三度と。

由美子はベッドサイドのデジタル時計を見た。とっくに夜になっている。由美子が凍っているあいだに時は過ぎていた。

ドアをノックする音が聞こえた。呼んでいる。由美ちゃん、と聞こえる。由美ちゃん、いるかい？　開けてくれないかい？

網川だ。外出から帰ってきたのだ。

由美子は自分がふたつに分離するのを感じた。ひとつの由美子は、駆け寄ってドアを開け、彼の腕のなかに飛び込んで泣き出そうとしている。もうひとつの由美子は、このまま死のような沈黙のなかに潜んで彼をやり過ごし、そっと荷物をまとめて、彼の元から去っていこうとしている。

だが、そして何処《どこ》へ行くのだ？　行くあてなどあるのか？　この事実を抱えて、由美子の行き先など地上に存在するのか？

警察？　新聞社？　それとも前畑滋子のアパートか？　彼女なら話を聞いて――きっと喜んで聞いてくれるだろう。だってこのスナップ写真と手紙は動かぬ証拠だ。前畑滋子は正しかった。彼女の情報源と信念の拠《よ》り所《どころ》である警察もまた正しかった。高井和明は本当に殺人者だったのだ。それを証拠づけるものを持って駆け込む由美子を、どうして前畑滋子が邪険に追い払ったりするだろうか。

だけど、それで由美子はどうなるのだろう。

前畑滋子はしょせん他人なのだ。彼女は事件にはまったく関わりがない。取材してルポを書いただけ。お手柄をあげるだけ。由美子の人生を守ってはくれない。

「由美ちゃん、寝てるのかな？」

網川の声が呼んでいる。由美子はベッドにつかまって立ち上がり、ドアに近づいた。ノブを摑《つか》んで回す。どうしてこのドアはこんなに重いんだろう？　開けてはいけないと言っているみたいだ。ドアが意志を持つなんて、そんなバカなことがあるはずないのに。

両目を見開いて、網川は由美子の顔を見つめていた。由美子も彼の顔を見た。気がつけば、彼の瞳を正面からのぞきこんだのは、ずいぶんと久しぶりのことなのだった。

「入ってください」

由美子の言葉と、「大丈夫かい？」という網川の質問がかぶって、意味のない不協和音になった。

「入ってください。見せたいものがあるの」

由美子はそう言って、彼に背中を向けた。「手紙が——手紙が来たんです。写真が入ってるの」

ここから立ち去ろうとしていたもう一人の由美子が、霊のように静かに悲しげに、室内のどこかに漂いながらこちらを見おろしている。由美子はそれをはっきりと感じながら、網川に手紙を差し出した。

長い、長い沈黙。

正体不明の脅迫者からの手紙を読んだあと、網川浩一は由美子の部屋のソファに座り込み、顎《あご》に手をあてて、ずっと黙りこくったままだ。帰ってきたときには、疲れた様子ではあったけれど明るかった表情が、今はすっかり消えてしまっている。由美子は彼から離れてベッドに腰かけ、彼が何か言ってくれるのを、笑い出してくれるのを、怒りに顔を紅潮させるのを、ただひたすら待ち続けている。

網川は何を考えているのだろう？　今のこの事態に対して、何を考えることなどあるのだろう？　無機質なまたたきで時の経過を報《しら》せるデジタル時計をながめながら、由美子はふと、こうやってひたすら口をつぐんだまま時の経過を待っていれば、あんな手紙もスナップ写真も消えてなくなって、それどころかおぞましい事件の記憶もみんな消えて、世間の人たちもみんな忘れてしまって、すべてが解決して平明になった未来へと、すんなり移動することができるのではないかと思った。事件に抗《あらが》い、流れに逆らおうとするから苦しかったのだ。力を抜いて流されてみたら、ずっといい結果が出るのかもしれない。

デジタルがひらめいて、午前零時を表示した。

そのとき、由美子の耳に何かが聞こえた。何か人の声のようなものだった。隣室からだろうか——と、見回して気がついた。

顔を伏せたまま、固めた拳《こぶし》を口元に押し当てて、網川が笑っているのだった。くつくつ、くつくつと。目尻《めじり》には笑いじわが寄っている。とても優しげな目元の笑いじわは、由美子が大好きな彼の特徴のひとつだった。

ほっとして、声をかけた。「それ、やっぱりイタズラなのね？」

網川はおかしそうに笑い続ける。手紙とスナップ写真は、コーヒーテーブルの上に広げられたままだ。彼はそれを見て笑っている。

由美子はベッドを降りて、彼の向かいに回った。椅子《いす》を引いて腰かけると、網川は由美子に顔を見られまいとでもするかのように、頭を低くかがめてなおも笑い続ける。

「イヤだ、そんなにおかしいの？　でもわたし、最初にその手紙を読んだときには、心臓が停まるかと思ったわ」

網川はため息をつき、声を出して「あーあ」と言った。人がおかしなことがあって笑いすぎたとき、よくそうするように。そして足を組み替えて座り直すと、楽しそうに由美子の顔を見た。

「由美ちゃん、このスナップ写真に写ってる遺書とやらの文字ね、ホントにカズの書いた字だと思うかい？」

意外な問いかけだった。由美子はそんなこと、まったく考えていなかった。

「それは……」スナップ写真を手に取って、もう一度じっくり見直した。でも、よくわからない。小さすぎて、内容も断片的にしか読みとれないのだ。素直にそれを、網川に答えた。

「お兄ちゃんは字が下手だったの。すごく下手だった。お兄ちゃんが出前の注文を受けてメモを取ると、あたしにもお母さんにも読めなくて、文句をいったくらいだもの」

網川はスナップ写真に向かって顎をしゃくった。「その字もえらく下手だよね。だから由美ちゃんは何の疑いも抱かなかったわけだ。これはカズの書いたものだって」

実際には、衝撃が大きすぎて、そんなことまで頭が回らなかっただけだが、由美子はうなずいた。

「じゃ、イタズラなんでしょ？　これ、遺書なんてニセモノなのよね？」

網川は薄笑いを口元に浮かべて答えない。

「お兄ちゃんがこんな遺書なんか書いたわけないもの。だけど、いったいどこの誰がここまで手の込んだイタズラをしたのかしら。ホテルのフロント宛に送られてきてたのよ。しかも差出人はお母さんだって。そう書いておけば、必ずあたしが開けるって思ったのね」

網川は、顔の角度はそのままに、目だけ動かして由美子を見た。じいっと、興味深い動物でも観察するように。それから言った。

「それ、本物だよ」

由美子は彼の微笑につられてほほえんでいた。その表情のままに、止まった。

「手紙の内容も真実だ。最初から最後まで、全部ホントのことだよ」

由美子はスナップ写真を取り落とした。それが手のなかで動いたように感じられたのだ。抗議するように身をよじって。

「そんな……」

呼吸が苦しくなる。また足元が砂地になって、下へ下へ、どんどん吸い込まれてゆく。

「カズの遺書は、彼らがグリーンロードで死んだ翌日に、僕のところに届いた」

網川は、台詞《せりふ》を棒読みするみたいに言った。由美子から視線をはずして、窓の方をながめている。まぶしそうに目を細めて。

「読んで仰天したよ。もうニュースじゃ大騒ぎを始めてたから、事件のあらましは知ってたし、とにかくこれは大変なものだと思った。とんでもない証拠を、僕は握ってるんだと思った」

「だけど……それならどうして……」

「すぐ警察に届けなかったのかって？」網川は問い返して、苦笑しながらかぶりを振った。「届けなくても、もうあの二人が連続誘拐殺人事件の犯人だと決まったようなもんだって思ったからさ。最初から、どのニュース番組だって、そう決めつけてた。だから、わざわざこんなものを届けなくたって、用は足りてると思ったんだ。それに、マスコミに追いかけられたり、警察に事情聴取されたりするのはゴメンだった。下手をすると、僕まで事件の関係者だったんじゃないかなんて、勘ぐりかねないからね、無能な刑事どもは」

由美子は身体《からだ》がぐらりと傾くのを感じた。

頭に浮かぶのも、喉元《のどもと》にこみあげるのも、ひとつの思い、ひとつの言葉だけだった。

どうして？　どうして？　どうして？

「僕は遺書を握りつぶして忘れることにした」淡々と、網川は続けた。「でも、そうこうしているうちに、報道を通して知る事件の捜査が穴だらけだってことを知った。カズに関しては物証が全然出てこないし、二人が犯行に使っていたアジトも見つからない。声紋鑑定にかける材料がないから、例のＨＢＳの特番にかかってきた電話も決め手にならない。ないない尽くしだ」

それで思ったんだよ——と、少しばかり強い口調で、網川は言った。「これはちょっと面白いぞってね」

由美子はオウムのように彼の言葉を繰り返した。面白いぞ？　面白いぞ？

「由美ちゃん、ディベートって知ってるかい？　討論会みたいなものだけど」

由美子はただ呆然《ぼうぜん》と網川を見るだけだ。え？　何だって？

「僕は大学のサークルで何度かやってみたことがあるけど、すごく面白いんだ。得意だったんだよ、ほとんど負けなかったからね」

ディベートは純粋に討論の技術を競い磨く場だから、そこで主張する説が、自分の信念と食い違っている場合もある。たとえば、個人としては安楽死に反対でも、ディベートの場では安楽死擁護派として論陣を張ることもあるわけだ。

「僕はそれを応用してみようと思った——つまり、僕は日本中でただ一人、動かし難い証拠を持ってカズが事件の共犯者の一人だと知っているけど、そのうえで敢《あ》えて、カズは巻き込まれただけの被害者で、ヒロミと組んでいた真犯人Xが存在するという仮説を、世間に納得させることができるかどうか、チャレンジしてみようと思ったんだ」

由美子の頭のなかが真っ白になった。彼の言うことについていかれない。だが、網川はもう、何のためにこんな話をしているのかということさえ忘れているようだ。楽しげに、誇らしげに語り続ける。

「すごい困難な事だよ。見上げるほど高いハードルだ。連続殺人者を扱い慣れてないおバカな警察はともかくとしても、世論があの二人を犯人だと決めてかかっていたからね。どうしてかかって言ったら、早く安心したかったからだ。怖い殺人犯は死んだ、ああもう大丈夫だって思いたがってたからだ。それをひっくり返すには、大変なエネルギーが要る。いつ仕掛けるかという問題もある。大衆を不安のなかに突き落とす作業は、タイミングが肝心だからね」

だから僕は、警察がのろのろ捜査するのを、もう少し眺めて待っていた――

「そしたら、何ともおあつらえ向きなことに、警察に輪をかけてバカな前畑滋子なんて女が、警察ベッタリのルポを書いてちょっとしたヒットを打ってくれた。ここが仕掛け時だと僕は判断した。〝捜査本部〟なんていう漠然とした組織を相手にするよりも、個人の意見に反論して叩《たた》きつぶした方が、大衆にアピールするためにはずっと効果的なんだ」

由美子は何か言おうとしたが、顎がガクガクしてしゃべることができなかった。網川はそんな由美子をちらりと見ると、やっと少しばかり慰めるような口調になって、

「もちろん、由美ちゃんたちが気の毒だっていうこともあったよ」と、付け足すように言った。「やったのはカズで、由美ちゃんでもご両親でもない。だけどここが日本人の悪いクセでね、家族っていう単位に絶対的な信仰を抱いてるから、死んじまったカズには負わせることのできない責任を、由美ちゃんたちに負わせようとするのさ。僕はそんな愚昧《ぐまい》な大衆の攻撃から、由美ちゃんたちを救い出したいとも思ったんだよ」

由美子はやっと言った。「あたし――あたしはだけど――あたしは本当に、お兄ちゃんは犯人じゃないって信じてたのに」

網川は身を乗り出し、由美子の腕を軽く叩いた。「由美ちゃん、大人になれば、家族だって親友だって、互いの内面を底の底まで知り尽くすことなんてできないよ。カズの心には、由美ちゃんにはけっして見せることのない暗闇《くらやみ》があったんだ。その部分

については、前畑滋子の小説っぽい分析も外れてなくはないんだな。ま、彼女はロマンチストみたいだからね。女はみんなそうだけど」

「前畑さんが……?」

「そうさ。彼女のルポを読んだかい? 一応文章は日本語になってるけど、基本的な考え方は、アメリカの犯罪ノンフィクションから丸ごといただいてるだけさ。サル真似《まね》もいいところだよ。まるっきり事実を見ちゃいない。結局、自分の書きたいことを現実に転移して書いてるだけなんだ」

由美子は顔をあげた。涙がぽろりとコーヒーテーブルの上に落ちた。網川は由美子の泣き顔を、ぐずる子供をあやす父親のように見おろしていた。

「僕は成功した」と、きっぱりと言った。

「今や形勢はまったく逆転。日本中が僕の味方だ。警察でさえ、水面下では僕の説を信じて、真犯人Xが僕に接触してくることを期待してる。由美ちゃんは今や悲劇のヒロインだ。ずっと閉じこもってるからわからないだろうけど、外へ出てごらん、事件が始まったばかりのころには、まるで鬼や怪物を見るように君を遠巻きにしていた人たちが、走り寄ってきて抱きしめてくれるよ。あなたの悲劇はわたしの悲劇でもあるってなことを言ってね。すぐにも君をお嫁さんにほしいという男だって、きっといるよ」

由美子はただ、網川を見つめることしかできなかった。もう言葉も無かった。何を言ったらいいのかわからなかった。

「この卑《いや》しい脅迫者のことなら、心配しなくていい」網川はあっさりと言って、スナップをつまみあげた。「どこの誰だか、僕にはだいたい見当がついてる。直接僕に送りつけるんじゃなくて、由美ちゃんを狙《ねら》ったところなんか、一見狡猾《こうかつ》なようだけど、実はこいつが臆病《おくびょう》者だってことをあらわしてるじゃないか。僕とまともに渡り合うだけの頭も勇気もないんだよ。大丈夫、こいつなら退治することができる。結局は金目当てなんだからさ」

網川は、由美子の心の内などわかっていると言わんばかりの態度だ。由美子が彼の意見に賛成すると、頭から決めつけている。だから由美子は、混乱する心のなかから何とか言葉を探し出して、吐き出さずにはいられなかった。

「本当のことを――言うべきだわ」

網川は、バラエティ番組のなかのお笑いタレントみたいに、大げさに驚いた表情をした。

「本当のことって？」

「この——遺書のこと」

「言ってどうするの？」

「どうするって——だってそれが真実なんだもの」

「それで由美ちゃん、また石もて追われる身になるのかい？　お父さんもお母さんも、せっかく落ち着いた生活を取り戻したのに、また流れ者に逆戻りだ。それどころか、お父さんの病気は悪くなって、とりかえしがつかなくなるかもしれないよ」

わかってる。そんなことは言われるまでもなくわかってるのだ。でも——

「頭でわかることと、現実にそれを身に受けることとは、全然違うよ」網川は確かに由美子の心を読んでいるようだった。「今さらこの遺書を世に出して、真実とやらを明らかにしようなんて、そういうのはね、由美ちゃん、小学生の正義感というんだよ。だって、そんなことをして誰が得をするんだい？　せいぜい前畑滋子が鼻の穴をふくらませてテレビに出るくらいさ。だけど彼女は、由美ちゃんのために何もしてくれやしないよ」

そうだ。前畑滋子はしょせん他人だ。由美子の人生を肩代わりしてくれるわけではない。それは、まさに由美子が考えていたことなのだ。

「それだけじゃない、君を取り巻く状況は、最初のころよりも、もっとずっと悪くなるよ。たとえば君が、僕の反対を押し切って、遺書を公開したとしよう。〝真実〟を明らかにしなくちゃいけないと思ったからって、涙ながらに説明したとしよう。でもそんな話、世間は受け入れないよ。全部網川浩一が勝手にやったことで、わたしは何も知りませんでした、知らされて驚きましたなんて言ったって、誰が耳を貸すもんか。みんな言うさ——あんなきれい事を並べて、とんでもない女だ、どうせ最初からすべて知ってて嘘《うそ》をついていたくせに。ずっと網川とツルんでいたのに、知らなかったわけがない。今ごろになって遺書を公開したのだって、警察が、高井和明がやっぱり犯人だったっていう動かぬ証拠を見つけだしたからじゃないのか。だから先回りして、少しでも自分の言い訳を通して、立場をよくしようとしてるだけじゃないのか」

由美子の惑乱した頭にも、網川のその言葉は伝わった——そう、彼の言うとおりだ。今さら真実を持って公《おおやけ》の場に出ていっても、由美子には一人の味方もついてくれないだろう。

「だからさ、由美ちゃん」

網川はソファから立ち上がると、由美子の傍らに来て、膝《ひざ》をついた。

「この手紙とスナップ写真のことは、忘れてしまえよ。ね？　なかったことにしよう。どう転んだって、僕らはもう離れられない間柄なんだ。僕らも一種の共犯者なんだよ。

だから僕を裏切ったり、僕から離れようとしないで、ずっとそばにいておくれよ。僕も由美ちゃんに、けっして損はさせないからさ。僕らは同志、盟友なんだよ」

由美子は両手で目を覆《おお》った。網川を見たくなかったし、見られたくもなかった。手のひらでつくりあげた小さな闇のなかに、ほの白く浮かびあがるのは、兄の呑気《のんき》そうな笑顔だった。それは、世の中の誰に対しても、敵意なんて、爪《つめ》の先ほども抱いていない顔だった。由美子の信じていた顔だった。


寒い夜だった。凍える夜だった。澄み切った真冬の空を彩《いろど》る満天の星も、微少な氷のかけらのように見える夜だった。

それは深夜の出来事だったので、すぐには大きな動きが起きることはなかった。午前三時。都心でも、メルバホテルのあるこのあたりでは、路上から通行人の姿が消える。すぐには誰も気づかないかもしれなかった。

それでも、音が聞こえたのだろう。後になって詳しい情報を得るまで、網川浩一は、第一発見者は深夜タクシーの運転手あたりだろうと考えていた。しかし実際は、どすんという物音を聞きつけたホテルの従業員が、もしやと訝《いぶか》りつつ外へ出てみて、嫌な予感が的中していることを発見したのだった。

網川の部屋に報《しら》せにきた従業員はとても若く、たぶん去年の春に採用されたばかりなのだろう、動転しているのがありありとわかった。手が震えていたし、顔は真っ青、こいつ泣き出すんじゃないかと思ったほどだ。チャイムを鳴らさず、ドアをどんどん叩いてお客を起こすなんてことも、本当は従業員マニュアル違反なのだろうが、そんなことなどまったく忘れている様子だった。

彼自身は驚いていなかった。どちらに転ぶか、半々だと予想していたから。それでも、右に転ぶか左に転ぶかで、今後の行動と計画がまったく違ってくる。だから彼はあれこれとシミュレーションをしていて、眠れなかった。一応は部屋の明かりを消し、寝間着に着替えていたものの、ずっと椅子《いす》に座って闇を見つめていたのだ。

おかげで、ドアを開けて従業員と顔をあわせたとき、いかにもさっきまで熟睡していて、明かりがまぶしくて仕方がない、まだ寝ぼけてぼうっとしている――という顔をつくることができたのは幸いだった。従業員が運んできたニュースに、すぐに驚いたり素早く反応したりできなかった――何だよそれ、どういうこと？　悪い夢じゃないの？　そんな態度をとってみせるためにも、寝ぼけ顔は大いに役立った。

「わ、わかった。とにかくすぐ行きます。着替えて――いや、とにかくすぐ下に降りますから」

ずっと一人で黙り込んでいたので、舌もうまくまわらない。これもよかった。若い従業員は涙ぐんだような目で、

「は、はい。警察にはもう連絡しました」と、同じようにつっかえつっかえ言った。

「救急車は？」

「あ、呼んだと思います」

「思うじゃないよ、早く呼べよ！」

「あ、はい、すみません」

若い従業員が立ち去ると、網川浩一はゆっくりとドアを閉め、そこにもたれかかった。

ここは何階だっけ。最上階。十一階だ。それじゃ、救急車なんか呼んでももう無駄だよな。だけど一応は呼ばないとまずいだろ、ホテルマン君よ。

メルバホテルを滞在先に選んだのは、都心に集まっている出版社やテレビ局に通うには足の便がいいが、その割には閑静で、こぢんまりとしているのが気に入ったからだった。

近代的な高層ホテルとは違って、客室の窓が開き、そこから外に出ることができるということには、滞在を決めてから気がついた。そのときには、特に何も感じなかっ

た。ずっとここに泊まるかどうかも、当時はまだわからなかったからだ。

だが、結果的にはそれが功を奏したことになる。

高井由美子は飛び降りた。十一階の窓から、地上へ。

網川浩一は、ぴったりとカーテンを閉じた窓に目をやった。ここはひとつカーテンを開けて、窓から下を見るべきなんだろうな。目を見開いて、自分も落ちてしまいそうなほどに身を乗り出して、由美子が落ちた場所を確かめようとするべきなんだろうな。

しかし、彼は動かなかった。なんだかひどく面倒な気がした。わかってはいたけれど、億劫《おっくう》な気がした。なにしろ、これから先は大変だ。今まで以上に慎重にふるまわなければならない。泣いてみせることだって必要かもしれない。気が進まないけれど。

子供のころから、どんな表情でも自由自在に浮かべることができた。どんな態度でも、完璧《かんぺき》に演じることができた。その場その場で、そのときの相手の望むままに。時にはそれが、相手が自身では気づいておらず、無意識に望んでいる表情や態度であっても、網川浩一は鋭くそれを見抜いて、先回りして演じることができたのだ。

天分というものなのだと、彼は思っていた。

それでも、泣くことだけは苦手だった。嘘泣きは上手にできたためしがない。

高井由美子の自殺には、きっと彼の涙が必要だろう。守るべき姫を失った正義の騎士は泣くべきだ。だが、あれは嘘の涙だと見抜かれるくらいなら、いっそ泣かない方がいい。少々冷たい人間だと思われる危険を冒す方が、空涙を嗤《わら》われるよりも遥《はる》かにましだ。

あのスナップ写真もワープロ文の脅迫状も、由美子の手からきちんと取り戻してある。こんなもの、君が持っていたってしょうがないだろ？　とにかく今夜はおやすみよ。そう言って、彼は由美子の部屋を出てきた。彼女はぽつんと座り込んでいた。顔には何の表情も浮かんでいなかった。付けるべき仮面がひとつも失《な》くなって、途方に暮れているみたいに見えた。使い手に脱ぎ捨てられ、椅子の上にぽんと放り出された指人形のように見えた。操り人形なら、まだいい。糸が切られても、人形の本体が残るから。だが指人形は違う。操り手がいなくなったら、中身は空っぽの抜け殻なのだ。それどころか、人形としてさえ不完全なものになってしまうのだ。

栗橋浩美と高井和明が死んでから、十一月いっぱい、網川浩一はひたすら待っていた。捜査の進展を。発見される物証を。引き出される目撃証言を。それらがひとつでも彼の方を向いていたら、迅速に、ふさわしい行動を起こさねばならなかったから。

それでも、ただ待つのは辛《つら》かった。だから彼はいろいろと書いた。高井和明の遺書もそのひとつだ。あれは〝山荘〟で書いた。二人があんな形で死んでしまった以上、もう偽物《にせもの》の遺書など必要なかったのだが、それでも書いた。気晴らしに、時間つぶしに書いたのだ。氷川高原一帯の道路封鎖が解けるまで、ただあのあたりの道を走っているだけで検問に引っかかる可能性がなくなるまでは、とにかくじっと我慢して、山荘に身を潜めていなければならなかったから、時間はいくらでもあったのだった。

そして天運は、網川浩一に味方した。

栗橋浩美の所持していた携帯電話が事故現場から発見されなかったときには、快哉《かいさい》を叫んだものだ。あれを調べられたら、ヒロミとピースが始終電話をかけあっていたことが露見してしまう。あれがいちばんの危険材料だった。しかし発見されなかった。赤井山が呑《の》み込んでくれたのだ。

あの〝山荘〟は彼の名義にはなっていない。母親の所有物だ。しかも名字は彼と全然違っている。よほど突っ込んで調べない限り、あそこと網川浩一のつながりなど、誰にもわかるまい。木村庄司を拉致《らち》した場所が場所だったから、〝山荘〟近辺まで警察の捜索の手が伸びてくる可能性は充分にあったけれど、人家も別荘も星の数ほどある。単純なローラー作戦では、彼の名前が浮上することなどあり得ないという自信があった。

山荘へ来るときも帰るときも、けっして有料道路を通らないようにしていたので、彼の姿や彼の車が、どこかの監視カメラやオービスに引っかかって、撮影されているということはない。それも、ずっと気をつけていたのだ。いちばん最初から、ずっとずっと。

だからまず、事故現場と事故車（あの忌々《いまいま》しい高井和明の車だ）から、網川浩一と栗橋浩美とを直接的に結びつける物証が出てこなければ、それはそのまま安全圏に入れたことを示していた。そのうえ連日の報道を見ていると、高井和明の孤独な私生活や、彼の視覚障害のことまでが、思いがけず〝犯行〟の動機付けとして語られるようになってきた。もともと闇《やみ》よりも暗い真っ黒の犯人である栗橋浩美と一緒にいたこと、トランクに木村庄司の死体を積んでいたことだけでも、充分に不利な材料だったのに。高井和明は、思っていた以上にうってつけだったのだ。網川浩一の代理、犠牲《いけにえ》の子羊として。

十二月に入ると、網川は自身の安全を確信した。警察は捜査を継続していたが、それはヒロミのマンションからあんな写真が出てきたからだ。彼が、ちょっとぐらいいいじゃないかと、〝山荘〟からあれらの資料を東京へ持ち帰ったのは、一年ぐらい前のことだったろうか。網川はいい気分ではなかったのだが、女性達の所持品や衣類は絶対に外に持ち出しちゃ駄目だぞと釘《くぎ》を刺して、後は黙っていた。現像は〝山荘〟の暗室でやっていたので、ネガはしっかり保管してあるから心配ない。栗橋浩美のねじくれた精神が、ああいう写真を取り出しては眺めることで何らかの満足を得られるというのならば、その有り様を観察することも、いずれ何かの役に立つかもしれないと思ったし、あんまり文句を言って口論になるのは避けたかったからだ。栗橋は自分では相当の頭脳の持ち主だとうぬぼれていたが、中身はてんでバカだった。カッとなると、その場の思いつきでとんでもないことをやりかねなかった。現に、いくつかやらかしてくれた。日高千秋の一件など、その好例だ。だから、差し障《さわ》りのない範囲内では、ときどき本人の好きなようにさせた方がいいと思っていた。それでもコントロールが利《き》きにくくなってきたら、もう切り捨てるしかない。

だから、事が拡大し始めてからは、できるだけ早いうちに栗橋浩美を〝処分〟してしまおうと、網川はずっと考えていた。

栗橋に高井をくっつけて赤井山へ送り出したときには、とりあえず高井に罪を着せて、ほとぼりが覚めたらひっそりと栗橋を自殺させようかと考えていた。その時点では、世間は高井の話題で持ちきりになっていることだろうから、彼の幼なじみで、彼よりもずっとよくない評判の持ち主である栗橋の自殺は、必ず連続女性誘拐殺人事件と結びつけられるだろう。それでエンドだ。いいじゃないかと思っていた。

ところが、現実はあんなふうになった。グリーンロードでの栗橋と高井の事故死。二人がいっぺんに片づいて、網川の手間を省いてくれた。しかも幸運に幸運が重なり、網川は完全に事件の圏外に逃れた――

そのまま放っておいて、忘れたってよかったのだ。そうするべきだったのだ、きっと。

だが、何か物足りなかった。何か不満足な感じが残った。社会がこれだけ騒いでいる事件に、もう少し関わっていたかった。関わる権利は充分にある。なにしろ彼は当事者なのだから。

そんな折に、テレビで前畑滋子を観《み》たのだ。彼女のルポも読んだ。連載第一回。あの感傷的な書き出し。〝絶望の約束された場所〟とか何とか。えらく話題になり、前畑滋子は注目を浴びた。だが網川浩一に言わせれば、あんなものはただの作文でしかなかった。

腹立たしかった。イライラした。自分だったらもっと上手《うま》くやれると思った。こんな半端《はんぱ》な女ライターがちやほやされるなら、自分などもっと高いところまで行けるだろう。

だいいちこれは、もともと彼の紡《つむ》いだ筋書きなのだ。彼のドラマなのだ。前畑滋子など、何の関係もない。一片の権利も持ち合わせてはいない。警察官でも弁護士でも犯罪心理学者でもない、どこかで聞いた覚えがあるような紋切り型の修辞や比喩《ひゆ》を並べなければなにひとつ書けないようなあの女に、彼のドラマを横取りされて、どうして黙っていられるだろう？

取り返そう――そう思った。ドラマをこの手に。

ただそれには、不本意ながら遅れをとってしまった以上、前畑滋子と同じ道を通っては駄目だ。別のルートを開き、この事件に別の光をあてなければ。

それには、高井和明の無実を訴え、真犯人Xの存在をぶちあげるのが、いちばん効果的だった。派手で、人目を惹《ひ》き、誰もがその続きを知りたがる。これ以上望めないほどの素晴らしいストーリー。

だから、網川浩一はそれを創《つく》りあげてきた。皆が望むように、創りあげてきた。

彼にはその能力があるのだから。

真犯人X。それはほかでもない、網川自身だ。だが、自分が疑われるかもしれないなんて、これまでつゆほども案じたことはない。だってそうじゃないか。網川が真犯人Xならば、どうしてわざわざ高井の疑いを晴らしてやろうなどとするのだ？　黙って隠れていれば、警察だってマスコミだってひいては社会全体だって、自動的に栗橋・高井を犯人だと認めて、事件そのものを終息させるのに。真犯人が、どうしてその流れに異を唱えるわけがある？

みんなそう考えるだろう。事実、そう考えている。網川は盲点に入ったのだ。これもまた、彼が子供のころから得意としてきたことだった。誰一人、彼を見れども、けっして見えることのない場所に身を置くこと。隠れる必要さえない場所に。

それで上手くやってきた。

高井由美子が兄の無実を叫んでいるということは、親しかった同級生として、栗橋家や長寿庵にちょっと近づいてみるだけで、すぐにわかった。彼女はその意見を隠そうともしていなかった。現に、高井の中学時代の恩師、柿崎《かきざき》先生に相談していた。柿崎先生は高井の葬儀に参列して、その話を聞いていた。網川はそのことを、直《じか》に柿崎先生から聞いた。あの先生なら何か知っているかもしれないと、連絡をとってみたらすぐに教えてくれたのだ。網川はあらためて、学生時代の自分がどれだけ教師たちの好意と信頼を集める頼もしい存在だったのかということを噛《か》みしめた。

柿崎先生は、すでに他校の校長にまで出世していたが、この件に関してはずいぶんと弱気だった。患《わずら》って手術をしたとかで、体力も落ちているようだった。

――高井由美子さんを気の毒に思うが、今の私には何もしてあげられない。かつての同級生たちだって、こんな事態になっては、手助けすることもできないだろうし、したくもないだろう。でも君、網川君、もしも良かったら、どんな些細《ささい》なことでもいい、由美子くんの力になってやってくれないかね。君にこんなことを頼む権利は私にはないが、栗橋や高井の家族がどうしているかと案じて、私などのところにまで連絡をくれたのは、君一人なんだよ。

わかりました、僕にできることなら何でもやります。網川は先生にそう約束した。だからこそ、由美子が母親と家を離れて身を隠したときにも、柿崎先生を通して、彼女の行き先を知ることができたのだ。

あとは、彼女の近くに潜んで、接近するタイミングを待つだけだった。そしてそれも、思いがけないほどに上手く運んだ。あの日、わざわざ三郷《みさと》のバスターミナルまで出かけて行く由美子の後を尾《つ》けたときには、彼女が何をしようとしているのか、さっぱり見当がつかなかった。が、行ってみればあのとおり。由美子の信頼をつかむだけでなく、あの前畑滋子の懐《ふところ》にまで飛び込む機会が転がり込んできたというわけだ。

由美子はずっと利用していても良かった。少なくとも当初の計画では、警察が真犯人Xを探しきれず、栗橋と高井を一連の事件の犯人として、「犯人死亡のまま書類送検」という形で決着をつけてくれるころまでは、由美子を手元に置いておこうと思っていた。

　そしてそれでも網川は高井の無実を叫び続ける。そのパフォーマンスを続ける。だが、それだけでは次第にマスコミも離れてゆくだろう。テレビだって遠のくだろう。それでいい。静かに、穏やかに、自身の主張は変えずに貫きながら、ただマスコミがそれを取り上げてくれなくなった――という形で、栗橋と高井からは離れて行けばいい。

　そして網川は、おもむろに次の本を書くのだ。素材は犯罪ものでもいいし、教育問題でもいいだろう。それが話題になったら、またマスコミが近づいてくる。栗橋・高井の件はどうなったのかと問われたら、自分の主張は変わっていないと答えればいい。ずっとそれを主張し続けるためにも、僕はジャーナリストとしての活動を続けるのだと答えればいいのだ。

　その過程のどこかで、由美子とはやんわりと手を切ればいい。彼女の方で〝切られた〟と感じないように、上手く距離を空けて。

　そういう計画だった。逆に言えばその計画では、網川がいいというまで、由美子の方から勝手に離反されては困るのだった。

だが、日曜日のあの失態以来、由美子の彼を見る目が変わってきた。疑ったり、責めたりしているのではない。ただあの瞳《ひとみ》に、ある種の〝期待はずれ〟の色が浮かぶようになったのだ。

もちろん、その〝期待はずれ〟は、網川の提示した事件の筋書きに関するものではない。由美子はそんな賢い女ではない。あの女は身の程知らずにも、この網川浩一を自分のものだと思い込んでいたのだ。そしてそれが事実ではない、自分の錯覚だと気づいた途端に、裏切られたような気分になり始めたのだ。

拙《まず》い展開だった。

だから彼は、罠《わな》を仕掛けた。あの脅迫状と、偽物の遺書のスナップ写真を送りつけて。

そして彼女に、本当はカズが犯人だって、僕は最初から知っていたんだよと言ってやったのだ。

彼女がどう反応するか、そこからが五分五分だった。網川の話を信じ込み、もう二度と世間から爪弾《つまはじ》きにされたくない、今の生活と今後の人生を守りたいという一心で、今までどおりに彼の元に留まり、彼の命令に従い、彼の指人形になるか。

それとも、死を選ぶか。

高井由美子は後の方を選んだ。

おかげで網川浩一は、これからしばらく、死者の魂を背負うふりをしなければならなくなった。

ようやくパトカーのサイレンが聞こえてきた。まだ遠いが、澄んだ夜気のなかを冴《さ》え冴《ざ》えと響き、近づいてくる。

新しい一幕の始まりだ。網川はゆっくりと身体《からだ》を起こした。そして、ちょっと笑った。

当分のあいだ、人前では笑顔を見せることができない。我慢して、沈痛な顔をつくらねばならないのだ。今のうちに笑っておかないと、自分が可哀想《かわいそう》だと思った。

## 26

高井由美子の自殺は、まさに激震だった。

塚田真一は、早朝、ロッキーの散歩をせがむ声に起こされた。寒さに震えながら着替えているところに、石井良江が駆け込んできた。そして、そのニュースを知った。階段を駆け下り、リビングに行くと、石井善之もテレビの前に釘付《くぎづ》けになっていた。

「いつ？」

まだ寝ぼけているような頭を振って、真一は尋ねた。いや、眠気など飛んでいる。ショックで頭が働かないのだ。

「昨夜《ゆうべ》だって。三時ごろだとか」

「泊まってたホテルの窓から飛び降りたそうだ」善之がテレビ画面を指さした。「ほら、あの窓だ。まっすぐ落ちて、ホテルの前の歩道に叩《たた》きつけられたらしい」

灰色のコンクリートの上に、白いチョークで人の形が描いてある。花が手向《たむ》けられ、立入禁止の黄色いテープが張り巡らされているが、ホテルの玄関前は報道陣でごったがえしている。

「いったいどうして？」

真一は声に出して問いかけたが、良江や善之は返事をしなかった。善之はテレビに見入っているが、良江は不安げに眉《まゆ》を寄せて真一を見ている。

「大丈夫、シンちゃん？」

真一は踵《きびす》を返すと、洗面所に飛び込んだ。冷たい水を顔にぶっかけて、何度も何度もぶっかけて、頭を垂れ、蛇口を全開にしたまま両手で洗面台の縁につかまった。

この前の日曜日、成り行きとは言え、由美子にとっては辛《つら》いことばかりが起こった。

あの時の彼女の顔。あの女性カメラマンと対峙《たいじ》した時の由美子の表情。自分のやったこと。自分の言ったこと。思い出してみる。この前の日曜日の一件だけじゃない。前畑滋子のアパートを出るときにも、真一は由美子にひどいことを言った。あのときは本当にそう思ったから、ただカッとなったから怒鳴ったわけじゃなくて、あれは真実そう思ったから言っただけだけど――

――あなたは樋口めぐみと同じだ。

――エゴイスト！

そうだ、ずっとそう思っていた。由美子は逃げていると思っていた。自分の足で立っていないとも思っていた。真一は彼女を責めた。彼女が気の毒だと思う気持ちもあったけれど、非難する気持ちの方が、いつだってはるかに強力だった。だけどその非難のなかには、本来は彼女に向けるべきものなんて、わずかしか含まれていなかったのじゃないか。非難の大部分は、真一の内側にあった憤怒《ふんぬ》、不公平な運命への怒り。ただそれを、手近な標的である由美子に向けただけではなかったのか。

日曜日以来、由美子に何があったのか？　女性カメラマンのことで、網川と喧嘩《けんか》でもしたか？　それとも彼女のことだから、黙って呑《の》み込んでふさぎこんでいたか？

いや、そんなんじゃない。そんな単純な話じゃない。高井和明の死以来、由美子はいつも崖《がけ》っぷちにいたのだ。崖っぷちに向かって立っていたのだ。そして彼女の背中を、強い風が押していた。一歩どころか半歩でも動いたら下に落ちるのに、彼女をよろめかせ、その半歩を踏み出させようと、強風が吹きつけていた。

その風のなかには、塚田真一の風も、確かに混じっていたはずだった。

玄関のチャイムが鳴った。良江が急いで出てゆく。テレビの音が大きくなる。

「おはようございます！　朝早くからすみません」

水野久美の声が聞こえた。

「あ、水野さん！」

「ニュースで見てびっくりして。塚田君は？」

良江が真一を呼ぶ。返事もできず、まだ顎《あご》の先から水を滴《したた》らせながら、真一は呆然《ぼうぜん》と突っ立っていた。バタバタと足音がして、洗面所のドアが開く。

「塚田君！」久美が飛び込んできた。寒さで頬が紅潮している。ジーンズに赤いセーター。

「由美子さんのこと、聞いたでしょ？　ね、大丈夫」

後についてきた良江が、気を利《き》かせるつもりか、リビングの方に戻ってゆく。

真一は何か言ったが、自分でも聞き取れないくらい、言葉になっていなかった。

「え？」久美は近づいてきて、真一の腕に触ろうとした。彼はぴくりと手を引っ込めた。

「何て言ったの？」

久美はつぶらな瞳《ひとみ》をいっぱいに見開いていた。半ば両手を差し出すように、指をこちらに向けて――

「どうして」真一はかすれた声を絞り出した。今度は言葉になった。「どうしてみんな、俺に大丈夫かって訊《き》くんだ？」

「え？」

真一は久美を見た。「どうしてみんな、誰かが死ぬと、俺に大丈夫かって訊くんだよ。俺のせいじゃないのに」

「塚田君……」

息を呑んで、久美はへたりと両手をおろした。「そんな……そんな意味で訊いたんじゃないのよ。あたしはただ」

彼女の言葉など耳に入らなかった。譫言《うわごと》のように、真一は言った。「だけどホントにそうなのかな？　俺のせいじゃないのかな？　ホントは俺のせいなんじゃないのかな？」

「何言ってるの――」

「だって、俺のまわりでいっぱい死人が出てるじゃないか。どんどん人が死んでるじゃないか」

目の裏に蘇《よみがえ》る。大川公園のゴミ箱のなかから転がり出た、あの右腕。赤紫色のマニキュアに染められた爪《つめ》が、まっすぐに真一を指さしていた。

死神。死神。塚田真一よ、おまえは死神だ。おまえこそが死神だ。生者を騙《だま》すことはできても、死者の魂は騙せない。おまえは自分が生き延びるために、自分のなかの暗い負債を吐き出して楽になるために、周囲に死を振りまいている――

「こんなに人が死んでるのに」真一は呟《つぶや》いた。「どうして俺はまだ死なないでいるんだろ。さっさと死んじまえばいい人間なのに、なんで俺だけ生きてるんだろ」

時が停まるような沈黙があった。流れる水の音さえ消えて、冷え冷えとした空気もそのままに。

素早く息を吸い込むと、水野久美が一歩進み出て、手を振り上げ、真一の頬を叩いた。

鮮やかな音がした。真一の目の裏に火花が散った。がくんと顎が下がった。

久美は真一と目があうと、自分の手を見おろした。真一の頬を打った右手を見おろした。手のひらが赤くなっていた。まるでそこに何か大事なことが書いてあって、急いでそれを読みとらなければならないとでもいうようなせっぱ詰まった目つきで、久美は手のひらを見つめていた。

それからその手を握ると、口元にあてて、ぽろぽろ泣き出した。

「ど、ど、どうして」とぎれとぎれに、涙の合間に、「どうして、そんなこと、言うの。どうして、そんな」

真一は何もできずに、久美に近寄ることもできずに、両腕を垂らしてただ突っ立っていた。久美はぎゅっと目を閉じると、どしどしと地団駄を踏んで、しゃにむに真一に飛びかかってきた。

「どうしてそんな、勝手なことを言うの！　どうしてあたしたちの気持ちがわからないの！　どうして死んじゃえばいいんだなんて言うの！　どうしてみんなが塚田君のこと心配してるのがわからないの！」

華奢《きやしや》な拳《こぶし》を握りしめ、振り回し、あたるをさいわいに真一を殴ったりぶったりしながら、久美はずっと叫んでいた。やがて殴るのも叩くのもやめると、両腕で真一をつかみ、揺さぶりながら、なおも叫んだ。

「あたしはここにいるのよ！　塚田君だってここにいるのよ！　どうしてまっすぐ前

教えてよ。どうしたら、塚田君を助けられるのよ？　あたしはそうしたいのよ、あなたに元気出してほしいのよ、自分なんか死んだ方がいいんだなんて、言ってほしくないのよ。ねえ、それにはどうしたらいいの？　何が足りないのよ、教えてよ。お願いだから教えてよ。そしたら、何でもしてあげるから。あたしにできることなら、何でもしてあげるからぁぁぁ」

嗚咽《おえつ》しながら、久美は真一にしがみついて、しかしその腕が緩んで、彼女はぺたりとその場に座り込んだ。

ゆっくりと、ごくゆっくりと、真一のなかで焦点があった。何か、身体《からだ》の底で長いこと眠っていたつかみどころのない影みたいなものが、久美の呼ぶ声にようやく目を覚まし、真一のなかで手足を伸ばし始めるのを感じた。

彼は屈《かが》んで、両手を久美の肩に置いた。「ごめん」

最初は、ため息みたいな声だった。

「ごめん」

もう一度、今度は少し、はっきり言えた。

「ごめんよ」

久美は顔をあげた。涙で顔がぐちゃぐちゃだ。それでもとてもきれいに見えた。

「バカ！」

涙を飛び散らせながらひと言叫んで、久美は真一に抱きついてきた。彼もしっかりと抱き留めて、抱きしめ返した。久美の涙が耳を、頬を、顎を濡《ぬ》らした。抱き合いながら、彼女はなおも思い出したように、真一を揺さぶった。そこに真一がいることを確かめるみたいに、強く、強く。


二人で有馬豆腐店を訪ねるころには、テレビでも本格的な報道が始まっていた。老人は、かつての店の奥の小さな座敷でそれを見ていた。ひっきりなしに煙草《たばこ》を吸っているらしく、灰皿に吸殻が山になっている。

「有馬さん」

真一が声をかけると、老人は大儀そうに振り返った。

「ああ、おはよう」

「大丈夫ですか？」

「大丈夫だよ。なんで大丈夫かなんて訊くんだよ？」

二人ともおあがり——と言う老人の顔は、しかし、急に老《ふ》けたように見えた。

「まだ細かいことはわからんね。局によって、遺書があると言うとるところもあるし、ないと言うとるところもある」

それは初耳だった。真一と久美は顔を見合わせた。

「遺書があれば、少しは事情がわかるかもしれないけど」と、久美が小声で言った。

「やっぱり――」

老人は言って、チビた煙草を吸殻の山のなかに突っ込んだ。煙草は消えず、薄い煙が立ちのぼる。

「やっぱり、私が訪ねていったのがいかんかったのかもしれんね。私はあの人に会ったりしちゃいかんかったんだね」

考えることは同じだ。真一は首を振った。「そうじゃないですよ」

「だけどな……」

「それに、会いに行ったのは有馬さんだけじゃありません。僕も一緒でした。それ以前にも、僕は由美子さんに怒ったことがあるし」

義男は黙って真一の顔を見た。真一も目をそらさずに、老人の視線を受け止めた。

「そんなことを言い出したら、きりがないです。何がいちばん悪かったのかなんて、考えたらきりがないです」

「そうですよ」と、久美も言った。

老人は何も言わなかった。テレビから目をそらして、また新しい煙草をくわえただけだった。

「それでも、ひとつだけ確かに言えるのは、由美子さんにあんな生活をさせてちゃいけなかったってことです。網川と一緒にしておいちゃいけなかった」

真一は、日曜日のあの一件の翌日、網川に大川公園に呼び出されたことを話した。そこに樋口めぐみが現れたことも、彼女が網川に、自分の父親の事件について本を書いてほしいと持ちかけたことも、網川が乗り気の様子だったことも、全部話した。そのせいで自分が狼狽《ろうばい》し、動転して、そのまま墨東警察署の捜査本部へ行って、あてにしていた武上刑事には会えなかったけれど、篠崎という彼の部下と話をしたことも。

「今となっては、こんなことを言い出しても由美子さんの慰めにはならないけど、篠崎っていう刑事さんの話しぶりから、まだ表向きにしていないけれど、捜査が動いているんじゃないかって印象を受けたんです」

「動いているって言っても、なあ」

「何となくだけど、それに網川がからんでいるような感じもしました」

有馬義男は額にしわを寄せた。「どういうふうに？」

「具体的なことは言ってくれなかったけど、ただ、網川をあわてさせることができればいいんだけど、というようなことを、篠崎刑事は言ってました。そういうような言い方で、僕に、網川のことは心配するなって伝えようとしていたんじゃないかって――そんな気がするんですけど。ひょっとすると堅い証拠が見つかって、網川の説をひっくり返して、事件を固めることができそうな、見通しがついたのかもしれません」

義男は渋い表情のまま、再びテレビに目を向けて、リモコンを取り上げ、スイッチを切った。

「今日は、長寿庵に行ってみようと思っとったんだ」と言った。「近所の人たちに会って、高井和明がどんな男だったのか、聞かせてもらおうと思ってさ。だけども、やめにしたよ。当分、何もできないね」

これには、真一も久美もうなずくことしかできなかった。

「この事件で、これ以上の人死《ひとじ》には出したくなかったよ」

肩を落として、義男は言った。

「いったいこれは、いつ終わるんだろうね。いつになったら終わりが来るんだろう」

## 27

同じテレビ報道を、前畑滋子は『ドキュメント・ジャパン』の編集部で見た。

最初の日は、一日テレビを見ていた。編集部の誰とも口をきかず、誰かが買って来た新聞を片っ端から読み、読んでしまうとまたチャンネルを替えてニュース番組を探してテレビを見る。食事もしなかった。

次の日からは、まったくテレビを見なくなった。スタッフの何人かに、由美子の遺書が見つかったり、網川浩一が事情聴取を受けるとか、記者会見を開くなどの動きがあったら教えてくれるように頼むと、後は自分の机に向かった。疲れると、机に突っ伏したり、机の下に潜り込んで毛布をかぶって眠った。

家を出て以来、滋子はずっとここにいた。ここで生活していた。『ドキュメント・ジャパン』編集部に机を置く場所をつくってもらって、夜は仮眠用のソファで眠った。前畑の家を出て、昭二と別れることになったので、当面行き先がない、アパートを見つけるまで編集部に居候《いそうろう》させてくださいと頼むと、手嶋編集長はたいして驚いた顔もせず、寝袋ぐらいは自分で買って来いと言った。ライターや記者の面々も、少しばかり好奇心をそそられたような顔はしたものの、滋子から身の上話を聞き出そうと試みる猛者《もさ》はいないようだった。

だから滋子は、『ドキュメント・ジャパン』編集部という砦《とりで》のなかで由美子の死を知り、その後の網川を観察してきた。彼は由美子の死に動揺しているように見えた。少なくとも、彼が、レポーターが差し出すマイクから逃げるような仕草を見せたり、新聞各社の取材を断ったりするのは、登場以来初めてのことである。各テレビ局にはファクスを送って、由美子の葬儀が済んだところで記者会見を開くので、それまで待ってほしいというコメントを出した。ほかの誰よりも自分がいちばんショックを受けている、その心情をご理解願いたいと、ここのところの彼にしては、珍しくしおらしい調子のコメントだった。

無理もあるまい——滋子は皮肉に考えた。一人でどれほどの人気者になろうと、彼のルーツは〝高井由美子の白馬の騎士〟であってその看板を失ったら、すぐにも足元がグラついてしまうことはわかりきっていた。少なくとも栗橋・高井の事件が公的に終結するまでは、網川は由美子の庇護《ひご》者として行動しなければならない立場にあったのだ。それなのに、その肝心の由美子を死なせてしまった。取り返しのつかないミスだ。

そう、網川にしては考えられないような大失策だ。滋子はそれをまた不審に思うのだった。彼はいったい、何をどう間違ったのだろう？　それとも、滋子が少し網川浩一の頭脳を買いかぶりすぎていたのだろうか？　彼とて、まだ世慣れない部分の多い一人の若者にすぎず、由美子のような大きなマイナス材料を背負わされて生きていかねばならない女性を支えるには、やっぱり力が足りなかったというだけなのだろうか。そして思い出すのだ——留守番電話に残されていた由美子の途切れがちなメッセージを。

——あたし、よくわからなくなってて。

由美子は何がどうわからなくなったと言っていたのだろう？　網川との関係か？　彼の真意か？　それとも事件の真相についての確信か？　兄の高井和明は真犯人ではないという確信が揺らいだとでも言いたかったのだろうか？

あのときなぜ、すぐにも由美子の居場所を突きとめて会いにいかなかったのだろう。つまらない意地のせいだ。滋子の意見をはねつけて網川についていった由美子を、滋子は滋子なりにまだ勘弁する気になれなかったのだ。

そうだ、あたしは怒っていたんだ。滋子はあらためて気がついた。網川と行動を共にして、網川のキャンペーンの旗印としておさまっている由美子が、時折まるで悲劇のヒロインのように見えることに、むかつくような怒りを感じていたのだった。あんたはちっとも犠牲者なんかじゃない、本当の犠牲者は、古川鞠子をはじめとする殺された人びとなのだ、勘違いをするんじゃないよと、心のなかで糾弾していたのだった。

だから助ける気持ちにもなれなかったのだ。

だから、留守番電話に残された由美子のメッセージを聞き、彼女の現状に不安を覚えながらも、こちらから連絡をとらなかったのだ。放っておいたのだ。もちろん滋子自身も離婚の危機に直面して、それどころじゃなかったということはある。余裕がなかった。だけど、それはしょせん言い訳だ。滋子は由美子にかまいたくなかった。だから彼女を見捨てた。

そこから逃げることはできない。言い訳を並べて身をかわすこともできない。誰に非難されるよりも先に、滋子は自分を責めている。そのときが来たら、充分に罰を受けよう。

しかし、今はそのときではない。今の滋子にはやるべきことがある。網川浩一の過去を洗うという仕事。そも彼が何者であり、どこから来たのかを突き止める仕事。

そしてそちらの作業は、少しずつではあるが、前進しているのだった。彼の身辺を調べるのは、手間はかかるがけっして難しいことではなかった。どうして今まで誰もこの作業をしなかったのだろうかと、訝《いぶか》ってしまうほどだった。

盲点だったからだ。彼の主張、彼の存在自体があまりにくっきりと鮮やかだったので、彼がそのスポットライトのあたる場所へ出てくるまで、どんな道をたどってきたかなんて、誰も気にしなかったのだ。それに、彼はまだ登場して日が浅い。犠牲者が多く、事件が大きいのでつい錯覚しがちになるが、実はこの事件は、露《あらわ》になってから、半年も一年も経過しているわけではないのだ。すべての発端である大川公園事件が起こったのが、去年の九月十二日。赤井山グリーンロードで栗橋浩美と高井和明が事故死したのが十一月五日。そして、網川が事件のなかに登場したのは、年明けの一月二十二日。HBSテレビに出演したのが最初である。その翌日に、『もうひとつの殺人』が書店に並んだ。

そして、今はやっと三月六日だ。網川のテレビ出演から数えるならば、実は四十日ほどしか経《た》っていないのである。ぽっと出のタレントだって、四十日では消えない。四十日では、まだ過去のスキャンダルだって発掘されない。

しかし警察はどうだろう。捜査本部は、すでに網川の身辺を調べているかもしれない。警察の捜査は綿密で組織的だが、目立たないように進めるし、わかったこともなかなか公《おおやけ》にしない。だから、滋子のやっていることは、ひょっとしたらすでに捜査本部がやり尽くしたことで、ここを掘っても何も出てこないとわかって調べるのをやめたことを、徒《いたずら》になぞっているだけに過ぎず、結局何も出てこないのかもしれない。自分でもそれがわかっている。だから滋子はときどき、ただ由美子の自殺という事実に直面しなくてはならない時をちょっとでも先に延ばすために、あたしは時間稼ぎをしているだけじゃないのかと自問せざるを得なくなる。そうするともう途端に気力が失《う》せて、机に向かっていても電話をかけていても、その場で何もかも放り出し、穴を掘って隠れてしまいたくなるのだ。

「何してんだ、頭を抱えて」

滋子は顔をあげた。手嶋編集長が、からかうような目つきでこちらを見ていた。

「お望みの古い電話帳が見つかったよ」

分厚いイエローページを投げて寄越した。滋子は受け止められずに落としてしまい、苦笑しながら床からそれを拾い上げた。昭和五十一年版の二十三区内の職業別電話帳だ。ありがたい、これで調べを進めることができる。

滋子が今探しているのは、昭和五十一年当時、まだ小学生だった網川浩一が母親と暮らしていた賃貸マンションの管理業務を請け負っていた不動産会社の連絡先だった。このマンション自体は現在も賃貸物件として存在しているのだが、仲介管理をしている会社は八年前に前任会社から業務を受け継いだそうで、網川母子《おやこ》が入居していた当時のことは何も知らないし、もちろん記録もないというのである。前任会社は城東エステートという有限会社なのだが、現在はどこを探しても存在しない。後を引き継いだ業者も、当時の城東エステートの所在地などを記した書類は、とっくに廃棄処理してしまって手元にはないし、社長の名前さえはっきりとは覚えていないという。「確かね、城東エステートさんは会社を廃業しちゃったんです。それで自分とこで請け負っていた仕事を他社に回したんだよね。社長さん、当時でもう六十を過ぎてたから、引退するつもりだったんじゃないですか。それにしたって、何を調べてるんです？」

網川母子がこの賃貸マンションに入居する際に、誰が保証人になっていたか、それを知りたいのだった。滋子の推測に間違いがなければ、それは「天谷英雄《あまたにひでお》」という人物であるはずだった。

網川浩一は昭和四十二年四月に、千葉県市川市で、網川啓介《けいすけ》と網川聖美《きよみ》の第一子として誕生している。他に兄弟姉妹はない。また、網川夫妻が結婚・入籍しているのは、彼の誕生のわずか五ヵ月前であり、誕生後一年で離婚している。

この離婚の際、浩一は母親に引き取られ、母親の戸籍に入った。聖美は旧姓に戻らず、網川を名乗り続けた。彼女の本籍地は東京だったので、母子二人のこの新戸籍もその本籍地に置かれている。

ところがそれから二年後、網川浩一が三歳のころに、網川聖美は突然、東京都世田谷区在住の天谷英雄という人物と養子縁組をして養女となり、天谷姓に改姓する。普通ならば、聖美の実子である網川浩一も、このとき天谷の籍に入って母親と同じ姓になるかと思われるが、なぜかこのとき、浩一は父親である網川啓介の籍に戻される。網川啓介はすでに再婚しており、妻とのあいだに一人（女の子）をもうけていたので、浩一は戸籍上は義母と異母妹と共にいることになったのだった。

ただしこれはあくまでも戸籍上のことであり、浩一は実際には母親と共に暮らしていた。この当時の聖美と浩一の住民登録は、天谷英雄の住所地と同じところにされている。聖美はそこで数年を暮らし、やがて城東エステートの仲介物件である賃貸マンションに移転し、住民登録もそこに移す。もちろん浩一も一緒だ。こうして、栗橋浩美と高井和明が、転校生として網川浩一に出会うことになったわけである。

それにしても妙な話だ——と、ここまでを追いかけてきて、滋子は思った。

天谷英雄は昭和二年九月生まれだから、年齢的には聖美の父親であってもおかしくはないのだが、彼には妻とのあいだに男子三人女子二人の五人の子供がおり、その子供たちは聖美とおっつかっつの年代である。となると、聖美を養女にしなくてはならない理由が、跡継ぎがほしい、老後の面倒を見てくれる子供がほしいということではないことは確かである。この年代でも、五人の子持ちはむしろ珍しいくらいだろう。

さらに天谷は資産家である。ニュースなどで彼を紹介しなくてはならない場合は、たぶん、〝貸しビル業〟と呼ぶのがいちばんふさわしいだろう。首都圏に多数の不動産を所有しており、事実上そこからの収益だけで左うちわの暮らしをしている。

世田谷の自宅も、敷地は二百坪以上あり、広い庭のなかに大小三棟の住宅が点在している。滋子が確認できた限りでは、そのうちの一棟に天谷夫妻が、一棟に長男夫妻が、いちばん小さく貧弱な一棟に住み込みの使用人が住んでいるようである。長男以外の子供たちも、それぞれに結婚して独立しているが、住んでいるのは父親が所持している物件のなかか、父親名義の土地の上に建てられた家のなかか、いずれにしろ、誰も父親の手のひらの上からは出ていない。

〝養女〟の聖美以外は。

これが文字通りの養子縁組であるわけはない。誰だってすぐにピンとくるだろう。ほぼ百パーセント間違いなく、聖美は天谷英雄の愛人だったのだ。資産家の男性が、法の庇護を受けることのできる立場にはいない自分の愛人に、何らかの形で財産を残してやりたいと思うとき、奇手として使うのがこの〝養子縁組〟である。妻の座には据えてやれないかわりに、娘として扱うわけだ。

さらに、やはり九十九・九パーセントぐらいの確率で、網川浩一は、聖美と天谷英雄のあいだにできた子供だろう——と、滋子は考えた。網川啓介と聖美との奇妙に短い結婚期間を考えあわせると、どうしてもそうとしか思えない。

ずいぶんと複雑な家庭環境だ。網川浩一は、母親に、正確に誰が父親だと教えられて育ったのだろう？

網川啓介か？　それとも天谷英雄か？

いや、実際問題としては、彼女自身にもはっきりわからなかったのかもしれないという可能性もある。彼女が天谷と網川啓介と、同時期に二人と付き合っていたのだとしたら、充分にあり得る話だ。とにかく聖美は妊娠した——どちらの子だ？　それぞれの男にはどううち明ける？　天谷は妻子ある身だ。すぐには責任をとることはできない。一方の網川啓介はどうだろう？　彼が天谷というもう一人の男の存在を知らず、聖美を愛していたのならば、妊娠をうち明けられて、あるいは彼の方が彼女の体調の変化に気づいて、かえって喜んだのではあるまいか？

そして二人は結婚した。浩一が生まれる。幸せの絶頂だ。しかし、聖美は天谷ときっぱり手を切れただろうか。天谷の方にも彼女と切れる気があったろうか。浩一は天谷の子供であるかもしれないのだ。

事態はけっして収拾したわけではなかった——だからこそ、網川啓介と聖美は一年で離婚したのだ。それから聖美が天谷家と養子縁組するまでの二年足らずの期間は、天谷家内の紛糾の調整期間だったろう。あるいは、この時期に天谷と浩一のあいだの親子鑑定が行われたという可能性もある。

結果として聖美が天谷の養女になれたのに、浩一は網川啓介の籍に返されたという事実は、どう解釈したらいいだろうか。確かに浩一は天谷と聖美のあいだの子供だったが、天谷夫人と子供たちの抵抗が強く、母子をまとめて天谷籍に入れることはできずに、聖美ひとりを養女にするところで妥協した——いずれにしろ、聖美が受け継ぐ天谷の資産は、その子供である浩一に渡るのだから——という解釈がひとつ。もうひとつは、聖美を養女に迎えるために、天谷と浩一の親子鑑定をしてみたら、皮肉にも浩一は啓介の胤《たね》だったことが判明した、という解釈だ。それでも天谷は聖美には執着があり、彼女は自分の庇護のもとに置いたが、自分の子供でもない浩一は、実の父親のところに追い出した——

しかし、受け入れる側の啓介だって困惑したろう。一度は自分の子ではないとあきらめた子供だ。しかも再婚し、今度こそ本当に愛する妻と娘に恵まれて、新しい人生を築こうとしている矢先に、浩一という過去からのおつりを押しつけられて、果たして彼は喜んだだろうか？　父親としての実感や浩一に対する愛情など持ち得ただろうか？　それを要求するのはあまりに酷だ。結果として浩一は母親のそばにとどまり、やがては母子一緒に天谷家の敷地内からは出てゆくことになる。

　しかし、母子の暮らしは、天谷英雄のバックアップなしには立ちゆかなかったろう。城東エステートの社長や社員に尋ねれば、当時のそのあたりの事情がわかるかもしれない。会社自体はもう存在していないのだから、かえって気軽に昔のことをしゃべってくれるかもしれない。

　小説家じゃないのだから、あまり想像力ばかりたくましくしても仕方がない。滋子は頭を振って考えを整理した――どんな経緯があったにしろ、ひとつだけ確実なことがある。それは、幼年期から思春期を通して、網川浩一が、彼自身の居場所というものを、きわめて見つけにくい人生を強いられてきたということだ。彼が誰の子供であっても迷惑をする人がいる。怒る人がいる。いっそ彼がいない方がせいせいするという人が、確実にいる。

　網川浩一の戸籍謄本《とうほん》を取り寄せれば、彼は今でも、戸籍上は父と義母と異母妹と一緒にいる。もしも滋子の以前に、網川浩一という人物のプライバシーに好奇心を抱いて、彼の家族関係を調べた記者やレポーターがいたとしても、この網川啓介の戸籍謄本をちらりと見ただけでは、大したことは気づくまい。ああ、父親は再婚なんだな、今の母親は彼にとっては義理の間柄だということを見てとるだけで、そんなことは昨今珍しくもないと思うだけだろう。もう一歩踏み込んで、浩一の母親である天谷聖美という女性を調べてみて、初めてこの奇妙な人間関係が見えるのだ。

生まれたときから居場所のない、どちらへ行っても誰かの邪魔になるという役割を押しつけられた子供。それが網川浩一だったのだ。いつもニコニコしているから〝ピース〟とあだ名されていたという少年は、実は不安定きわまりない家庭環境のなかで、味方といえば頼りない母親一人しかいなかった。

網川浩一のあの目立ちたがり、騒がれたがりは、愛情に飢えていることの裏返しではないのか。ニコニコ笑っているだけでは、大人社会では通用しない。有能であること、特別な人間であることをアピールして、自分で自分の居場所をつくっていかねばならない。

安易に彼に同情したり、彼のことをわかったような気分になってはいけない。滋子は自分にそう言い聞かせて、電話帳のページを繰った。不動産業者のページは呆《あき》れるほど多く、広告もたくさんあって、目がチカチカしそうだ。そんななかで見つけた頭に「城東」のつく会社は八社、そのうち「城東エステート」は二社。それぞれの所在地をメモし、上の方から電話をかけてみた。すぐに通じた。現在も営業している会社である。しかし、滋子の求める賃貸マンションの仲介管理はしたことがないという。電話を切って、もうひとつの方にかけ直す。求める「城東エステート」がこれで、廃業しているならば、この電話はつながらないはずだが——

「はいはい」と、老人の声が応答した。

滋子は手早く事情を説明した。話しながら、例の不動産会社は「城東エステート」ではなく、「城東建物」とか「城東不動産」とかそういう名称だったのじゃないかと、頭の隅で考えていた。

そのとき、電話の向こうの老人が言った。

「ああ、覚えてますよ、天谷さんね。あたしが会社をたたむ前に、最後に仕事したお客さんだから」

「天谷さんにマンションの賃貸の仲介をしたのは昭和五十一年ですよね？　ですから、それが最後じゃないでしょう？　そちらさまの廃業は八年前だから」

老人は笑った。「ああ、そうそう。あたしが言ってるのは仲介じゃなくて、ほかの仕事させてもらったからね」

滋子は耳から受話器を離し、ちょっと見つめた。「失礼ですが、あなたが元の社長さんですか？」

「そうですがな」

「会社は閉めてしまったのに、電話は生かしてあるんですね？」

「うちの電話だからね。会社と言っても小さかったからさ。家内工業だよ」

「そうですか。天谷さん――天谷聖美さんと彼女のお子さんのことで、ちょっとおうかがいしたいことがあるんです。これからおじゃましてもよろしいでしょうか」

「あたしはかまわんけど、天谷さんの奥さんに会いたいなら、直接行けばいいのに」

「どちらですか？」

「氷川高原だよ」

滋子は一瞬、耳を疑った。

「何ですって？」

その夜――午後九時五分。前畑滋子は氷川高原駅に降り立った。ホームからエスカレーターを走って降り、改札口を抜けて、店じまいするところだったキヨスクで氷川高原一帯の地図を買った。そのまま、今度はタクシー乗り場へ向かう。年輩の運転手に、城東エステートの江崎《えざき》社長が教えてくれた地番を告げると、車はすぐに走り出した。

「あの……ここは別荘地なんですよね？」

運転手は愛想良くうなずいた。「氷川高原でも、いちばん早い時期に開発が始まった別荘地ですわな。お客さん、こちらをお訪ねになるのは初めてですか」

はあ、という気の抜けた返事をして、滋子は長く震えるため息をついた。ここは確かに氷川高原であり、江崎社長が教えてくれた別荘地も所番地も実在する。それでも、まだ信じられなかった。都合のいい夢を見ているのではないかという気がした。

東京を発《た》ってからずっと、激しい動悸《どうき》が鎮《しず》まらないまま、ときどき息苦しくなるほどだった。車の振動にあわせるように、今も心臓が胸の奥で飛び跳ねている。そこで興奮が弾《はじ》けているのか、目の裏がチカチカする。

網川浩一の母・天谷聖美は、今から八年前に、彼女の義父であり愛人であった天谷英雄から、氷川高原北の別荘地帯にある山荘をもらいうけているのだ。ほかでもない氷川高原に。木村庄司が拉致《らち》殺害された土地であり、捜査本部が栗橋・高井のアジトが存在している確率がもっとも高いと注目してきた地域だ。

そこに、網川の母親が別荘を持っている。

江崎社長は、突然の電話での問い合わせを怪しむ様子もなく、天谷英雄から聖美へと、その山荘の名義変更をしたのがウチの最後の仕事だったと説明してくれたのだった。

「天谷さんは長年のお得意さんだったから残念だったけども、私は糖尿病が重くてね、商売続けていくのがしんどなってしまって」

呑気《のんき》な口調だった。どうしてこんなにのんびりしていられるんだ？　この情報がどれだけ重大なものかわからないのだろうか？　開いた口がふさがらないとはこのことだ。

「ちょ、ちょっと待ってください、社長さん。社長さんは、天谷さんと聖美さんのあいだに息子さんがひとりいるのをご存じでしょ？」

「知っとりますよ、もちろん。山荘の名義変更だってあんた、その子のための財産分けだったんだから。ほかにも株券とか債券とか、なるべく贈与税がかからんようにあれこれ按配《あんばい》して、天谷さんぎょうさん分けてやったんですよ、その倅《せがれ》に」

「その子――天谷さんの子供――もう今では立派な成人ですけど、どうしているかご存じですか？」

「さあ、知らんわね。商売やめてしもたでね。天谷さんとは年賀状だけやりとりしとるけども、なんでも去年だか大病なさってほとんど寝たきりだっていうけどね」

「聖美さんの近況はご存じですか？」

「だから氷川高原の山荘に住んどるでしょ。名義変更したときに、本人が、都会はイヤだから空気のきれいなこっちに定住するんだ言うてたんですよ。それとも、あのあと気が変わったんかね」

もしも天谷聖美が山荘に住んでいたなら。定住してはいなくても、ときおり訪れて滞在する習慣があったなら。それを考えると、滋子の足元から冷気が這《は》いのぼってきて、背中の方まですっぽりと包み込んだ。ひょっとしたらアジトとして使われたかもしれない山荘。天谷聖美は一連の犯行について知る機会があった？　知っていて知らぬふりをしていた？　人間はそこまで邪悪になれるものか？

いや、今さら驚くまい。網川浩一が、彼自身が真犯人Xであるのかもしれないという、天地が逆さまになるような可能性を認める以上、ほかのどんな可能性だって認めざるを得まい。何があったっておかしくない。

滋子は電話をいったん保留にすると――江崎社長は他人とのおしゃべりに飢えているのか、待たされることを少しも嫌がらなかった。――手早くメモを書いて手嶋の机に回した。至急、天谷聖美の現住所を調べられたし。メモを読んだ手嶋が顔色を変えるのを見て、滋子は思わず笑った。さっきのあたしも、きっとあんな顔をしたに違いないと思った。

「それで江崎さん、ご存じだったら教えていただきたいんですけども、八年前の財産分けね、どういういきさつで、天谷さんがまだお元気なうちにそんな手続きをすることになったんですか?」

江崎社長はそこで初めて、自分に質問をぶつけてくる電話相手の素性に疑問を持ったらしい。「あんたさん雑誌記者だとか言うてたけど、何調べてるの?」

「それはちょっと申し上げられないんです」

「天谷さんが持ってた銀座のビルね、松坂屋のそばのね、あれの件かね」

どうやら、資産家の天谷はまだほかにも火種を抱えているようだ。滋子は適当に答えた。江崎社長は勝手に納得してくれて、

「あれだったら私はよく知らないよ。あのビルは聖美さんとは関係ないしね」

「そうですか。でも聖美さんは、天谷氏と養子縁組をなさってますよね。ですから、天谷氏にもしものことがあった場合には、他のお子さんと同じように遺産を相続することができるはずですよね」

「それがだから、違うんだわ」江崎社長は楽しそうに否定した。「そういうことにな

らないように、本妻さんと子供さんたちが天谷さんをえらい突き上げよってね、それで八年前に、聖美さんには一応の財産分けを先にしよったんです。で、聖美さんはほかには何も要求しませんいう一筆を書いたの」

「まあ、そうだったんですか。でも、お二人のあいだの息子さんの分は？」

「それが、あんた、難しいところでね」

天谷英雄は、本当なら、聖美と網川浩一を同時に養子に迎えたかったのだという。

「聖美さんはともかく、子供さんにとっていちばんいいのは、天谷さんに認知してもらうことですわな。ところがそれは本妻さんが絶対に承知せん。しょうがないから二人とも養子という奇手を使おうとしたわけですわ」

その際に、天谷は網川浩一とのあいだで親子鑑定を行った。もっともこれも、天谷の本妻と子供たちの強硬な要求に従ってのことであったようだ。

「ところがなあ、皮肉なことにその結果があんた、いかんように出てしもて」

浩一が天谷の子供である可能性は二十パーセント弱という結果が出たというのである。「聖美さんは結婚してたんですものね。じゃ、旦那さんの」

「そうだったんだわな。それであんた、子供は養子にできなくなってね。天谷さんは聖美さんに惚《ほ》れてたから、自分の胤でなくてもかまわなかったらしいけどね、周りはそれじゃ承知せんわけよね。まあ、後になって聖美さんがいくら正式に養子縁組してもらってても天谷の家に居づらくなって出ていったのも、雀の涙ぐらいの財産分与してもろて遺産を放棄することになったのも、みんなみんな、子供が天谷さんの胤でなかったことが災いしたんだわね。だけど聖美さんとしちゃ、子供捨てるわけにはいかんでしょ」

「戸籍の上では捨てたようなもんですよ。父親の籍に入れっぱなしですから」

「あ、そうかね」

「もっとも、聖美さんもずっと、子供と一緒に住んでたみたいですけどね。子供は何事もなく東京の学校に通ってますから。現在はどうかわからないけれど」

「はあ、だからあんたさんは聖美さんの今の住所を探していなさるわけだね」

「そうなんです。ところで社長さん、聖美さんの子供さんの名前を覚えておられますか?」

江崎社長はかなり考えてから、「コウジとかいうたかねえ」と答えた。滋子は礼を述べ、またご連絡すると思うのでよろしくと言って電話を切った。いつでもいいよと、社長は嬉《うれ》しそうだったけれど、日本中のマスコミに追いかけ回されるようになったら、こんなにニコニコ楽しくしていられるかしら、糖尿病にもよくないんじゃないかしらと、滋子はちょっと心配になった。

気がつくと、手嶋がすぐ後ろに立っていた。「天谷聖美は、三年前に住民票を氷川高原に移してる」

滋子は立ち上がった。「行って来ます」

懐中電灯を持って行けと、手嶋は言った。網川啓介と彼の妻と娘については、こちらで近況を調べておく——

山道に入って、タクシーは揺れがひどくなった。滋子は膝《ひざ》の上に載せたボストンバッグを抱きしめた。大きな懐中電灯と携帯電話、カメラ、メモ帳、小型テープレコーダー。今でも充分に重いバッグだが、帰り道には、このなかにもっともっと重いものを詰め込みたい。動かぬ物証というものを。

「所番地から行くと——この上の家だと思うんだけどねえ」

凍りついて真っ暗な真冬の森のなかを、ヘッドライトだけを頼りに進みながら、運転手が困ったように闇《やみ》を見あげる。

「私らもこっちの方まではめったに来ないですよ」

「ずいぶん下の方で、二、三軒の別荘の脇《わき》を通り過ぎたきり、ほかには家は全然ありませんものね」

「そうですねえ。お客さん、ホントにここらでいいんですか？」

運転手は心配そうにちらりと滋子を見返った。滋子は、そのときちょうど、森の切れ目から顔を出した三角屋根のシルエットに目を奪われて、返事ができなかった。

あれだ、あの山荘だ。

「あの建物です。近くまで行って停めてください」滋子は懐中電灯を握りしめた。


暗かった。どこもかしこも真っ暗で、しかもつるつるに凍っている。氷川高原が、避暑地として人気があるが、冬場はまったく寂れてしまうのは、まさにこの気候のせいなのだが、滋子はいささかそれを甘く見ていた。歩きやすいウオーキングシューズを履いてきたが、それでも足元が滑って危険だった。滋子がよろめいたり転びそうになったりするたびに、大型の懐中電灯がつくりだす強力な黄色い光の輪が、元気のいい幽霊のように闇の木立のあいだを跳ね回った。

山荘は、確かにそこにあった。近づくにつれて全体像が浮かびあがってくる。ロッジ風のしゃれた三角屋根。広いポーチ。煙突が二ヵ所にある。鎧戸《よろいど》がきちんと閉められた窓。衛星放送用のアンテナが、屋根のてっぺんに取りつけられていることが、かろうじてこの建物が現実に人間を住まわせる家であることの傍証になっている。それがなければ、ここはまるで、山中に忽然《こつぜん》と現れた山荘の幽霊だ。

明かりは見えない。一ヵ所も見えない。家の周りの斜路にも地均《じなら》しされた駐車スペースにも、車は一台もない。

ざわざわと森が騒ぐ。北風で滋子の耳はちぎれそうだ。革の手袋をしていても、指がかじかんできた。

ゆっくりと家の玄関の方向に近づいてゆくと、急に、後ろから別の足音が聞こえてくるような気がした。滋子はぱっと立ち止まった。木枯らしが耳元をかすめてゆく。

自分自身の鼓動が聞こえる。今や、厚手のジャケットを着込んだ滋子の身体《からだ》は、そのすべてが一個の大きな心臓と化してしまい、全身がどきどきと動悸を打っていた。

気を取り直して歩き出す。と、何歩も行かないうちに、また誰かの気配を感じる。今度は身体ごと振り返る。束ねた髪が背中で跳ねるほどの勢いで。しかし誰もいない。

息づかいが荒くなり、怖がっているのか興奮しているのか、自分でもよくわからなくなってきた。

山荘の入口に続く四段の階段をのぼる。シューズのゴム底が木の踏み板に触れて音をたてる。たん、たん、たん。そして滋子は玄関のドアの前に立つ。片開きだが背の高い扉だ。いかにも重く、頑丈そうだ。鉤《かぎ》型のノブに手を伸ばし、ぐいとつかんで揺さぶってみた。もちろん、鍵《かぎ》がかかっている。

ドアの右脇に、幅五十センチほどのエッチングガラスの嵌《は》め殺し窓がある。洒落《しゃれ》た明かり取りだ。高さは一メートルぐらいだろう。幅五十センチ——上着を脱げば、何とか通り抜けられそうだ。このところ痩《や》せたのが幸いしたと、滋子はひとり、白い息を吐いて笑った。冷気が歯にしみるほど凍《い》てついているのに、血は煮えたぎるように熱く流れて滋子をせきたてている。

さあ、行くぞ。滋子は足元を見回す。中身の空っぽの植木鉢が、階段脇のポーチの隅に転がっている。かがんでそれをつかみ、持ち上げると、エッチングガラスの明かり取り窓の方に向かって振りあげた。

その腕を、突然誰かにつかまれた。

28

「驚きましたよ」

滋子の隣で、大柄な刑事が言った。

警察は、不審人物を捜査車両に乗せるときには、必ず後部座席に乗せるものだ、真ん中に乗せて両脇《わき》を刑事で固めることもあれば、奥に詰め込んで手前に陣取ることもあるが、いずれにしろ、パトカーなどの後部座席のドアは内側から自由に開け閉めできないので、乗せられた不審者は雪隠《せっちん》づめになる――そんな話を聞いたことがあった。滋子はまさに、今その状態に置かれていた。しかも秋津と名乗ったこの刑事は、ただ背が高いだけでなく、熊《くま》みたいにガタイが良かった。彼の身体《からだ》で、反対側の窓はすっかりふさがれてしまっている。

車はどこにでもあるような白っぽいセダンだった。網川浩一の母親の別荘から、坂道を少し下ったところの森のなかに停められていた。車はほかにもう一台あり、そちらは黒に近い濃いグレイのセダン。

刑事たちは全部で五人いた。そのうちの一人、いちばん小柄で髪の白い年輩者がこの場の指揮官役であるようだ。他には指揮官役と同年輩のやせぎすの男が一人。それと秋津と、彼の後輩であるらしい若い刑事が一人。最後の一人は地元の氷川警察署の警察官のようだが、これも役付の、地元署ではそれなりの地位にいる人物のように見えた。ただし、話し方はこの人がいちばん丁寧だ。というより、いっそへいこらしていると言った方がいい。

別荘の前で滋子の腕を捕らえたのは秋津である。滋子は危うく心臓が停まりそうなほど驚いたが、彼は薄笑いを浮かべていた。すぐ後ろにいた若い刑事は、子供のころ、ビックリ仰天した表情をおもしろおかしく表現するとき、滋子の母親がいつも使っていた言葉を、そのまま体現していた。顔じゅう目だらけ口だらけ。

どうやら彼らは滋子よりも前にここに着き、引き上げる間際《まぎわ》であったようだ。そこへ遠くから滋子の乗ったタクシーのライトが近づいてきたので、彼らは車のライトを消し、気配を殺して様子を見ていた。滋子が別荘へのぼる坂道の手前で車を降り、歩き出すと、秋津たちは滋子を尾《つ》けた。そして、滋子がまさに住居侵入をせんと試みた現場を押さえたというわけだろう。

滋子をここまで連れて降りてくるとすぐに、彼らは身分を明かした。が、どうしてここにいたのか、何をしていたのかについては、まったく説明してくれなかった。そのくせ、滋子がどうしてここにいたのか、何をしていたのかについては、厳しく問いつめた。警察のやることっていうのは、いつもこうだ。返事なし。質問だけ。

黙《だんま》り比べをしていては、凍死してしまうと秋津は言った。滋子も、つまらない意地を張るつもりはなかった。実際、この展開に心底驚いていて、とにかく説明が聞きたかったから、まず自分がここに来た理由を話した。

すると彼らは滋子を車に押し込んで、隣に若い刑事を見張り番に残し、もう一台の車の方へ戻って、侃々諤々《かんかんがくがく》と議論を始めた。年長者たちを車に乗せて、秋津は開けたドアに片足をかけ、早口でやりあっている。指揮官らしい年輩の刑事は、無線連絡か、電話をかけているようにも見えた。彼らの吐き出す呼気が、真っ白に凍って見える。秋津が煙草《たばこ》を吸っているので、滋子も煙草が欲しくなり、若い刑事に灰皿はどこかと訊《き》いたら、この車は禁煙だと言われた。

そうやって、三十分ほど経《た》ったろうか。やっと秋津がこちらに戻ってきた。若い後輩を退《ど》けて、滋子の隣にどすんと腰をおろした。ほどなく、指揮官らしい白髪の刑事もやって来て、助手席に座った。追い出された若い後輩は、運転席に落ち着いた。で、この状況なのである。

「それで？」と、滋子はルームミラーに目をやったまま、言った。そこには誰の顔も映っていなかった。そういう角度に調整してあるのかもしれない。

「それでとは？」秋津が問い返した。最初から今まで、彼がいちばん落ち着いているようであり、面白がっているようにも見えるのは、滋子の気のせいだろうか。

「わたし、どうなるんです？　住居侵入未遂で現行犯逮捕？」

秋津は大きな手でぺろりと顔を撫《な》でると、コートのポケットから、くしゃくしゃにつぶれたキャスター・マイルドのパッケージを取り出した。が、中身は空になっていた。彼は舌打ちした。

「わたしも煙草持ってるけど、こっちの若い刑事さんに、ここは禁煙だって言われたの」

秋津は笑った。「窓開けりゃいいだろ、トメちゃん」と、後輩をからかう。若い刑事がちょっとむくれた。

「あなたと私、どちらも当節、肩身の狭いヘビースモーカー」歌うように、秋津は滋子に語りかけた。「あなたが煙草をくれるなら、私は粗末な火ですが差し上げましょう」

「秋津」と、助手席の上司が短くたしなめた。「ふざけるな」

「へいへい」と、秋津はその返事にも節をつけて歌った。

何だコイツ——と、滋子も思った。が、すぐに気づいた。この刑事さんたちも、あたしと同じように仰天していて、興奮してるんだ。

滋子が煙草を取り出し、秋津が火を点《つ》けてくれた。黙って一服、二服。と、助手席の上司が前を向いたまま滋子に話しかけてきた。「前畑さん、我々はこれから少し話し合わなければならない」

滋子は彼を見たが、うなじと後頭部しか見えない。が、さっきまではあらぬ方向を映していたルームミラーに、きっちりと彼の目が映っていた。手品みたいだと思った。警察はこういうことをやって、疑わしい人物に揺さぶりをかけるのだろう。

「話し合うと言っても、わたしにはあなたが誰だかわからないんです。警察の方たちだってことはわかるけれど、階級も立場も、あなたのお名前さえ知らない。何でここにいるのかも教えてもらっていないんですよ」

この人たちは身分をあかしたものの、秋津一人を除いては、名乗っていない。警察手帳は、全員ちらりと見せてくれたけれど、この夜の森のなかだし、一度に五人分も覚えられるものではない。

滋子が彼らの名前や階級、捜査本部でのポジションを知ったら、それを情報源としてルポのなかに書いたり、誰かに言ったりするかもしれない。それを警戒しているのだろう。「まあ、そうだけど」秋津がくわえ煙草でもごもご言った。「あなたは僕のことは知ってるはずですよ。取材の申し込みを受けて、断ったから」

滋子は考えた。確かに、捜査本部の誰か一人でもいいから、ほんの短時間でいいから会ってくれないかと、駄目を承知で申し入れたことがあった。そのとき断った男の声——電話だったけれど、この声だったろうか。

「だったらあなたにうかがいます。秋津さん」滋子は大柄な刑事の方に向き直った。

「いったい何を話し合うって言うんです？」

彼は煙草を消し、吸殻を灰皿に放り込むと、名残惜しそうに長々と息を吐いて、煙を吐き出した。

「あなたはここが網川浩一の母親の別荘だと知って、調べに来た。そうですね？」

「そうですよ。正直にそう言ったでしょ？」

「ええ、まことに素直で正直で結構でした。ですから、その殊勝な姿勢を貫いて答えてください。このことは、誰に頼まれて調べに来たんです？」

滋子は彼の目を見た。「誰に頼まれたわけでもありません。自分で調べに来ただけです」

「ルポのために？　あの雑誌に連載してる？」

「読んでくださってるんですか。それは光栄です」

「僕らは読んでません。資料としてデスクがファイルにしてるだけですよ」秋津は素っ気なかった。「それに先週からこっち、休んでるじゃないですか。行き詰まったのかな？」

滋子は返事をしなかった。

「それとも、新発見があったので、その裏をとるまでは書かなかっただけかな？」

探るような視線を感じて、滋子はさらに堅く口をつぐんだ。

「我々もあなたと同じです」と、秋津は続けた。わかりましたよ、こっちもカードを広げましょう。「網川浩一の母親が、彼女名義の別荘をこの場所に所有しているということを知って、調べに来たんです」

滋子はぞくっと震えた。寒かったからではない。車内は暖房が利《き》いていた。大あたりをあてた――という実感が、今さらのように湧《わ》いてきた。

「僕らの上司、捜査本部のてっぺんの指揮官は高血圧でね」秋津はちょっと笑った。「最初にこの情報をつかんだときには、危うく頭の血管を切ってひっくり返るところでしたよ。あのとき血圧を測ったら、ギネスものだったでしょうね」

助手席の上司も、思わずという顔で笑っている。真顔を保っているのは運転席の後輩だけだ。

「すぐに現地に行って、その別荘が確かにそこに建ってるのか、ただの廃屋や焼け跡じゃないのか、本当に実在するものなのか、蜃気楼《しんきろう》でも書き割りでもないのか、その目で見て確かめて来いと言いました。で、僕らはここに来たわけです。わざわざ氷川署の署長を案内に立ててね」

やっぱりそうだったか。

「そしたら、あなたがやって来た。さっき報告したら、その高血圧のお偉いさん、また倒れそうになりましたよ。今すぐここへ飛んできて、あなたの首をねじ切ってやりたいと言いました。ジャーナリストだと？ しかも女だと？ 最悪だ、首を引っこ抜かない限り、絶対に黙らせることはできんぞってね」

滋子も笑い出してしまった。秋津もハハハと口を開けた。

「だから僕は言ってやりました。落ち着いてくださいよ、警部。まだよかったんです。僕らが先に来て、彼女は後から来たんだから。これが順序が逆だったときのことを考えてごらんなさいよって」

「そしたら？」

「バカ野郎と怒鳴って、電話を切っちまいましたよ」

滋子も秋津と一緒に声をたてて笑った。助手席の上司は、もう笑っていなかった。笑ったことで、不思議に滋子は落ち着いた。この手でつかみとった事実が、滋子の心を鎮《しず》めてくれた。

ゆっくりと、こう言った。「わたしはジャーナリストじゃありません」

秋津がつとまばたきをした。

「本物のジャーナリストじゃありません。確かにルポは書いてるけれど、ああいうものを書くことと、ジャーナリストになることは、全然別です。わたしは本物じゃありません。まがい物です。本物のジャーナリストならやらないような間違いばかり、たくさんしてきました。本物のジャーナリストになれるかもしれないなんて——大それた夢を抱いたのが間違いでした」

それは心底本気で口にする言葉だった。一片の偽りもない、滋子の本音だった。

「だったら何で書いたんです？　今だって、何で調べてるんです？」

「さあね」滋子は肩をすくめた。「自分でも、よくわかりません。ただ、しでかしてしまった失敗の大きさを確かめたかったのかも」

「詩的なことを言いますね」

「いいえ、全然詩的じゃないです。ただ気取った言い回ししってだけのことだもの」

疲れを感じた。安堵《あんど》したからかもしれない。これ以上、自分にはできることはないと、やっとわかったからかもしれない。車内の暖気に、眠気さえ覚えるようだ。

「安心してください。お約束します。このことは、誰にも話しません」

うなずきながら、誰よりも自分自身に向かって、（それでいいよね）と確認するようにうなずきかけながら、滋子は言った。

「警察の捜査を邪魔するようなことは、一切しません。もともと、この場所を突き止めたところで、そこから先は、わたしには何もできなかったんですもの」

「だけど、さっきは偉く勇ましかったじゃないですか。別荘に忍び込むつもりだったんでしょう？」

「勢いで、ね」

「動かぬ証拠を探し出すつもりだった」秋津は確認するように言った。「網川浩一が一連の事件に関わっていたことを示す物証を。被害者の遺留品とか、写真とか――」

「秋津」上司がまたたしなめた。今度は、（しゃべりすぎだぞ）という警告だろう。

「ええ、おっしゃるとおりです。そういうものを探したかった。今までの経過から見て、何か残されている可能性は高いですからね。で、それを見つけ出して――」

「見つけ出して？」

「わからない。警察に駆け込むつもりだったのかしら。少なくとも、テレビ局へ連絡して、中継クルーをひきつれて戻って来るつもりはなかったですよ」

秋津は大きく息を吐いた。「良かった。良かったですよ。我が国の裁判所は、アメリカあたりと比べると、まだまだ証拠の採用基準が緩やかですからね。僕らより先にあなたがあの別荘に踏み込んで、あれこれいじったり持ち出したりしても、ただそれだけで、あの別荘内にあるものすべてを証拠として採用することを禁じたりはしないでしょう。それでも、捜査には大きな障害になります。僕らはまず、ここの家宅捜索の令状をとることから始めなきゃならんのですから」

ちょっと考えてから、滋子は言ってみた。「もしもわたしがそういう行動に出ていたとしたら、網川浩一は、反撃したでしょうね。見つかった遺留品とか、証拠になりそうなものはすべて、ひとつ残らず、前畑滋子が彼を陥《おとしい》れるために仕込んだものだって」

秋津は黙った。みんな黙った。暖機運転のエンジン音だけが、深夜の森のなかに響く。それから、秋津が小声で訊いた。「別荘もまるごと、あなたの仕込みだって言い張るわけですか？」

「あの男なら言いかねませんよ、それぐらい」

「うむ」と、誰かが答えた。秋津かと思ったら、助手席の上司だった。

「約束します。わたしは沈黙を守ります」滋子は言った。「ただ、ひとつ条件があります」

「条件？」

「今この場で、わたしの質問に答えて下さい。警察の人たちは、一般人にペラペラ捜査内容について漏らすわけにはいかないってことは、わかってます。だから、何も言

わなくていいです。わたしが言いますから。これからわたしが言うことが間違ってい
なかったら、黙っていてください。間違っていたら、違うと教えてください。それだ
けでいいです」
　誰も口を開かない。承知という意味だろう。
　滋子は、三度《みたび》ルームミラーを見上げた。そこにはまた、車内のシートが映っている
だけだった。
「網川浩一が、真犯人Xだったんですね」
　返事なし。
「警察が彼に疑いの目を向けたのは、ここに彼の母親の別荘があるとわかったからで
すか？　それとも、ほかにも疑わしい要素が出てきたんですか？」
　秋津が咳払《せきばら》いをした。
「ほかにも何かあるわけですね」
　今度は誰も声をたてない。
「だとすると、彼に関する捜査は、昨日今日始まったわけではないんですね。ただ、
厳重に伏せられていただけで」
　返事なし。

「わかりました。ありがとう」

滋子は言って、目を閉じた。

「彼を捕まえてください。由美子さんを助けるのには間に合わなかった。でも、真実は、どんなに遅くなっても明らかにするべきです。彼を捕まえてください。あの男の、どんな調子のいい言い逃れも、それらしい言い訳も、理屈だらけの弁解も、木っ端みじんに粉砕できるだけの証拠を集めてください。そして、彼を捕まえてください」

お願いします。それだけ言って身体《からだ》を折り、頭を下げた。そのまま、身を起こすことができなかった。

しばらくして、秋津の手が、ほとほとと滋子の背中を叩《たた》いた。

「帰りましょう」

車は動き出した。

かなり長いこと無言のまま走ってから、秋津が言った。「あの別荘は、我々のアジト探しのローラー作戦のリストのなかにも入っていました。リストの、あと二十軒分ほど先に載っていました。たとえ他に何もなかったとしても、遅かれ早かれ、我々はあそこにたどりついていたでしょう」

低いが、力強い声だった。

「網川浩一は、確かに上手《うま》く立ち回ってきました。我々もしてやられた。彼がやってきたようなことは、もしも彼が真犯人であるならば、絶対にやるはずのないことだった。少なくとも、これまでの我々の常識に照らせばそうだった。だからそれが盲点になったんです。たとえばの話、他の補足的事実から彼に疑いを抱くまでは、我々だって、彼の声紋鑑定をしてみようなんて思いつきもしなかった。テレビ局だって、今はまだどこも、そんなことをやってないでしょう。だって、そんな必要がどこにある？ってなもんです。真犯人Xを特定するために、日本中の男を一人残らず調べなくちゃならないとしても、網川浩一だけは真っ先に除外できる。みんな、そんなふうに考えている。そりゃそうですよ。当然だ。真犯人は隠れるものだと、みんな思っていますからね。自分からノコノコ明るい場所に出てくるわけはないって。

しかし網川浩一は、そういう過去の常識では計れない人間だった。それはきっと、彼を犯罪に走らせた動機が、今までの我々の感覚では計れないものだからでしょう。正直言って、今でも僕はまだピンとこないところがある。網川は何を求めて、何のためにこんなことをやったんだろうかって。僕の上司の一人が、要するにあいつは大がかりな芝居をしたかっただけだって解説してくれたけど、それでもまだわからない。わかるのはただ、網川がとんでもない嘘《うそ》つきだということだけですよ。恐ろしく口の上手い嘘つきです。

しかしね、前畑さん。嘘の有効期間は短いものです。その嘘が派手であればあるほどね。彼が世に出てきたのは一月二十二日。今日まで何日経《た》ってますか？　四十日とちょっとだ。それでもよく保《も》った方ですよ。もう限界だ。もう終わりです」

滋子が何の反応も見せないので、秋津は彼女の顔をのぞきこんだ。滋子は眠っていた。窓にもたれて、子供のように眠っていた。

29

時間が経つのが遅かった。夜が明けて日が暮れて、また夜が明けて日が暮れる。それがまるでカタツムリの歩みのようだ。

いつニュースが飛び込んでくるかと思うと、滋子は夜も眠れなかった。テレビをつけっぱなしにしたかったし、スタッフの誰かに様子がおかしいと悟られるのも嫌だったので、編集部の近くのビジネスホテルに部屋をとり、ずっとそこにこもっていた。電話にも出なかった。このままクビになってもかまわない。どうせ、ルポはもう終わりだ。ライターとしての前畑滋子もおしまいだ。かまいやしないと思っていた。

毎日毎日が、イライラとの戦いだった。焦燥で胃が焼け、キリキリ痛んだ。胃の底が抜けて、うっかり飛んだり跳ねたりしたら、身体《からだ》の中身が全部足元にこぼれおちてしまうのではないかとさえ思った。食べられないし、眠れない。

捜査本部の発表はまだなのだろうか。いつになったら動くのだろう。グズグズしているうちに、誰かがひょいと滋子と同じようなことを思いついて、網川浩一の身辺を調べてしまうかもしれない。そしてその人物は沈黙を守らずに、網川にそれを告げるかもしれない。たとえそれが網川との対決を意図しての行為だとしても、結果的には、秋津が言っていたとおり、捜査にとってはひどい妨害行為になる。疑われているということを、網川に気づかせてはならないのだ。彼に対して、何かを捨てたり、隠したり、誰かを言いくるめて口裏をあわさせたり、言い訳の筋書きを練ったりする時間を与えてはならない。潜入工作員のように密《ひそ》かに行動して、網川を包囲して、ここぞという時に電光石火で息の根をとめなければ、網川はきっと、ぬるぬると身をかわして逃げ道を見つけてしまうことだろう。

まる四日間、滋子は奥歯を嚙《か》みしめて我慢した。そして五日目、とうとう辛抱が切れて、捜査本部の秋津に電話をかけようとしているところに、携帯電話が鳴りだした。手嶋編集長からだった。

「今どこにいる？」と、短く訊《き》いた。

「ホテルにいますよ。何でしょう？」

「一人でストライキをしたいなら、いくらしたってかまわん。自由業者のストライキは、イコール自分で自分を飢え死にさせることだからな。こっちは痛くも痒《かゆ》くもない」

何か言い返す気にもならない。いや、言いたいことはある。全部ぶちまけて、自分が見つけたものを手嶋にも見せてあげたい。でも、約束したのだ。沈黙を守ると。

「テレビ局から出演依頼が来た。HBSの報道特番だ。出る気はあるか？」

滋子はきょとんとした。「どういうことです？」

「先方の説明じゃ、これまでのところを総括するそうだ」

「そこでわたしに何の用があるっていうんです？」

「知らんな。ただ、その番組には網川も出るそうだ。高井由美子の自殺以来、生でテレビに顔を出すのは初めてだ」

滋子は電話を握り直すと、座っていた椅子《いす》から立ち上がった。部屋のなかを歩き回る。

「彼は何をしたいんでしょうね？」

「さあな。俺にはわからない。ただ、こんなときにあの男が考えそうなこと、テレビ局に持ち込みそうなアイデアを想像することならできる」

「それを聞かせてください」

「高井由美子の自殺以来、彼はかなり立場が悪くなった」手嶋編集長は続けた。「当然だろう。守るべき旗印を死なせちまったんだからな。あいつのことだから、すぐにも記者会見を開くかと思っていたら、そうしなかったのは、彼自身も、想像以上に自分を取り囲む雰囲気が冷たくなっていることに驚いたからじゃないかな」

滋子はうなずいた。

「だからこのテレビ出演は、劣勢を挽回《ばんかい》するためのものだろう」

「どうやって挽回するんです？」

「高井由美子を守りきれなかったのは残念だが、彼女が死んだのは自分のせいではないと訴えるのさ」

「訴えるのは自由だけど、それが受け入れられるかしら？」

「上手《うま》くやれば、受け入れてもらえるさ。簡単なことだ。他に犯人をつくればいい」

滋子は窓際《ぎわ》に来ていた。下を見おろした。朝からどんよりと曇っている。関東北部はすでに大雪で、予報では夕方ごろから都心部にも雪がちらつくかもしれないと言っていた。

「他の犯人？」

誰だ？ 決まってるじゃないか。それは由美子を見捨てた人間だ。由美子の訴えに耳を貸さず、彼女の言い分を否定した人間だ。

「そうだ」

「わたしですね」と、滋子は言った。「だからテレビにも出したいわけですか」

「当然だな。俺が網川でもそうするだろう。ただ、それが賢いやり方だとは思えないが」

意外だった。

「そうでしょうか？」

「ああ。今は、ひたすら高井由美子の死を悼《いた》んで頭を垂れる以外、網川には得策はないんだ。どんなもっともらしい理由を並べ立てたところで、たとえその相手に本当に責任があったとしても、彼が第三者を指さして非難を浴びせれば、それだけ自分の責任を回避しているように見える。それは絶対、そう見える。そんなこともわからないなんて、網川も少々やきがまわってるんじゃないか。まあ、やっと付け焼き刃《は》が剝がれてきたというだけのことかもしれないが」

滋子は手嶋の言葉をじっくりと噛みしめた。「だけど、彼はそれをやろうとしている」

「そうだ、やろうとしている。君は何か、奴《やつ》にしっぽをつかまれていないか。高井由美子に非難の手紙を出したとか、電話をかけたとか」

「ありません。少なくとも自殺の直前には。わたしたちはずっと、関係が遠くなっていました」滋子は言って、自分でも驚いたことに、ちょっと笑った。「でも編集長。そんなものは必要ないですよ。彼は作り話をするでしょうから。必要なものを、必要なだけ。これまでもずっとそうしてきたんだから」

滋子の言葉に、ただごとではない凄《すご》みを感じたのかもしれない。手嶋はちょっと黙った。「君の方が、彼のしっぽをつかんでいるのか？」

滋子は微笑した。手嶋に今のこの顔を見られなくてよかったと思った。電話でさえこれほど鋭い人なのだから、対面で話したら、きっと悟られてしまうだろう。水を向けられて、滋子の方から、すべてぶちまけてしまうことだろう。

「いつですか？」

「番組か？　今夜だ。七時からだよ。遅くても午後四時までにはスタジオ入りしてくれと言っていた」

「出ればわたしは袋叩《だた》きにされる」

「おそらく。HBSは彼を売り出した。ここへ来ても彼の味方をするだろう。綱川もそれを承知しているんだ」

「出なければ？」

「逃げたということで、欠席裁判にかけられる。そういう意味じゃ、君はどっちへ転んでも叩かれる運命だ」

今日の生放送の番組なのに、ギリギリになって出演依頼をかけてきたというのも、滋子が断ると決めてかかっているからだと、手嶋は言った。

「だったら出ても出なくても結果は同じ」

「そうなるな」

「それでも、わたしが出演すれば、テレビを見て、さっき編集長が言ったみたいなことを感じる視聴者だって、たくさんいるかもしれませんよね？」

「たくさんいるかどうかはわからん。だが、いることは確実だ。みんな、それほどバカじゃない」

滋子はぎゅっとくちびるを噛んだ。それから答えた。「わたし、出ます。出ると返事をしてください」

意外だったのか、手嶋はひるんだ。電話だから気配だけだったが、滋子は初めて彼が躊躇《ちゅうちょ》するのを感じた。

「いいのか？」

「いいです。編集長のおっしゃることに賭《か》けてみます」

というよりも、捜査本部に賭けてみるのだ。今夜滋子は打たれるままになってもいい。どれほど非難されてもいい。でも真実が明らかになれば、網川が由美子を騙《だま》していたということが、彼こそが誰よりも冷酷な〝主犯〟だったということがはっきりすれば、今夜のこともまた、網川浩一という人間の正体を暴《あば》き、それを天下に知らしめるために、役立つ要素になるだろう。

「わかった。先方には俺から返事をする」

「はい、よろしくお願いします」

「前畑」

「はい？」

「何を考えているのか知らないが」手嶋はまたためらい、言葉を探すように間を置いた。

滋子は待った。

「気をつけろよ」

「そうします。ありがとう」

それから滋子は考えた。部屋中をぐるぐる歩き回り、ベッドに飛び乗り、飛び降り、鏡をのぞきこみ、髪をかきむしって考えた。

いいだろう、おとなしく打たれに行ってやろうじゃないか。あたしがあんたの正体を知っているということをあんたは知らない。だからかまいやしない、なんでもぶつけて来るがいい。

しかしそれでも、抑えようのない憤怒《ふんぬ》の念がこみ上げてきて、じっとしていると気が変になりそうなのだ。この期《ご》に及んでも、まだ網川は由美子を利用しようとしている。由美子の亡骸《なきがら》さえ利用しようとしている。それが許せない。それだけは許せない。

反撃するなら簡単だ。ぽろりとこう尋ねてやればいい。ところで網川さん、あなたのお母様は氷川高原の別荘地のなかに家をお持ちです。あなたはそこに行ったことがありますか？　お母様とは名字が違うから、調べないとわからないことだけど、確かにあなたのお母様名義の別荘ですよね？　足を運んだことはありますか？

でも、それはできない。約束したのだ。滋子は本物のジャーナリストじゃない。スクープだの調査報道だの、みんなみんな滋子には届かない世界だ。秋津刑事との約束を、精一杯誠実に守るのが滋子の義務だ。

だけどこのままじゃ、この怒りと悔しさがあふれ出てしまう。網川と顔を合わせたら、この目にそれが出てしまう。そしたら網川に何か悟らせることになってしまうかも。

それでも、せめて一撃でもいいから打ち返したい。いずれ明らかになる真実を通してではなく、この手で。一発でいいから網川浩一を殴りつけ、目を白黒させてやりたい。

なるほど彼は大したものだ。彼のやったことは前代未聞《みもん》だ。空前絶後だ。自分でさんざん人殺しをしておいて、その罪を他人になすりつけて、いけしゃあしゃあとその無実の人の遺族の味方をしてみせる。こんなことをやる人間を、誰が想像するだろう？　だからこそ彼はこれまで隠れおおせてきたのだ。人びとの想像の及ばないところでプランを練り、筋書きをつくり、それに沿って演出をしたから。それは見事な手際だった。

彼はきっと鼻高々だろう。作家でもあり演出家でもあり主演俳優でもある。これほど独創的な筋書きは、今までどこにも存在していなかった。彼が創《つく》りだしたのだ。物《もの》真似《まね》じゃない。根っこのところからオリジナル。

ふと、滋子の頭の隅を、誰かとかわした会話がかすめた。

——人間なんて、みんな誰かの真似をしてるんだよ、シゲちゃん。

滋子は歩き回るのをやめて、立ち止まった。

そうだ、そんな話をしたことがあった。誰と話したんだっけ？　ライター仲間だ。そうそう、彼はこうも尋ねた。栗橋と高井がアニメやマンガのファンだったなんてことがあるの？　彼ら、そこから手口を学んだの？

——そんなことないだろうな。もしそうなら、とっくに誰かがお手本になった作品を探し出して、騒いでるだろうから。

そうだ。そうだった。

網川浩一の犯罪に、手本などなかった。すべて彼の独創。思い切って斬新《ざんしん》な独創と独演だった。

ああ、彼は内心、どんなに残念なことだろう。今までのことがすべて、自分の想像力が創り出したものだと明らかにすることができなくて、どれほど歯がゆいことだろう。本当は言いたくてたまらないはずだ。これほど見事にやってのけているのだもの。本音としては、実はね——と打ち明けて、みんなを驚かせたくてたまらないはずだ。

だが、いずれそうなる。遠からずそうなる。彼が逮捕されれば、みんなが驚く。日本中の人びとが驚く。すべてが網川浩一作・演出・主演のお芝居だったということに。ひょっとしたら、彼はそのことも読み込んでいるのではないのか。意識して考えてはいないかもしれない。でも、心の水面下では、それも筋書きの最後の仕掛けとしてとってあるのではないのか。たとえ逮捕されても、網川浩一が日本中の人びとをうち負かしたという〝成果〟に変わりはない。誰も想像できなかったことをやったのだから。

滋子は両手で頰を押さえた。いつの間にか、びっしょりと汗をかいていた。

その〝成果〟に、傷をつけてやったら？

全国の視聴者の前で、彼の芝居、彼の演じてきたことも、所詮《しょせん》は誰かの物真似に過ぎないと言ってやったら？

嘘《うそ》でもいい。かまいやしない。言ってしまった言葉は残る。それが網川のやってきたことだ。言った者が勝ち。どれだけ早く、どれだけ説得力をもって、自分が信じてもらいたい事柄を広く伝えることができるか。肝心なのはそれだ。事実や真実じゃない。彼はそのツボを外さずに行動してきた。今夜もそうしようとしている。滋子をだしにして。

だったら、同じ手段でやり返してやったらどうだろう？

滋子は再び猛然と部屋中を歩き始めた。今度は考えるべきことが決まっていた。手段、方法、材料だ。それから考えを固めて、今度は電話をかけた。三本目の電話で、目的の人物をつかまえることができた。

「もしもし？　あら山田ちゃん、久しぶりね。ごめんなさいね、急に電話なんかかけて。ええ、本当にご無沙汰《ぶさた》だったわね。ねえちょっと急ぎの用事があるんだけど、頼んでもいいかしら。あなた今でも、外国のミステリーとか、犯罪ノンフィクションとかを集めてる？　日本で翻訳されていないようなものまで、ずっとコレクションしてたじゃない。そうそう、あなたは原文で読めるからね。凄いコレクションだったわよね。あたしに、そのなかから一冊貸してくれないかしら。内容はどんなのでもいいの。一般に知られてなくて、古いものなら何でもかまわないの――」

30

HBSでは、滋子はまるで重要人物のように扱われた。局に着くなり個室の控え室に案内されて、ディレクターとの打ち合わせもそこでした。番組の流れを説明されたが、着席順だの紹介順だのの当たり障《さわ》りのないことしか言わず、「話題の流れに応じて、自然にお話しください。司会はおりますが、こちらからは特に誘導しません」と言った。滋子はしおらしく承知した。ただ、事件について細かいことで記憶間違いがないように、スタジオにファイルを一冊持ち込むことをお許しいただきたい、とだけ言った。ディレクターは承知した。ファイルの中身を確かめようとはしなかった。

メイク係もそこに来た。さっと来て、用事を済ませるとそそくさと去った。誰も滋子とは話したがらない。話してはいけないと命じられているのかもしれない。

この扱いは、滋子を隔離しようとしているようでもあり、逃がさないように閉じこめようとしているようでもあった。

望むところだった。滋子も気持ちを落ち着けて、静かにそのときを待ちたかったから。

五時過ぎになって、誰かが控え室をノックした。ドアを開けると、どこかで見た覚えのある、端正な顔をした中年男性が立っていた。きちんと背広を着てネクタイを締め、メイクもしている。彼が口を開いて、

「前畑さんですね。本日はよろしくお願いいたします」

声を聞いて、わかった。向坂《さきさか》アナウンサーだ。十一月一日のあの特番でも司会をし

ていたし、先々月だったか、網川浩一がお化けビルから中継をしたときの特番も仕切っていた。

　向坂アナは控え室に入ってくると、きちんとドアを閉めた。滋子も手短に挨拶《あいさつ》したが、相手の目的がわからないので、愛想のいい顔はできなかった。

「急な依頼でしたのに、出演をご快諾いただいて感謝しております」

　向坂アナは、丁寧に頭を下げた。

「いいえ、どういたしまして」

　この人、何だか緊張しているみたいだと、滋子は思った。今夜はよほど大変な番組になるのだろうか。何か、滋子も手嶋編集長も考えが及ばないほどの仕掛けが用意されているのだろうか。

　出ない方がよかったろうかと、刹那《せつな》、後悔した。

「番組の直前に、司会役にすぎないアナウンサーのわたくしが何を言いにきたのかとご不審でしょう」

　アナウンサーらしい、滑らかな話し方だ。いい声だ。それがわずかだがうわずっている。視線は滋子の肩のあたりから動かない。

「そうですね」

「わたくしは」言いかけて、向坂アナは言い直した。「わたくし個人の意思で、事前に前畑さんにお話ししたいことがあって参りました」

「何でしょう?」

「今夜の番組では、事件の検証をし直すとともに、高井由美子さんの自殺についても触れることになるでしょう」

「というより、そっちが本題でしょう?」

向坂アナはうなずいた。「おっしゃるとおりです」

「それぐらいわかっています。わたしがそのことで責任を問われることも。実際に責任があるかどうかは、わたしは当事者ですから何とも言えません。でも、彼女にもっと親切にすることはできなかったか、自殺を防ぐ手を打つことはできなかったのかと問われたら、何もできなかったと答えることはできません。ですから、非難は甘んじて受けるつもりです。ご心配なく」

向坂アナは、また頭を下げた。それからやっと、滋子の目を見た。正面から見た。

「わたくしは――番組の趣旨がどうであれ、前畑さんお一人をつるし上げるようなことはしないつもりでおります」

滋子も相手の目を見ていた。

「今はそんなことをしている場合ではないと思いますし、高井由美子さんのことにしても、前畑さんお一人の責任ではありません」

向坂アナは言葉を切った。滋子が何か言うのを待っているのかもしれない。しかし滋子は黙っていた。

「前畑さんは——」さらにもう少しうわずった声で、向坂アナは言った。「わたくしたちテレビ界には、視聴率がとれるならば何でもいい、どんな悲劇でも残酷な犯罪でも、面白ければそれでいいと考える人間ばかりが集まっているとお考えかもしれません。残念ながら、それも現実の一部です。我々にはそういう部分が多々あります。しかし——」

滋子は、今度は先を促した。「しかし？」

「しかしわたくしたちも、真実を求める人間でもあるのです。何が正しくて何が間違っているか、真面目《まじめ》に考えることもなしに、ただ騒ぎ立てて番組を垂れ流している。そんなふうに見えるかもしれません。しかし、そうではありません。それだけではありません。わたくしは一人のアナウンサーに過ぎませんが、今夜はぜひそのことを、前畑さんに申し上げておきたかった」

それだけひと息に言いきると、我に返ったようにまばたきをして、びくりとした。

お邪魔いたしましたと、また深く頭を下げて、向坂アナは出ていこうとした。

「あの、ちょっと」滋子は呼び止めた。「向坂さん、もしかして——」

二人は探るように顔を見合わせた。どちらも、互いが探しているものが同じものであるかどうか計りかねて、だから視線はぶつかっても、確たる手応《てごた》えがなかった。

「いいえ、いいんです」滋子は首を振った。「わざわざおいでいただいて、ありがとうございました」

向坂アナは出ていった。滋子は椅子《いす》に戻り、鏡に向かった。

さっきは、こう問いかけそうになったのだ。向坂さん、もしかしてあなたも、網川浩一に何か不審なものを感じておられるのではないですか？

だが、尋ねなかった。尋ねていたら、勇み足になっていたろう。

考えてみれば、向坂アナは、事件が大きく動くときにその場に居合わせてきた人物だ。十一月一日、彼はスタジオで、栗橋浩美に代わって電話をかけ直してきた、あの時点では未知の犯人と話している。そしてその後、網川浩一に会った。彼と話した。彼の出演する番組の司会もした。

アナウンサーは、言葉を操ることが仕事だ。人間の声を扱うプロだ。もしも向坂アナが、そのプロの経験で、鍛え抜かれたその耳で、網川の声に、しゃべり方に、言葉の選び方に、何かを感じ取っていたのだとしたら？　ただ、綱川の巧みな誘導によってつくりあげられた流れのなかで、それを口にすることができずにいるのだとしたら？　誰も彼に尋ねてくれず、問いかけてくれないからしゃべれない。とうとう耐えきれなくなって、だから滋子のところにやって来たのではないのか。

――テレビ用のメイクをされると、あたしはかえって老《ふ》けて見える。

鏡のなかの自分に向かって、滋子は考えた。

もしかしたら、時は満ちかけているのかもしれない。居眠りしていた神様が、自分が目を離している隙《すき》にとんでもないことをやらかしていた綱川浩一の存在にやっと気づいて、よっこらしょと腰をあげたところなのかもしれない。

これから、全国の視聴者の前で礫《つぶて》を投げられようとしている身にとっては、それは悪い考えではなかった。全然、悪い考えではなかった。

## 31

番組は、滑り出しを見る限り、思ったほど悪くなかった。スタジオもシンプルな造りで、出演者も少ない。雛壇《ひなだん》はふたつに分かれており、一方には向坂アナウンサー、アシスタントの女性と、網川浩一。もう一方に前畑滋子、HBSの報道記者が一人と、HBSのメインニュースを担当している男性キャスター。自身も豊富な取材経験を持つ人物で、この人の番組は、滋子も昔からよく観《み》ている。まさか、こんな形で並んで座ることになるとは、夢にも思っていなかった。

向坂アナは冒頭で、この特番は、事件についてここまでのところを総括し、捜査の最新情報を紹介し、そのなかで高井由美子の自殺も取り上げ、彼女がなぜ死を選んだのか、彼女の死を巡るいくつかの不可解な疑問点についても検討することが目的であると説明した。

今回もまた、特設スタジオにはファクスと電話がずらりと並べられている。アシスタントの女性アナが、電話とファクスの番号を記したフリップを掲げてみせた。

事件についての総括は、主にビデオで進行した。滋子には、ほとんど話す機会がなかった。スタジオがひどく暑いのを我慢しながら、じっとしているだけでよかった。

幸い、公開番組ではないので、直接視聴者の顔が見えないのも助かった。いくら覚悟を固めていても、ここで、自分に石をぶつける人間と目と目が合うのは嫌だった。真実が明らかになれば、きっと驚くであろうことがわかっているのに、今はまだ何も知らない。そんな人に面罵《めんば》されたくはなかった。

網川浩一は、これ以上ないというほどの沈鬱《ちんうつ》な顔をしていた。黙りがちで、向坂アナに水を向けられても、長くはしゃべらない。こんな彼を見るのは初めてだった。

しかし、番組が進行し、特設スタジオを呼び出して、ここまでのあいだに寄せられた視聴者の声を紹介する短いコーナーが過ぎると、様子が変わった。

顔に出さないようにこらえていたが、滋子は驚いていた。手嶋の読みはあたっていた。寄せられたファクスには、もちろん網川を励ましたり、由美子が亡《な》くなっても彼を応援しているという内容のものが、たくさんあった。だが、由美子が自殺してしまった以上、彼はテレビなどに出るべきではないという声も、それと肩を並べるくらいの数寄せられていた。高井和明の無実を証明するには、テレビに出たりするよりも、警察の捜査に協力した方がいいという意見も、網川が余計なことをしなければ、由美子は辛《つら》かったかもしれないけれど、自殺はしないで済んだのではないかという意見さえあった。

網川は、それらの手厳しい意見を謹聴しているようなふりをしていた。だが、それはあくまで上辺だけのことだった。滋子にはそれがわかった。

騙《だま》し絵みたいなものだ。誰かに一度それと教えられて、果物皿のなかにモナリザの顔が隠れているのを見つけてしまうと、次からは何度見ても、ちゃんとモナリザが見える。網川の正体に気づいた滋子には、彼の作為が、彼の芝居が、彼がいちいち表情をとりつくろっていることが、面白いほどよく見えた。

そしてふとした拍子に、すぐ隣の男性キャスターも、滋子とほとんど同じように、網川から距離を置いているのが感じられるのだった。ひとつひとつは些細《ささい》なものだ。言葉の調子。会話への割り込み方。返事の仕方。だが、そこに込められた感情が確かに伝わってくる。

話題はいよいよ由美子の自殺へと移った。網川は我慢が切れたのか、急に達弁になった。由美子が窓から飛び降りたとき、彼は隣の部屋で原稿を書いていたこと。それぞれの部屋へ戻る直前に話したとき、彼女があまりにしょげているので、言葉を尽くして励ましたこと。それで彼女が少しは元気を取り戻してくれたようなので、また明日ねと声をかけて別れたこと。

「それなのに、彼女が窓を開けて下へ飛び降りるそのときに、僕はその場にいなかった。いちばん肝心な、彼女がいちばん僕を必要としていたときに、僕は壁の向こうにいたんです」

しゃべってしゃべって、顔を歪《ゆが》め、目を潤《うる》ませ、うなだれ、足を踏み、拳《こぶし》を握る。

警察の由美子に対する厳しい事情聴取への非難。彼女の周囲の、とりわけ近所の人たちの冷酷な態度への怒り。由美子が飯田橋のホテルでの遺族の集まりに押し掛けて騒ぎを起こしたとき、それをすっぱ抜いた写真週刊誌への憤《いきどお》り――

話がそこにさしかかって、滋子はいよいよ来るなと身構えた。

「遺族の集まりの一件は、確かに僕にも責任がありました。でも、前畑さん」

網川浩一は、滋子に呼びかけた。

「あのころは僕よりも、あなたの方がずっと由美子さんの近くにいた。彼女はあなたを信頼していた。あの一件があって、あなたは彼女を切り捨てたけど、僕はもう少し、あなたに力になってほしかった。由美ちゃんを見捨てないでほしかった。今さらこんなことを言って責任転嫁《てんか》をするわけじゃない。だけど、そのことでは、僕はあなたを恨まずにはいられない」

言いたいだけ言わせておいた。そして滋子は淡々と答えた。当時の自分には由美子の主張が受け入れられなかったし、そのことは彼女にもはっきり言った、遺族の集まりのことは自分の間違いでもあったから、事前に防げなかったのは本当に残念だった

――

滋子が相手にならないし、誰もあからさまには網川に味方しようとしない。明らかに、網川は焦《じ》れていた。報道記者は、犯罪事件報道の難しさ、わけても加害者や容疑

者の家族に対する接し方を考え直さなければならないということについて、一般論的な意見を述べた。すると彼は、そんなきれい事ばっかり言ってるから記者なんか駄目なんだと毒づいて、バツの悪い間ができた。

あいだのコマーシャルのときに、網川は顔を赤くしていた。アシスタントの女性アナがしきりと宥《なだ》めている。

番組は残り二十分。また、視聴者の声のコーナーが始まった。事前に説明を受けたとおりの段取りだったが、向坂アナが特設スタジオとやりとりをしているときに、網川はしばしば割り込んで発言した。

「ちょっと言わせて下さい、それはひどい」

「その意見は、僕じゃなくて由美ちゃんを責めてることになるんじゃないですか？」

「僕は自分のできることをやるだけです。これからだってそうですよ」

滋子は焦《あせ》り始めた。最後にひととおり、出演者が発言する機会を与えられることになっている。しかし、この調子では滋子の割り当て時間は十秒ぐらいになってしまうだろう。そんな短時間で、上手《うま》くやれるだろうか。

向坂アナウンサーがまとめに入り、やっと滋子に発言の順番が回ってきた。網川は最後になるらしい。良かった！

「前畑さんは、今もルポをお書きになっていますし、事件について現在はどのようにお考えですか」

　向坂アナの問いかけを受けて、滋子は顔を上げ、カメラに向かった。

「実は、つい最近のことなのですが、あることを発見しまして、驚いているところです」

「発見といいますと？」

　滋子は、持参してきたファイルを開いた。そこには本が一冊はさんであった。三百ページほどの薄いもので、表紙などだいぶ傷《いた》んでいる。シンプルな黒地に、白と赤の活字でタイトルと著者名が組まれている。

「これは、十年前にアメリカで出版されたノンフィクションです」

　滋子はカメラの前に本をかざしてみせた。

「著者は元ニューヨーク・タイムズの記者で、実際に起こった犯罪を元に、多くのノンフィクションを書いているライターです。これもそのひとつで、原書です。残念ながら、日本語に翻訳されておりませんので、ほとんど知られていないでしょう」

　滋子は、用意してきた筋書きをしゃべった。知人が連絡してきて、今回の連続女性誘拐殺人事件の経過が、この本で取り上げられている事件と非常によく似ていると教えてくれた。わたしは原書が読めないので、頼み込んで大筋を翻訳してもらって読んでみると、確かにそのとおりだった――

「事件の経過が似ていると言いますと？」男性キャスターが質問した。「たとえば、犯人が二人組であるとか？」

「いいえ、こちらの事件では犯人は一人です」

「では、女性を被害者に選んでいること、報道機関や被害者の遺族に連絡してくることなどが似ているというのですか？　それが、この事件の顕著な特徴ですからね」

「はい、そうです。でも、それだけじゃないんです」

滋子はあくまでもカメラに向かって語りかけた。姿は見えないが、全国に存在する視聴者に向かって。

「いちばん顕著な類似点は、この本で取り上げられている実在の事件でも、最初に犯人として疑いを集めた人物が死亡したあとで――」

「死亡するんですか、容疑者が」

「はい。そしてそのあとで、彼は無実だ、殺人犯ではないと、主張する人物が出て来るんです。犯人と目された青年の友人なんですけれどもね」

網川の顔が強張《こわば》った。スタジオのどこかで、誰かがうへっというような声をあげた。

滋子は続けた。「実際、その主張は非常に説得力があって、マスコミにも広く取り上げられます。死亡した青年が犯人だと決めつけていた州警察も再捜査に踏み切りますし、連邦捜査局も乗り出します。ところがですね、それで判明した真相が、実に意外なことでして」

滋子は間をおいた。スタジオ内は静まり返っている。

「実は、疑われて死んだ青年は無実だ、彼は殺人者ではないと訴えて、全米の話題を集めた友人こそが、事件の真犯人だったというのです。そして、強力な物証がいくつも発見されて、逃げられなくなった彼は、どうしてこんなことをしたのかと問われて、こう答えます。〝だって、面白かったからさ。正義の味方のふりをして、みんなの注目を浴びるのが愉快だったからさ〟と」

滋子のかかげる本のタイトルは、『JUST CAUSE』。翻訳するならば「なぜかと言ったら」というぐらいの意味になるだろう。もちろん、内容は全然違う。犯罪小説ではあるが、まったく違う筋書きのものだ。滋子は、タイトルが気に入ったから借りてきたのだ。

「デタラメを言うな」

網川浩一の声がした。

出演者たちだけでなく、スタジオに居合わせた者たち全員が、彼を見た。これまで一度も見たことのない目で彼を見た。なぜなら、彼の放った声が、これまで一度も聞いたことがないような声だったから。

滋子は椅子《いす》の上でわずかに膝《ひざ》をずらし、網川の方に向き直った。

「デタラメではありません」と、静かに応じた。胸の内では心臓が躍りあがり、膝頭が震え始めている。本を支えている指も痺《しび》れたようになって、手のひらが汗ばんでいる。

「すべて、この本に書いてあることです。事実なんですよ。十年前、いえ、正確に言うとこちらの事件が起こったのは十一年前のことです。アメリカの、メリーランド州でね。すでにこういう事件が起こっている。ですからわたしは、わたしたちが抱えている今度の事件の犯人も、この十一年前の事件を知っていて、それが日本では広く知られていないのをいいことに、そっくり真似《まね》たんじゃないかと思うのです。サル真似ですよ、サル真似。大がかりな模倣犯です。読んでいて、わたしの方が恥ずかしくなるくらいでした」

網川浩一は両手を拳に握り、椅子から腰を浮かせた。

「いい加減なことを言うんじゃない、い、い、い、いよ」

彼の声は割れていた。滋子は見た。騙し絵の部分は消えた。今では、それまで美味《おい》しそうな果物の陰に隠れていた網川浩一の顔が、くっきりと見えている。カンバスの上には、彼の顔しか存在しない。そうして彼は、モナリザのように微笑してはいない。永遠の謎《なぞ》のほほえみは、そこにはない。あるのはただ、傷つけられたプライドに対する憤怒《ふんぬ》のみ。

見えるでしょう、皆さん。見えますよね？

「ちょ、ちょっと待ってください、前畑さん」報道部の記者が宥めるように手を伸ばし、滋子の机の前を軽く叩《たた》いた。「あなたのおっしゃることが事実だとしても、今回の事件が何から何まで、その、十一年前の事件をなぞったものだとは限らないでしょう？　だってもしもそうだとしたら、網川君が――」

真犯人だということになってしまう。そこまで発言されたら、滋子は笑ってかわすつもりだった。そうですね、わたしもそこまで言うつもりはないですよ。そこで番組終了だ。言った者勝ちだ。

だが、報道部記者の発言はさえぎられた。ほかでもない、網川浩一によって。

彼はすっくと立ち上がった。椅子が大きく後ろに動いて、耳障《みみざわ》りな音をたてた。しかし、彼の声はそんな騒音には負けなかった。スタジオじゅうに響いた。全国に響き、届いた。

「おまえは僕がサル真似をしたというのか？」

滋子に指を突きつけて、網川浩一は問いつめた。

「僕が、この僕が、ありものの筋書きを借りてきて、自分のものみたいな顔をして社会に提供したというのか？　僕が？　この僕が？」

ひとこと言うたびに網川は自分の胸を叩いた。僕が、この僕が？

石のような目をしていた。それは生前の栗橋浩美が恐れ、ピースのなかの不可解な謎として敬遠していた、あの目だった。外部からのどんな入力も受け付けなくなり、網川浩一という存在が、そのいちばん土台のシステム、剝《む》き出しのエゴだけで動き始めていることを知らせる凶兆。

今、前畑滋子はそれを目《ま》のあたりにしていた。かつて栗橋浩美が見たもの。高井和明が見抜いていたもの。

網川浩一は、無惨《むざん》に口の端をひん曲げてあざ笑い、なおも声を張りあげた。

「冗談じゃない！　僕がそんな真似をするものか！　僕がやったことはオリジナルだ！　すべてが僕の創作だ。僕が、僕の、この頭で考えて、一人でやってのけたんだ！」

誰も何も言わなかった。中腰になっていた報道記者が、すとんと椅子に腰を落とした。

目も口も、ぽかんと開いている。

「僕はサル真似なんかしない。絶対にしない！」

網川浩一は叫んだ。首に青筋を浮き出させて、大音量で叫んだ。どんな音響効果でもうち消せないほどにはっきりと、彼自身の声で叫んだ。

「僕はケチな模倣犯なんかじゃない。前畑滋子、おまえこそ模倣犯じゃないか！　サル真似はあんたの方だ。僕がやったこと、僕がつくった筋書きを鵜呑《うの》みにして、栗橋浩美の心の闇《やみ》だの、高井和明の根深い劣等感だのと、わかったような顔をして書きまくったのはおまえじゃないか！　おまえは自分の頭じゃ何ひとつ考えられない。他人の尻馬《しりうま》に乗ることしかできない。え？　そうだろ？　認めろよ。そうだって言えよ！」

だけど僕は違う！　ひときわ大きな声で、ほとんど絶叫して、網川は滋子に詰め寄った。

「僕は自分で考えたんだ！　全部自分で考えたんだ！　何から何まで！　すべてオリジナルなんだ！　栗橋だってただの駒《こま》だった。あいつは筋書きなんか何にも考えられなかった。ただ女どもを殺したいだけだった。高井和明を巻き込む計画だって、全部僕が考えたんだ。僕が筋書きをつくって実行したんだ！　手本なんてなかった！　サル真似なんかじゃない！　僕は模倣犯なんかじゃないぞ！」

もう放送時間は終わっているのだろうか。テレビではコマーシャルが流れているのだろうか。あたしは上手くやってのけたのだろうか。目には目を。歯には歯を。頭のなかはそのことでいっぱいで、視線は網川浩一の顔に釘付《くぎづ》けで、麻痺《まひ》したように椅子のなかに沈み込んだまま、滋子は身動きもできず、何を言うこともできなかった。

い、い、い、見てますか、皆さん？

「網川君」

男性キャスターの声が聞こえてきた。遥《はる》か彼方《かなた》から呼びかけられているみたいに、かすかに。ひょっとしたら、あたしは気が遠くなりかけてるのかもしれないと滋子は思った。

網川に劣らずはっきりと、しかし遥かに冷静に、その声は問いを投げかけた。

「今の発言では、君が真犯人であることを認めているように聞こえる。我々は、そう受け取っていいのだろうか？」

## 32

その日、塚田真一は、昼過ぎからずっと有馬義男と一緒にいた。不動産屋まわりをしていたのだ。老人の引っ越し先を探すためである。

「店をたたんじまった以上、一人であんなところに住んでるのも不経済だからな。真智子の病院の近くで探すよ」

それを聞いて、義男から頼まれたわけではないのだが、真一は一緒について行くことにしたのだった。この引っ越し先を探すのに、義男一人で行かせるのは忍びない気がした。それもやっぱりお節介かもしれないが、いいじゃないか。実際、有馬義男は、まったくの一人暮らしをするのは初めてだから、勝手がわからんので、真一にいろいろ教えてほしいなどと言った。

「今までも、所帯としちゃ一人だったんだがね。それでも、店を開けてるあいだは孝《たか》さんがいた。朝飯と昼飯は、いつも一緒に食ってた」

「そうか……それだと、だいぶ寂しくなりますね」

「ま、真智子が退院できりゃいいんだがな」

「木田《きだ》さんは、どこに店を開くんですか？」

「すぐ近所だよ。いい貸し物件が見つかってね」

だったら、あの店をそのまま使っても——と言いかけて、真一は言葉を呑《の》み込んだ。

それはいけない。それはできないだろう。

二人して結構な数の業者をまわり、いくつか物件も見て、好《よ》さそうなところのチラシをもらったり、義男は手帳に控えたりした。老人がチョッキの胸ポケットに入れている小さな手帳は、大豆の卸問屋が顧客に配ったサービス品だった。銀行や信用金庫のくれる手帳は使いにくいのだと、老人はチビた鉛筆で几帳面《きちようめん》に字を書きながら言った。

夕方になると、義男はこのまま真智子の病院に寄ると言った。

「もしよかったら、僕もお見舞いに行かせてください」

義男は喜んだ。「それじゃ真智子の夕飯の世話が済んだら、私らもどこかで夕飯にしようか。今日は半日付き合ってもらったから、奢《おご》るよ」

「いいですよ、勝手についてきたんだから」

「まあ、そう言いなさんな」

古川真智子は四人部屋の窓際《ぎわ》のベッドで、静かにテレビを観《み》ていた。一見したところは、顔色が悪いし痩《や》せているということさえ除けば、どこが悪いのかわからない。怪我《けが》の方もだいぶ良くなっているのだが、まだ歩行がおぼつかないということだった。

真一が挨拶《あいさつ》し、義男が優しく声をかけても、真智子は口をきかなかった。ぼんやりとした視線は、どこを見ているのかもわからない。焦点が合ったり、ぼけたり、また合ったり、それがどういう法則でそうなっているのか、外から見ただけでは見当がつかなかった。義男は一向にかまわず、真智子の夕食の世話をしながら、アパートを見てきたことや、木田の店が来週開店することなどを、楽しそうに話しかけていた。

それじゃ、また明日来るからな。義男が真智子に言い、相部屋の人たちに頭を下げて、一緒に病室を出るころには六時半を過ぎていた。階段を降りながら、義男は言った。

「担当の先生は、真智子は良くなると言ってくれてる」

「それは……」

「うん。あの人形みたいな様子を見たら、にわかには信じられんだろ。でも、良くなるってさ。実際、真智子にはこっちの声も聞こえてるし、私らが誰かとか、自分のまわりで何が起こってるかってことも、わかってるはずだって先生は言うんだよ。ただ、まだそこへ出て行く勇気がないだけだろうって」

そうですかと、真一はうなずいた。

「人間の心は、あんまり悲しいことがあったとか、恐ろしいことがあったとかいう時には、そういうふうに閉じちまうことがあるんだと。だけど、全部壊れちまったわけじゃない。一時は、本当に壊れたみたいになってたけどもな、無事な部分だって、真智子のなかに残っていたんだ。先生は、むしろ、足の治りが悪い方が気になるって。あんな状態だから、自分でリハビリをやってねえだろ。ひょっとすると、退院しても、しばらくのあいだは車椅子《いす》のお世話になることになるかもしれんね」

「それだったら、アパートも広い方がいいですね。バリア・フリーで」

「そうだな。あとは家賃との相談よ」

「古川さんは――つまり、鞠子さんのお父さんは、もう全然あてにはできないんですか」

義男は首を振った。「援助してくれるとか言ってきたけど、こっちから断っちまったんだ。少し、早まったかな」

「茂《しげる》さんでしたっけ。真智子さんに対してだって、責任がありますよ」

「責任とか言い出すと、また面倒くさいよ。けども、あの男は」義男はよいしょと階段の最後の段を降りて、外来者用の通用口へ向かった。「あの男なりに、やっぱり気が咎《とが》めているんだろうな。それは認めてやらないといかんなというふうに、最近は思うようになったよ。以前は怒っとったから、そんなふうには思えなかったんだが」

茂だって、大事な娘を失ったことは確かなんだからと、小さく呟《つぶや》いた。

病院の建物を出たところで、真一は携帯電話の電源を入れた。病院のなかでは切っておいたのだ。すると、留守番電話に水野久美のメッセージが残っていた。十分ほど前にかかってきた電話だった。

かけ直すと、彼女は今どこにいるのと尋ねてきた。「道を歩いてるよ。有馬さんと一緒に」

「これから二人で、どっか行くの？」

「夕飯食おうかって。混ざりたい？」

そばで義男が笑って、「奢るぞ」と言った。

「来るか？」

「混ざるのは混ざりたいけど」久美は早口で言った。「テレビも見たいの。これから始まる特番に、前畑さんが出るのよ。網川と一緒に」

一瞬、真一は絶句してしまった。「何でまた？」

「わからない。HBSだけど、由美子さんの自殺のことだって、きっと取り上げられるはずよね？　あたし、心配で。それで電話してみたんだけど——有馬さんはもう、こんなテレビなんか見たくないかな……」

義男は、見ると言った。「途中で買い出しをして、うちに帰ろう。何でもいいや、鍋《なべ》にぶちこんだらそれらしいもんになるだろう」

結局、久美も駆けつけてきて、三人でテレビを見た。思ったよりも滋子が元気そうでよかったと、真一は思った。久美もそう言ったが、「でも、痩せたね」と顔を曇らせた。

「網川浩一もしょげてる」

「当然よ」

何か新しい発見や展開がある番組ではなさそうだった。ただ、やはり由美子の死の影響が大きいのか、視聴者から寄せられる声のなかに、網川を非難するようなものが混じっていることが、真一には意外でもあり、新鮮に感じた——

そうやって最後まで見ていたら、新鮮どころの騒ぎではなかった。

「僕は模倣犯なんかじゃないぞ！」

網川浩一が叫ぶ。その蒼白《そうはく》な顔をアップにして、番組はいきなりコマーシャルに切り替わった。清涼飲料水のコマーシャルだった。

誰も、ひと言も発しない。次のコマーシャルが始まった。今度は車だ。ミッドナイトブルーのセダンが走る。

ガチャン！　と音がした。我にかえって、真一は振り返った。食事に使った皿や茶碗《ちゃわん》を重ねて台所に運ぼうとしていた久美が、それを取り落としたのだった。

「ケ、ケガして――」

ないかと近寄る真一を突き飛ばして、久美は義男のそばに飛んでいった。「有馬さん！　有馬さんしっかりして！　しっかり！」

義男の顔は、さっきの画面のなかの網川よりも真っ白になっていた。鉛色のくちびるが、ぶるぶると痙攣《けいれん》している。身体《からだ》は座った姿勢のまま固まって、手は拳《こぶし》に握りしめ、開くことができないようだ。

「息をして！　有馬さん、息をするんだよ、息をしろってば！」

「きゅ、救急車」久美が這《は》うようにして電話に向かった。

「だ、だい、大丈夫、だ」がくがくと顎《あご》を開いて、義男は呻《うめ》くような声を出した。

「大丈夫だ、大丈夫だよ」

激しくまばたきをして、義男は震え出した。ゆっくりと指を開き、それが動くことを確かめるように、じっと目を凝らしている。

「大丈夫だよ、私は大丈夫だ。息が停まったりしてないよ」二人の顔を見回して、義男は言った。

ＣＭが切れて、出し抜けに画面が先ほどのスタジオに戻った。雛壇《ひなだん》には向坂アナウンサーと男性キャスターがいるだけだ。スタッフが画面の前を走り抜ける。向坂アナは、画面外の誰かとしきりに話している。

「中継が戻った」真一は言った。「なんてこった。ホントなんだ。さっきのあれ――本当に生中継で――」

男性キャスターが、画面に向かって話し始めた。落ち着いているようには見えるが、さすがに急《せ》いていた。また画面の端にスタッフがちらちらする。

「なんてこった」と、義男は言った。「ああ、なんてこったよ。あいつが犯人だったのか。全部、あいつがやったことだったのか」

網川浩一がスタジオを飛び出したあと、滋子はスタッフに誘導されて控え室に戻った。誰か迎えに来るまで、ここにいて欲しいと言われた。そんな要求などされなくても、滋子は一人ではどこにも動けなかった。止めようがないほどに全身が震え始め、腰をおろすどころか、椅子を引いて動かすことさえできなかった。とうとうその場にしゃがんで、膝《ひざ》を抱いた。

外の廊下を人が走り抜けてゆく。声が飛び交う。どこだ？　こっち、こっち！　カメラを回せ！　四階だ、四階だ！

ファイルはスタジオに残してきてしまったけれど、本は大事に抱えていた。それを胸に抱きしめて、滋子は目をつぶった。ああ、ありがとう、ありがとう。上手《うま》くいった、上手くいった、上手くいったわ。

電話が鳴っている。しきりと鳴っている。控え室に残しておいた滋子の携帯電話だ。だが、立ち上がると目が回りそうで、電話のそばまで行くことができない。鳴っている。鳴っている。切れた。また鳴り出す。鳴り続ける。

ようやく、滋子は携帯電話をつかんだ。耳にあてて、またしゃがみこんだ。

「もしもし？」

男の声だった。手嶋だろうかと思った。

「もしもし？　もしもし？　滋子、滋子か？　滋子、そこにいるのか？」

手嶋ではなかった。前畑昭二の声だった。

「滋子！　滋子なんだろ！　返事をしろ！　返事をしてくれよ！」

「も――もしもし？」滋子には、自分の声がヘンなふうに聞こえた。さっきまでと違うからだ。マイクを通してない肉声だからだ。おかしいわね、たかだか二時間ばかり、テレビに出ていたっていうだけなのに、もう生身の声の方が違って聞こえるなんて。

「昭二さん？」

「滋子！」吠《ほ》えるように、彼は呼びかけてきた。「ああ、良かった！　無事なんだな？　おまえ、大丈夫なんだな？　今どこにいるんだ？　おまえ、安全なとこにいるのか？　え？」

泣き声がこみあがってきて、滋子は手で口を押さえた。「……うん。大丈夫よ」

「一人でいるのか？　どこだ？」

「まだテレビ局。控え室」

「一人でいちゃ駄目だ！　危ないよ！　俺、そっちへ行くから！　行くからな、待ってろよ、滋子！」

「ショウちゃん」滋子は泣きながら笑った。「大丈夫よ。あたしは無事だから」

「バカ言ってんじゃねえよ！　網川はまだそこにいるんだ！　テレビでやってるぞ！　どっかに立てこもってるって！　テレビ局のなかに！」

そういうことになっているのか。それで四階にカメラを回せって騒いでるのか。

「それなら安心よ、ショウちゃん。テレビで確かに、あいつは局のなかにいるって言ってるんでしょ?」

「うん。スタジオを出て、下へ降りようとして止められて――外へ逃げ出そうとしたみたいだけど、そうは問屋が卸すかってんだ――そんで、どこかに閉じこもっちまったとかって。でも、まだ詳しいことはわかんねえ」

「混乱してるのよ。でも、あいつはここにはいないから。このフロアにもいないんだと思うよ。静かだもの」

「そうか」昭二は長々と安堵《あんど》のため息をもらした。「それでも俺、これからそっち行くわ。滋子の亭主だって言えば、通してくれるだろ。な?」

「わかんない」滋子はまた笑った。涙がこぼれた。「でも、今ごろは警察も駆けつけてきてると思うし、入れてくれないんじゃないかな。もともと、網川浩一には警察が張りついてたしね」

「そうなのか……」

「うん」

「そしたら、警察もあいつのこと疑ってたのか?」

「だいぶ前からね。だけど、これは内緒よ。誰にも言わないって約束したんだ」

「警察と?」

「うん」

少し、間があいた。それから昭二は、うわずったような声で言いだした。「滋子、おまえ、よくやった」

「そう？」

「うん。偉い。偉いよ。おまえが……おまえがあいつに……白状させたんだもんな」

そうだねと、滋子は言った。本格的に泣き出してしまって、もう言葉にならなかった。

「そうだよ」昭二は言った。「おまえがあいつに白状させたんだ」

「滋子は偉い。よくやった。すごく頑張った」

泣いていた。

「……うん」

「だから、もういいよ。網川が捕まるまで、隠れてろ。な？　見つからないように隠れてろ。あんな奴《やつ》だから、まだ油断ならねえ。どんな汚い手を使って逃げ出すか、わかったもんじゃねえからな。隠れてろよ、いいな？　俺が行くまで隠れてろ。俺が呼ぶまで、誰に呼ばれたって出ていっちゃ駄目だぞ！　いいな！」

滋子は答えた。「うん！」

網川浩一は、ＨＢＳ本館四階の資材室に立てこもっていた。人質はいない。彼一人でそこへ逃げ込み、ひとつしかないドアに内側から鍵《かぎ》をかけてしまったのだ。まず局の警備員たちが、次には網川に張りついていた捜査本部の直近監視班が、包囲を固めて網川に声をかけた。が、返事はなかった。

ＨＢＳは、以降のすべての番組の放送予定を変更し、網川が立てこもった資材室のある四階フロアからの中継と、報道特別番組のスタジオからの中継を織り交ぜて、この状況を伝えていた。他局も予定の番組を中断し、ニュース速報を報じ始めた。ＨＢＳ報道スタジオのモニター画面には、各局の中継がずらりと映し出される。ただひとつ、網川浩一が今現在存在している四階フロアを映し出しているＨＢＳだけを除き、その他のモニターには、実に様々な画面が切り替わり、切り替わりして登場した。報道スタジオ。ＨＢＳの社屋前からの中継。さきほどの特番の場面のビデオ。網川浩一の写真。かつて彼が出演した他局のビデオ。女性キャスターと話して笑う網川。高井和明の無実を訴えかける網川。

古川鞠子の笑顔を映したモニターもあった。日高千秋の生真面目《きまじめ》そうな制服姿を映したモニターもあった。移り替わるモニター画面のなかで、網川と鞠子の顔が並んで映る瞬間もあった。高井和明と、栗橋浩美と並んで映る瞬間もあった。

携帯電話が鳴り出したとき、真一はまだ有馬義男と一緒にいた。水野久美もすぐそばにいて、テレビの前で、ぴったりと真一に身を寄せて、彼の腕につかまっていた。

「誰?」

真一が電話に出ると、久美が尋ねた。義男はテレビに目を向けている。

「もしもし?」

返事がない。久美と目を合わせ、間違いかな——と言いかけたとき、聞こえた。

「塚田君かい?」

真一は、胸の内側を蹴《け》りあげられたような気がした。手痛い打撃を受けた心臓が、抗議するように激しく動悸《どうき》を打ち始める。

「塚田君だろ。聞こえてるかい?」

網川浩一だった。

「誰から?」久美がもう一度尋ね、真一の顔色に怯《おび》えるように、はっと身を離した。

「誰からなの?」

真一は手のなかの携帯電話を見おろした。それから、ゆっくりと耳にあて直した。

「もしもし？」

間違いない。聞き間違えようがない。

義男が訝《いぶか》しそうにこちらを見ている。久美が、何だかわからないが何かから真一を引き離さないといけない——というように、ひしと腕にすがり直す。

やわらかく彼女の腕を押さえ、少し退《ひ》いて、真一はゆっくりと応答した。

「聞こえてるよ。僕は塚田です。あんたは網川さんだね」

久美が両手で頬を押さえると、一瞬、まるで真一が網川浩一その人であるかのように、彼が魔法のように真一と入れ替わってそこに現れ出たかのように、そしてその忌《い》まわしい存在に触れたくないとでもいうかのように、後ずさりした。

義男が腰を浮かせ、真一のそばに来た。真一から目を離さないまま、手探りでリモコンをつかみ、テレビを消した。

「そうだ、僕だよ」網川は答えた。落ち着いた口調だった。真一が不本意ながら聞き慣れてしまった、あの闊達《かったつ》なしゃべり方を、彼は取り戻していた。

「今、どこにいるんだよ？」

網川はちょっと笑い声をたてた。「知ってるくせに、どうして訊《き》くんだ？　テレビ、見てたんだろ？　僕はＨＢＳにいるよ。雪隠《せっちん》づめだ。出られないんだ」

「テレビじゃ、あんたが自分で立てこもったって言ってるよ」

「そう見えるようだね」

「出たけりゃ、出りゃいいじゃないか。ドアを開けてさ。簡単だ」

「その気になったら、そうするよ。でも、今はまだここにいる」

「時間を稼いだって、もうあんたに逃げ道はないよ」

「本当にそう思うか？」

その問いが、あまりに自信に満ちていたので、真一はひるんでしまった。

「警察があんたを囲んでるんだろ？」

「物理的にはね。でもそれはそれだけのことだ」

「ほかに何があるっていうんだよ」

「人間の心は、捕まえることも閉じこめることもできないって言ってるだけさ」

網川は笑った。実際、楽しそうだった。ここまで来ても、楽しそうだった。

「君に電話したのは、そのことを教えてあげようと思ったからだ。当分、外部には電話ができないだろうからね。たぶん、刑務所で落ち着くまでは」

まだ理屈を並べている。負け惜しみだ。こいつは生中継の番組で、全国の視聴者の面前で、滋子さんに化けの皮を剝《は》がされた。その失点を、少しでもいいから取り返そうとしているのだ。卑《いや》しい奴だ。引き際《ぎわ》を知らない奴だ。

それなのに、なんでこんなに不安な気分にさせられるんだろう？

「僕は書き続けるよ」と、網川は言った。「これからも筋書きを創《つく》り続ける。大衆にアピールする筋書きを。僕の発言に、きっと耳を傾け惹《ひ》きつけられるだろう若者たちに与える筋書きを。それは、誰にも止められない。そして僕の言葉は、人間の心の闇《やみ》を解き明かす光になって、彼らの道を照らすんだ」

今回だって、上手くいってたんだと、ほんの少しだけ悔しさをにじませて、網川は言った。

「ただ、高井由美子が自殺しちまったのは、まずかった。あれは僕の失策だ。あれから流れが変わった。それは認めるよ。もっと慎重に動くべきだった。だけど僕は、いささか彼女にうんざりしてたんだ。感情に左右されてはいけないという、貴重な教訓を得たよ」

まるで、大事な一戦に敗北した監督が、記者に敗因を問われて答えているような口ぶりだった。そうですね、今日は負けました。でも、明日は頑張りますよ。

「何とでも言え」真一は声を荒らげた。「こんなに大勢の人を殺して、おまえは死刑になるんだ。何が教訓だ。そんなもの、おまえにはもう必要ないよ」

「あるさ。だって、たとえ死刑になるとしても、刑が確定するまで十年？　十五年？　いや、二十年はかかるだろうな。それから執行までも時間がある。僕はいくらだって仕事ができる」

真一は腕をあげて額の汗を拭《ぬぐ》った。義男は真一のすぐそばに顔を持ってきて、携帯電話に耳を寄せている。水野久美は震えている。

「裁判だって、きっと愉快だろう」網川は続けた。「みんなが僕の話を聞きたがる。僕だけが知っている真実を聞きたがる。事件の全貌《ぜんぼう》を明らかにするには、僕の協力がなくてはならないんだからね。ジャーナリストたちだって、競って僕に会おうとするだろう。犯罪心理学者たちは、僕を分析したがるだろう。そして僕のしたことは記録に残る。本だって、何冊も出るだろう。もちろん僕も書くよ。だけど、書きたい奴には書かせてやるさ。いくらだって取材を受けてやる。質問に答えてやる。そして相手ごとに違うことを言ってやるんだ。そいつが求めている答を投げてやるんだ。そして出来あがったそいつの本が、僕の書いた本と、僕の真実の告白と、どれほど食い違っているかを示して、笑い者にしてやるんだ。愚かな大衆には、僕を分析したり理解することなんてできない。ただ僕の存在を認めることしかできないんだ」

腹の底から、ほとんど怒りさえも通り越して、純粋な疑問が浮かんできた。そして真一は、それを口に出した。

「あんたは何者だ」

いったい何をしようとしているんだ。

「僕は網川浩一さ」と、彼は答えた。「誰もが忘れられない名前さ」

真一は目を閉じた。こんな電話、切ってしまおう――

「樋口めぐみがいるよ」と、網川は言った。

「何だって？」

「HBSのそばの駐車場で、僕の車のなかで待っている。今夜の番組が終わったら、ゆっくり食事でもしながら彼女の話を聞こうと思っていたんだ」

「話を聞くって――」

「大川公園で会ったときのこと、覚えてるだろ？　僕は彼女に頼まれた。樋口秀幸の事件を本に書いてくれって。僕はその依頼を引き受けたんだ。あれから、彼女とは連絡をとりあっていた。このところしばらくのあいだ、彼女は君の近くに姿を見せなかったろ？　僕が本を書くと約束したことで、彼女、気持ちが落ち着いたんだよ」

血が下がって、腰のあたりから身体《からだ》の外へ出てゆくような感じがした。呼吸をしても、酸素が肺まで入ってこない。心臓まで届かない。

「局の駐車場に停めたかったんだけど、僕には警察が張りついてたからね。彼女と一緒にいるって悟られたくなかったから、外の駐車場に停めたんだ。彼女はそこで、おとなしく僕が迎えに行くのを待ってるよ。たぶん、こんな状況になってることを、全然知らないだろうからね。僕が行くまで、車で寝てると言っていたから」

彼女はもう君には近づかないよと、網川は言った。

「だから、会って話すならこれが最後のチャンスだ。今後は、いくら君の方から彼女に連絡をとろうとしても、彼女は応じないだろうからね」

「どうして俺が――」

「会って、話を聞いておいた方がいいよ。そうでないと、覚悟ができないだろうからさ。僕は樋口秀幸の本を書く。娘のめぐみさんの主張を充分に取り入れて、ね。その際に、君には取材しない。君のやったことは、ミスだったかもしれないけれど、あまりに大きなミスだった。ご家族の死に、君は責任がある。僕はそのことを書く。君の言い分は聞きたくない。事実だけで充分だ」

水野久美が真一の腕に触れた。空いている方の手で、真一はその手をつかみ、しっかり握った。

「抜き打ちは公平じゃないからね。身柄を拘束される前に、君に伝えておきたかったんだ」網川は駐車場の場所を教えた。「僕は車を買い換えたけど、広い駐車場じゃないから、一台一台のぞいて探せばすぐに樋口めぐみが見つかるだろう。何なら、彼女に土下座して頼んだらどうだ？　網川なんかに本を書かせないでくれってさ。誰も見ていないから、何をやったって恥ずかしくない」

笑っている。

「それだけ言いたかったんだ。じゃあな」

そのとき、じっと固まっていた真一の手から、有馬義男が電話を取り上げた。

「まだそこにいるか」

老人は、張りのある声で呼びかけた。

「おや？」

「私は有馬義男だ。古川鞠子のじじいだよ」

「ああ、そうか……塚田君と友達になったんでしたね」

義男は網川の問いには答えなかった。しっかりと携帯電話をつかむと、震えもせず、臆《おく》することもなく、一語一語はっきりと、宣告するように、言葉をぶつけるように、話し始めた。

「私はあんたなんぞと話をしたくはない。だが、言っておきたいことがある。だからそれを、これから言う」

網川は沈黙している。

「あんたはいろんなことを言ってきた。今も、いろんなことを言った。偉そうに、もったいぶって、わかったようなことを、さんざん言った。だがな、あんたは自分が何者なのかってことは、全然わかっとらん」

「そうですか」網川は冷静に応じた。「それじゃ、僕は何者なんでしょうか、有馬さん」

有馬義男は答えた。「人でなしだ。ただの人でなしの、人殺しだよ」

怒っているようにさえ、真一には見えなかった。長いこと心にのしかかり、この身を苦しめていた謎《なぞ》が、やっと解けた。むしろ、義男は晴れ晴れとした目をしているようにさえ見えた。

「人間はな、ただ面白がって、ただ愉快に、ただ世間様からちやほやされて、派手に世渡りできりゃ、それでいいってもんじゃないんだ。てめえの言いたいことだけ言って、やりたい放題やって、それでいいってもんじゃないんだ。それは間違ってるんだ。絶対に間違ってるんだ。あんたはたくさんの人を騙《だま》したが、結局はその嘘《うそ》もばれた。嘘は必ずばれる。本当のことっていうのはな、網川。あんたがどんなに遠くまで捨てにいっても、必ずちゃんと帰り道を見つけて、あんたのところに帰ってくるものなんだよ」

　真一は聞いていた。耳を傾けていた。義男の言葉を。ただそれだけを。

「あんたさっきから、二言目には〝大衆〟と言ってるな。愚かな大衆だの、大衆にアピールするだの。あんたの言うその〝大衆〟とやらは、いったい何のことだ？　私にはわからんね。あんたが生まれるずっとずっと前に、私らは国が滅びるかっていうくらいの大戦争をした。だけどそのときだって、ひとまとめにして〝大衆〟なんて呼ばれるもんは、どこにもなかったよ。私らはみんな大日本帝国の国民だったけども、死んだり焼かれたり飢え死にしそうになったりする時には、みんな一人一人の人間だった。だから辛《つら》かったし、怖かったんだ。あんたは〝大衆〟だの〝若者〟だの言葉を気軽に使って、それでもって何もかもひとくくりにしとるけど、そんなものは幻だ。あんたの頭のなかだけにある幻だ。大方、その〝大衆〟なんぞという幻も、どこかの誰かが言っていたことを、そのまま借りてきたんだろうけどな。それがあんたの得意技だから。あんたは物真似《ものまね》猿だからな」

　網川が声を張りあげた。「前畑滋子は嘘つきだ！　僕は模倣犯なんかじゃ――」

「黙って聞け！」

義男は一喝した。

「あんたがこんな非道《ひど》いことをして殺したのは、あんたの言う〝大衆〟とやらのなかの、取り替えのきく部品みたいなもんじゃなかった。どの人も、一人の立派な人間だった。その人たちを殺されて、傷ついて悲しんでる人たちもそうだ。みんな一人一人の人間なんだ。そしてあんた自身だってそうだ。どうあがいたって、どんな偉そうな理屈をこねたって、あんただって一人の人間に過ぎん。歪《ゆが》んで、壊れて、大人になるまでに大事なものを何ひとつ摑《つか》むことができなかった哀れな人間に過ぎんよ。そうしてあんたは日本中の一人一人の人間の目に、そういうあんた自身の姿をさらしてるんだ。あんたをじっと見つめているのは、あんたが頭のなかで考えてる〝大衆〟なんてお人好《ひとよ》しの代物《しろもの》じゃないよ」

携帯電話を握り直すと、義男はさらに声を強め、まるで目の前に網川が立て籠《こ》もっている資材室のドアがあって、そこに向かって呼びかけているみたいに、しっかりと視線を定めて言葉を続けた。

「あんたはさっき、自分のことを、誰もが忘れられない名前だって言ったな？　そう言ったな？　だが、それは違う。みんな忘れるよ。あんたのことなんか、みんな忘れちまう。ケチで、卑怯《ひきょう》で、コソコソした嘘つきの人殺しのことなんざ、みんな忘れちまう。私らはそうやって、要らないことは忘れて生きてきたんだ。済んだことは忘れて生きてきたんだ。戦争のことだって、そうやって片づけて、忘れて生きてきたんだからな。だけども、あんたは忘れられないだろう。みんなが自分のことを忘れても、あんたは忘れられないだろう。そんで、なんでみんながあんたのことを忘れちまうのか、あんたなんか最初からこの世にいなかったみたいに忘れちまうのか、わからなくて悩むんだ。どうしてもわからなくて、悩むんだよ。それがあんたの受ける、いちばんの罰だ」

綱川が何か言ったが、小さな声だったから、真一には聞き取れなかった。

「世間を舐《な》めるんじゃねえよ。世の中を甘く見るんじゃねえ。あんたにはそれを教えてくれる大人がいなかったんだな。ガキのころに、しっかりとそれをたたき込んでくれる大人がいなかったんだな。だからこんなふうになっちまったんだ。この、人でなしの人殺しめ。私の言いたいことは、それだけだ」

言葉を切ると、義男は真一に携帯電話を差し出した。真一はそれを受け取ると、指先に力を込め、強くボタンを押して、通話を切った。

「行くのかい？」

「ええ、行ってきます」

いつの間にか、外ではみぞれ混じりの雨が降りしきっていた。戸口に立って、真一はジャケットのボタンをかけた。

「傘、これ持ってけ」義男はビニール傘を差し出した。「それと、金。金持ってけ」

「大丈夫ですよ、電車賃くらいなら持ってるから」

「だけど、この天気だ。何があるかわからねえ。持ってけ」義男は身体を叩《たた》いてサイフを探し、大急ぎで座敷にとって返し、そこらじゅうを探し回った。そして、くしゃくしゃになった一万円札と五千円札、小銭をつかんで持ってきた。

水野久美が真一にうなずきかけた。真一は、差し出された義男の手から、金を受け取った。

「それじゃ、お借りしていきます」

空を見上げて傘を開いた。冷たいみぞれが頬に降りかかった。

「すぐ帰ってくるよね？」と、久美が尋ねた。

「うん」

勇敢な子供のように笑って、久美はうなずいた。「じゃ、待ってる」

教えられた駐車場は、入り組んだ赤坂の町の一角にあった。本当に小さな、コイン式の駐車場だった。

降りしきる雨を透かして、頭上にのしかかるように立ちはだかるＨＢＳの社屋が見える。すべての窓に明かりが灯《とも》り、サーチライトの筋も空を照らしていた。

探し回らなくても、網川の車はすぐにわかった。薄暗い駐車場の明かりだけを頼りにしても、後部座席で身体を丸め、膝掛《ひざか》けをかぶって眠っている樋口めぐみを、真一は見つけることができた。

窓を叩いた。何度も叩いた。ようやく彼女の頭が動き、顔がこちらを向いた。

傘をさしたまま、真一は窓に屈《かが》み込んだ。めぐみは何度かまばたきをし、頭を振ると、ぐるぐるとまわりを見回した。最初に、ダッシュボードの時計を見たようだった。午前零時に近い。

ひとしきり操作に迷ってあわててから、めぐみはやっと窓を開けた。

「何よ？」と、寝起きのかすれた声で言った。「あんた、ここで何してんのよ？」

「網川は来ないよ」と、真一は言った。

「え？」

「事情がわからないだろうけど、とにかく来ないよ。あとでラジオでも聴いてくれ」

「どういうことよ？」

右手から左手に、真一は傘を持ち替えた。幸い、凍るように冷たいが静かな雨だった。風もなかった。大きな声を出さずとも、言いたいことが、ちゃんと言えた。

「俺は、おまえのこと、やっぱり許せない」

めぐみは険しい目で真一の顔を仰いだ。

「でも、おまえも犠牲者だってことは、わかってきた」

「今さら何言ってんのよ」

「だけど俺にはおまえを助けることなんかできない。おまえの親父《おやじ》さんを助けることができないのと同じようにな。俺にはできない。だから、誰かほかに、おまえを助けてくれる人を探しなよ」

めぐみは手で目をこすった。夢でも見ているのかしら、という顔だ。

「だけど気をつけろ」と、真一は続けた。「世の中には、悪い人間がいっぱいいる。俺やおまえみたいに、辛いことがあって、一人じゃどうすることもできなくて、迷って苦しんでるような人からも、何かしぼりとろうとしたり、騙そうとしたり、利用したりしようとする人間が、いっぱいいる」

雨は降りしきる。銀色に凍って。

「だけど、そうじゃない人だって、やっぱりいっぱいいるはずなんだ。だから、おまえはそういう人を探せ。本当におまえを助けてくれる人を。俺に言えることは、それだけだ」

しばし、じっと真一の目をのぞいてから、めぐみは尋ねた。「綱川さんは？」

「あいつはもう来ない。あいつは、おまえを助けてはくれない。もともと、あいつにはおまえを助ける気なんかなかったんだ。自分のやりたいことをやるために、おまえを利用しようとしていただけだ」

「だけどあたしは――」

「本当におまえの言い分を聞いてくれる人を見つけろよ。おまえが――親父さんのしたことに立ち向かえるように、手助けしてくれる人を。探せば、きっといるはずだから」

「そしたらあたし、言うわよ。そういう人に、言うわよ。本当はあんたが悪いんだって」

「いいよ。言えばいい。それがおまえの言い分なんだから」

「嘘だってつくかもしれないわよ。あんたそれでいいの」

「いいよ」

真一は微笑しようとしたが、それはできなかった。代わりに、また傘を持ち替えた。有馬義男が貸してくれた傘を。

「嘘をついて気が済むなら、つけよ。俺は平気だ。自分のしたことは、自分でちゃんとわかってるから。それに——」

「それに？」

「本当のことは、どんなに遠くへ捨てられても、いつかは必ず帰り道を見つけて帰ってくるものだから。だからいいよ。俺は俺で——これからの自分のこと、考えるから」

めぐみの顔に、それまで真一の見たことのなかった表情が、ゆっくりと浮かんだ。さほど遠くない過去、高井由美子という娘と出会ったとき、彼女がめぐみを労《いたわ》るように、その引きつって窶《やつ》れた顔の向こうに見える何かを慰めるように、目を向けてくれたときにだけ、わずかに浮かべたことのある表情。

「いつまでもここにいると、警察が網川の車を捜しに来るぞ」

「警察？」

「ゴタゴタは嫌だろ？　早くどっか行けよ。行くあてはあるのか？」

「ママのとこ」

「じゃ、行けよ。金、持ってる？　遠いとこだと、電車はそろそろなくなるよ」

めぐみは返事をしなかったが、真一はポケットに手を突っ込み、くしゃくしゃの札を引っぱり出した。

「これは、俺の金じゃない。有馬さんて人から借りた金だ」

めぐみは口を尖《とが》らせた。「あとで返せって言うの？」

「そうじゃない。だけど、誰から借りた金かってことぐらい、知っておいた方がいいだろ？」

「あんたに貸してくれたお金なんでしょ？　あたしがもらったら、まずいんじゃないの」

「大丈夫だよ。有馬さんは、俺がこうするってこと、わかってて貸してくれたんだ。だから貸してくれたんだ。そういう人だから」

めぐみは札を受け取った。

「ちゃんと家に帰れよ」

それだけ言って、真一は踵《きびす》を返した。駐車場を出て、駅に向かった。振り返らなかった。それでも、めぐみの顔が見えた。薄暗がりのなかで見ためぐみの顔が、目の裏に鮮やかに焼きついていた。これまで、彼女の顔は何度も見てきた。怯《おび》えながら、怒りながら、逃げながら。彼女の詰《なじ》る顔を。媚《こ》びる顔を。責める顔を。それがあまりにも悪夢のようだったから、一人の人間としての樋口めぐみの目鼻立ちや、声や、姿をちゃんと覚えることができなかった。いつ見ても、初めて見るように脅威を感じた。だからこそ彼女に遭遇するたびに、驚きで新しい傷口が開いたのだった。

でも、今度は違った。背中を向けて遠ざかっても、電車に乗っても、氷雨《ひさめ》に濡《ぬ》れながら夜道を歩いても、長いこと、真一は目の裏に彼女の顔を見ていた。

そして、ようやくそれに別れを告げた。

午前四時二十六分、網川浩一は自ら資材室のドアを開け、待ち受けていた警官隊に投降した。前畑滋子との対決から、七時間半後のことだった。

33

身柄を拘束されると、網川浩一は、まったくしゃべらなくなった。完全黙秘の姿勢を守った。

しかし、〝山荘〟は雄弁だった。家宅捜索により、捜査本部は数々の物証を発見した。被害者の遺留品。毛髪。衣服の繊維。指紋。

そして遺体の捜索も始まった。広い〝山荘〟の庭に、いったい何人の亡骸《なきがら》が埋められているのか。

〝山荘〟は次々と秘密を吐き出し、白骨化した被害者たちを吐き出した。個体識別にはまた時間を要する。事件がどれほどの規模のものだったのか、最初の犯行がいつで、最終的に何人が殺害されているのか。現段階ではまだ推測さえできないと、捜査本部は発表した。

　早期に個体識別のできた白骨遺体のなかには、網川浩一の実母・天谷聖美の遺体があった。庭の北東側の隅に、手足を折り曲げて埋められていた。その穴は、他の遺体が埋められていた穴よりも、ずっと浅かった。発見が早かったのも、そのためだ。

　実母の殺害が、網川浩一の最初の殺人だった。天谷聖美が〝山荘〟に移り、ひとり暮らしを始めたときに、彼は彼女を殺し、遺体を埋めた。天谷家と絶縁した聖美には、事実上、浩一しか親族がいなかった。彼が母親を殺し、沈黙を守ったならば、彼女の安否を気遣う者は、地上には一人もいなかった。

なぜ網川は母親を殺したのか。〝山荘〟と、彼女の金を自分のものにしたかったからなのか。他にも理由があったのか。

網川は答えない。今はまだ、彼にとってはその時ではないから。準備が要るから。まだ筋書きができていないから。

しかし〝山荘〟は倦《う》まず弛《たゆ》まず事実を吐き出し続けた。やがて数々の疑問に、網川が答え始めるよりも先に、明らかにできるものはすべて明らかにしてしまおうというかのように。網川の述べる答よりも、まず事実を、ここで成された事柄を、そこで死んだもの、殺されたもの、傷つけられたものを、光の下に晒《さら》してしまいたいというように。そしてそれを見てもらうことを請《こ》い願うように。どんな言葉より、どんな説明より、どんな解釈よりも確かなのは、事実なのだから。

捜索が続いているあいだ、静かな山中は捜査員たちと報道関係者でごった返した。野次馬も詰めかけた。立入禁止区域ギリギリのところまで押しかけて、警備の警官たちと騒動を起こす若者グループなども出てくる始末だった。

そんな喧噪《けんそう》のなか、あの十一月四日の夜、栗橋浩美が高井和明を呼び出して待ち合わせたカフェテラス「銀河」を、一組の夫婦が訪れた。小柄な夫人に支えられ、やっと歩いているという様子の夫は、明らかに患《わずら》っているらしく、顎《あご》は尖《とが》り、顔色は土気色、足元もおぼつかない。

彼らをテーブルに案内したウエイトレスは、あの日、栗橋浩美を若い音楽家と勘違いして声をかけたウエイトレスだった。彼女も警察から何度となく事情を聞かれたし、マスコミの取材も受けた。近頃ではやっとそれが一段落してホッとしているところだった。

「カフェオレを二つ」

オーダーを受けてテーブルを去ろうとするウエイトレスを、夫人が呼び止めた。

「おかしなことを伺うようですけど」

「はい？」

「あの事件で――このお店ですよね？　十一月四日の夜に、栗橋君と高井君が立ち寄ったのは？」

「ええ、そうですけど」ウエイトレスは警戒した。この人たちもマスコミなのかしら。

「どのテーブルに座ったのかしら」

尋ねてから、ウエイトレスの表情を見て、夫人は急いで言い足した。

「野次馬じゃないんですよ、わたしたち。主人が昔、あの子たちを知っていたもので」

ぐったりと椅子《いす》にもたれていた夫の方が、ゆるゆると目をあげてウエイトレスを見ると、うなずいた。

「夫は教師だったんです」と、夫人は言った。「特に、高井君のことはよく知ってました。水泳部の顧問だったから」

柿崎校長は警察の事情聴取にこそ協力しているが、テレビには出ず、どんなインタビューも取材も受けていない。だから、ウエイトレスには何もわからなかった。目の前にいるこの病人が、中学時代に高井和明の視覚障害に気づき、彼の人生に希望を与えた教師であったことなど、知る由《よし》もない。

何だかよくわからないけど、結局は野次馬じゃないの？　ウエイトレスはそう決めつけた。「あの二人はここに来たようですけど、どのテーブルに座ったかなんて、わたしにはわかりません。店長だって覚えてないと思いますけど」

「そうですか。それならいいんです。ごめんなさいね」夫人は気弱に微笑した。「ただ、わたしたち、あの子たちが亡《な》くなる前に立ち寄った場所を、全部回ってみようとしてるんです。主人がどうしてもそうしたいってね。お医者さまには止められたんですけど、どうしてもって。この後は、グリーンロードに行きます」

そのとき初めてウエイトレスは、見るからに具合の悪そうな夫の方が、少し涙ぐんでいることに気がついた。

つっけんどんにあしらったことに、急に気が咎《とが》めてきた。だから急いで言った。

「高井さんて、悪くなかったんでしょ？　細かいことはまだわからないけど、巻き込まれただけだったらしいですよね？」

「ええ、そうね」夫人は言って、手を伸ばし、夫のコートの襟をかきあわせてやった。

「どんな人だったんですかね、高井さんて」

すぐには、返事はなかった。ウエイトレスはテーブルを離れようとした。と、かすれたような小声が聞こえた。

「いい子だった」と、病気の夫は言っていた。身を屈《かが》めないと聞き取れないほどの弱々しい声だった。

「いい子だった」と、柿崎校長は繰り返した。慰めるように。抱《いだ》くように。

「本当にいい子だった。優しくて、いい子だった。いい子だったんだよ」


武上が率いるデスク班は、事件発生当初と同じくらいの忙しさのなかで、不眠不休で活動を続けた。つくらねばならない公的書類、まとめるべき資料やファイル、打ち込まねばならないデータ。片づけても片づけても、雪崩《なだれ》のように頭の上に降りかかってくる。

篠崎は頑張って仕事を続けていたが、オーバーワークで近視の度が進んでしまい、眼鏡をつくりなおさなければならなくなった。秋津はあいかわらず彼をからかい、「お嬢さん」と呼んでいたが、武上はそんな秋津をたしなめることなく、篠崎を酷使することもやめなかった。

「おまえには、この際、覚えておいてもらいたいことが山ほどある」と、武上は言ってきかせた。

「ここで経験できたことが、次の事件でも役に立つかもしれない。だが、ここで経験できたことは、次の事件では経験できないことかもしれない。だから、今できることは全部、今のうちにやっておけ」

篠崎はよく励んで働いた。故郷からまた見合いの話が持ち込まれたけれど、忙しいから駄目だとあっさり断ることができて、それだけは助かったと言った。

「結婚なんざ、いつでもできる」と、武上は言った。

「相手が見つかればの話です」と、篠崎は応じた。

「今ンところはまだ、高井由美子の思い出に付き合ってもらって我慢しろ」

「ガミさん――」

「おお、そうだ。法子から伝言だ」

「え？」

「俺はさんざん止めたんだが、あいつはおまえが気に入ったらしい。メル友なんだってな？」

「ガミさん、メル友なんて言葉を知ってるんですか」

「俺はITの武上と呼ばれているんだ。知らんのか」

「知りません。それで、法子さんは何て？」

「暇ができたら、映画でも観《み》に行こうとさ。先に言っとくが、あいつは刑事の娘のくせに、出てくる人間がみんな銃を持ってて、やたらにドンパチ撃ち合うような、乱暴な映画が大好きなんだ」

「僕も好きです」

「だったら勝手にしろ。俺は知らん。だがな篠崎」

「はい？」

「うちに泊まりに来ても、法子のシャンプーだけは使うなよ」


「ガミさんか？」

「ああ、こっちから電話しようと思っていたところだ」

「忙しいのはわかってるんだ」

「いや、ひとこと礼が言いたかった。あんたの分析は役に立った。ありがとう」

〝建築家〟は、面白くもなさそうに笑い声をたてた。「いや、駄目だよガミさん。役になんて立たなかったさ。被害者を助けることにはならなかったんだから。みんな、もう殺されちまってた。俺たちは、試合終了後の評論家なんだ」

「それは確かにそのとおりだ」

「それでもガミさんが俺に感謝してくれるなら、ひとつ頼みがあるんだが」

先回りして、武上は言った。「捜索が終了したら、網川の〝山荘〟を見せてくれ、だろ？」

「そうだ」

「いいよ。いつになるか約束はできんが、必ず連れてゆく。隅から隅まで見せてやるよ」

「ありがとう」

「あんたはやっぱり、骨がらみで警官なんだな」

「そうかね。だったら俺は、警官でいたかったから、警察を辞めずにはいられなかったんだろう。俺の捜査の仕方は変わってるからな。今さら、ガミさんに言うまでもないが」

「そうだな」

「網川の〝山荘〟を見ておけば、次にあのクソ野郎のような奴《やつ》が出てきたときには、今度こそ役に立てるかもしれない。誰かが殺されないうちに、助けられるかもな?」

「うむ」

「だけどな、ホントはそれじゃいかんのさ。俺なんかが役に立つようなことがあっちゃ、いかんのさ。わかるだろ?」

「わかるとも」

「しっかり目を開いていてくれよな、ガミさん」

「俺はもう老眼だ」

「それでもさ」

「あんたは自由人だから、宮仕えの俺よりも長生きするだろう。俺がぽっくり逝《い》っちまったら、部下をよろしく頼む。今度、連れていくから」

「そうだな。それも面白そうだ。そうやって俺たちは、続けるんだな。なんだかわからないが、続けるんだよ」

「ああ、そうだ」武上は答えた。「そうだよ。続けるんだ。今、やってることを」

前畑滋子は、それでも前畑家のアパートには戻らなかった。引っ越すことになったのだ。

一人ではなかった。昭二が一緒だった。

「おふくろはまだブツブツ言ってるけど」

トラックの荷台に、滋子のパソコン用の椅子を乗せながら、昭二は言った。

「時間が経《た》てば、機嫌も直るよ。親父《おやじ》も元気になってきたし、大丈夫だよ」

「そうだといいね」

滋子は首に巻いたタオルで顔をぬぐった。今日はずいぶんと暖かい。陽射《ひざ》しはもう春だ。

「でも——シゲちゃん、ホントにいいのか？」

昭二が大きな両手を持て余すように身体《からだ》の脇《わき》に下げて、滋子を見ていた。

「いいのかって、何が？」

「俺、ずいぶんとひどいことを言ったよ……」

「そんなの、あたしも同じよ。おあいこよ」滋子は笑って彼に近づき、彼が首に巻いているタオルを引っ張った。

「だから、もういっぺんやり直すチャンスをくれて、有り難かった。嬉《うれ》しかった」

「俺も」昭二は照れて、目を伏せた。「考えてみたら、俺たちずっと親父とおふくろと一緒でさ、新婚生活も、半端《はんぱ》だったもんな」

「お義父《とう》さんとお義母《かあ》さんだけじゃなかったなぁ」

「そうか？」

「うん。ＢＣＩＡもいたからね」

「ババア中央情報局！」

「そういうこと」

空になった台車を、二人で押してアパートに戻る。荷物はあと少しだ。

通りかかった近所の人が、「あら、お引っ越し？」

「はい、お世話になりました」

「遠くへ行くわけじゃないんでしょ？　前畑さんとこ、寂しくなっちゃうじゃないの」

「ちょいちょい遊びにきます」

その人が行ってしまうと、顔を見合わせて笑った。

「あれも工作員の一人か？」

「かもねえ」

布団《ふとん》と衣類のパックを台車に乗せる。

「シゲちゃん、ライターの仕事、続けていいんだぜ？」

「続けたくても、もうどこも使ってくれないよ。『ドキュメント・ジャパン』はクビになっちゃったし、元の雑誌とかだって、不義理ばっかりしたからね」

「そんでもさ、探せば、どっかあるよ」

昭二は手を休めて、滋子を見た。「俺はさ、グルメの記事とか、料理やお洒落《しゃれ》のコラムとか書いてるシゲちゃんだって、好きだったよ。ずっと、いい仕事してたよ」

「ありがとう」滋子は微笑《ほほえ》んだ。「そうだったよね。だけどあたし、そういう大事なこと忘れてた。自分がやってることより——隣の芝生が青く見えたっていうのかな。だから、できもしないことに手を出しちゃった」

「全然ダメだったわけじゃないってばさ」

昭二は言葉を探しているようだった。

「だから俺は、世間に騒がれるようなルポなんか書かなくたって、シゲちゃんは立派なライターだと思うよ。題材に何を選ぶかってことで、ライターの価値が決まるわけじゃない」

「そうだね。あたしも、もっと早くそのことに気づくべきだった」

「だからさ」台車の取っ手に手をついて、昭二は身を乗り出した。「シゲちゃんが、『ドキュメント・ジャパン』でやったみたいな仕事だって、必要だよ。そっちが偉いとか、硬派だとかそういうことじゃなくてさ、必要なんだよ」

「……」

「もう、あの網川みたいな奴は出てこないと思う。出てきちゃ困るよ」と、昭二は拳《こぶし》を握った。「だけども、あいつをひとまわり小さくしたみたいな奴だったら、ひょっとしたら出てくるかもしれないじゃないか」

「うん……」

「そのときにはさ、滋子。またやれよ。こいつはインチキだって、皆さん、こいつは嘘《うそ》つきですよって、指さして大声で騒いでやれよ」

滋子の心の目に、網川の顔が映った。滋子に指を突きつけて、いい加減なことを言うなと怒声を張りあげた、あのときの網川の顔。

昭二はひとつ首を振ると、力を込めて言葉を続けた。「何よりも、たとえ誰も出てこなくたって、網川はいるんだぜ。あいつだって、まだまだ何か言うかもしれない。それでさ、何年か経って事件のほとぼりが冷めたら、あんな人間のクズみたいな奴の言うことでも、また信用する人たちが出てきちまうかもしれない。一時は、俺たちみんながあいつの言うことを信じちまったんだから、これから先だって、そういうことがあるかもしれない。特に若い子たちはさ、免疫がねえからな。そしたら、誰かがそれをぶっつぶさなきゃよ。あ、まただ、網川はまだこんな屁理屈《へりくつ》を並べてやがる！　こいつの言うことなんか信じちゃ駄目だよ、ちゃんと自分の頭で考えてごらんよ、ホントにこいつの言ってることがまっとうだと思うかいって、大声で騒いでやらなきゃよ。そうだろ？　滋子だって、そう思うだろ？」

「思うよ。でも、あたしがやらなくても——」

「もちろん、滋子一人じゃないよ。みんなでやらなきゃいけないことなんだ。でも、滋子にもできるだろ？　それ、必要なことだよ。滋子は一度、そういうことができたじゃないか。また、できるかもしれないぜ。できるんだったら、やらなきゃ女がすたるじゃないか」

滋子はしみじみと昭二の顔を見つめた。すると彼は真っ赤になった。

「そんときには、俺も、今度こそガタガタ文句ばっかり並べないで、手伝うからさぁ」

滋子は吹き出した。昭二も、最初は遠慮がちに、しかしすぐに声をたてて笑い出した。アパートの住人たちが、何がそんなに嬉しいのだろうかと、驚いて窓から外をのぞくような、屈託のない、明るい笑い声だった。

## 34

逮捕から十日目、ようやく、網川浩一が一連の犯行への関与を認め、具体的な供述を始めたという報道があった。

その日の夜遅く、真一が自室にいると、石井家の電話が鳴った。出てみると、木田孝夫だった。

「遅くにごめんよ。俺なんかがいきなり電話かけて、びっくりしたろう。番号は、電話帳で探したんだ。気を悪くしないでおくれよ」

「大丈夫ですよ。どうしたんですか?」真一は座り直した。「有馬さんに何か?」

「うん」木田は言いにくそうだった。「夕方、うちの店に来てね。そのときにもう、ベロベロに酔っぱらってた。引き留めたんだけど、死ぬまで飲んでやるって言って、どっか行っちゃってさ。店閉めてから、近所をあっちこっち探してるんだけど、いないんだよ。もしかしたらあんたのところに寄ってないかと思ってさ」

「来てません。電話もない」

「そうか……」

「元の店の方は?」

義男はアパートに引っ越したばかりである。

「酔っぱらって、昔の家に帰ってるってことはないですか?」

「ないない。行ってみたけど、いなかった。どうしようかね。あの人は肝臓が悪いんだよ。ずっと薬をもらってるんだ。若いころには無茶をした時期もあったって——。あんなに飲んじゃ、本当にひっくり返っちまうよ」

真一は素早く考えた。「近所の店とかアパートを、もう一度探してみてくれませんか。僕も探してみます」

木田に携帯電話の番号を教えると、真一は上着に袖《そで》を通した。心あたりの場所が、ひとつだけあった。たぶん、そこで間違いはないはずだった。

有馬義男は、大川公園のゴミ箱にもたれていた。人気のない夜の公園で、地面に座り込み、すっかり酔っぱらって、それでもまだ酒瓶を離さない。

走って行って、それでも真一は、老人がまだ首や手を動かしているのを見て、ほっと安心した。足を緩めて、ゆっくり近づいた。

声をかける前に、老人の方が先に気づいた。とろんとした目で、真一を見た。

「何だ、おまえか」と、凄《すご》んだ。「何の用だよ」

「こんなところにいると、風邪ひきますよ」

「風邪がなんらってんだ、ふん」義男はしゃっくりをした。ろれつが回らない。「今さらなんだってんら、え？」

真一は老人のそばにしゃがんだ。思わず「うっ」となるほど酒臭い。

「どれぐらい飲んだんですか」

「飲んじゃ悪いか」

「身体《からだ》に悪いじゃないですか」

何ほざいてんだべらぼうめ——というようなことを、義男は言った。

その夜は晴れていた。星がいっぱいだった。そこにも、ここにも、輝いている。

しばらくぶつぶつと毒づいてから、ゴミ箱に深くもたれなおして、義男は言った。

「網川がしゃべり始めたんだってな」

「ニュースでそう言ってましたね」

「言ってたな。うん、言ってた」義男はまたしゃっくりをして、宙を仰いだ。「これでようやく一連の事件は解決に向かいますってさ。ＮＨＫでよ、そう言ってたよ」

真一は黙っていた。

「解決だとよ」義男は繰り返し、酒瓶を持った腕を持ち上げた。抗議するように、それを夜空に向けて振った。「解決だとよ。終わるんだとよ」

真一は黙って、じっとしていた。

「終わるんだとよ、終わりなんだとよ」

どろんとした声で呟《つぶや》いたかと思うと、突然、義男は声を張りあげた。

「ふざけるんじゃねえよ！」

澄んだ夜気に、老人の声が響いた。

「終わってなんかいねえ！　何にも終わってねぇぞ！　だって鞠子は帰って来ねえ。鞠子は帰って来ねえんだ。そうだろ？　え？　そうだろ？」

酒瓶を放り投げると、義男は真一にむしゃぶりついてきた。袖をつかみ、肩をつかみ、真一を揺さぶって、大声で喚《わめ》き続けた。

「な？　そうだろ？　終わってなんかいねえよ。鞠子は帰ってこねえんだよ。鞠子を返してくれよ。返してくれよ。俺の孫を返してくれよ。たった一人の孫娘だったんだ。返してくれよ」

真一はただ揺さぶられていた。義男の気が済むまで、揺さぶられていようと思った。わあっと叫びながら、義男は真一を突き飛ばし、両腕で頭を抱えた。

「鞠子は帰ってこねぇよ。帰ってこねえ。もう帰ってこねえんだよぉぉ」

ようやく、真一は起きあがり、腕を伸ばして、義男を抱きかかえた。いつか老人が彼にそうしてくれたように、抱きかかえた。黙って、ただ抱きかかえていた。

そして、有馬義男が初めて、出会ってから初めて、事件が起こってから初めて、身も世もないようにむせび泣くのを、全身で聞いていた。


三月の陽射《ひざ》しのなかを、若い母親が、幼い娘の手を引いて歩いている。お買い物。お母さんとお買い物するの、あたし大好き。

若い母親は、町の一角で足を止めた。シャッターが降りた店の前。もともと古びていた「有馬豆腐店」の看板は、風雨にさらされてすっかりペンキが剝《は》げてしまった。家は空き家になると、とたんに傷《いた》む。店も同じだわと、若い母親は思った。

「おとうふやさん」と、幼い娘が言った。「おやすみ？」

「ううん。このお豆腐屋さんは、やめちゃったんだって。もうお店、やらないのよ」

「ふうん」

子供を連れて、よくここに豆腐を買いにきたものだ。ちょっと高いけど、消費税はとらないし、味は段違いだった。冷奴《ひややっこ》や湯豆腐のとき、ここの豆腐を使わないと、夫はすぐに気づいて文句を言ったものだ。今日の豆腐は旨《うま》くないな。スーパーで買ったんだろ。

店主の老人は、どうしているだろうかと彼女は思った。彼の孫娘を襲った不幸については、もちろんよく知っている。ニュースで聞いたり、新聞で見たりしただけじゃない。

――鞠子さん、だっけ。

その遺体が発見されたときに、若い母親は、ちょうどここに豆腐を買いに寄っていたのだ。あのときにも子供が一緒だった。

あの場では、有馬義男に、かける言葉など見つからなかった。孫娘が行方不明になっているというころには、「おじさん、元気出してね」なんて、言ったこともあったけれど、あのときばかりは、何と言っていいかわからなかった。

今ごろ、どうしているだろう。有馬さん。こんなことがなければ、こうやって看板があがっていても、「お豆腐屋のおじさん」と呼ぶだけで、名前など覚えることもなかったろう。

「おじさんのお豆腐、美味《おい》しかったよねえ」

褪《あ》せた看板を見上げながら、若い母親は幼い娘に言った。

「パパ、ここのお豆腐が大好きだったのにね」

「ね？」と、娘も言った。愛らしいその顔。若い母親は、急に胸が熱くなるのを感じた。この子だけは守りたい。何があっても、どんな不幸からでも、この子だけは守ってみせる。必ず守ってみせるから、神様、その力をあたしにくださいね。

「おじさん、きっと元気出してるよね？」

母親は娘に笑いかけた。

「ね？」と、娘も答えた。

「さ、お買い物に行こう」

「うん」

二人は手をつないで歩み去った。

ようやく暖かみを帯びてきた風が、閉じたきりの有馬豆腐店のシャッターを、遠慮がちな訪問者のように、かすかに叩《たた》いた。誰の返事もない。誰かが帰ってくるということもない。風は、また静かに通り過ぎていった。


（完）

# あとがき

本書はフィクションであり、作中に登場する人物も作中で発生する出来事も、すべて作者の想像の産物であります。

第一部のエピグラフは、シャーリイ・ジャクスン作「くじ」（異色作家短編集12『くじ』所収　早川書房刊　深町眞理子訳）より、第二部のエピグラフは、ジョン・W・キャンベル・ジュニア作「影が行く」（ホラーSF傑作選『影が行く』所収　創元SF文庫　中村　融訳）より、第三部のエピグラフは、ヒラリー・ウォー作『事件当夜は雨』（創元推理文庫　吉田誠一訳）より、それぞれ引用させていただきました。

小説は作者一人の力でできあがるものではありません。今般もまた、大部の作品である本書の完成までには、多くの方々のご助力を仰ぎました。皆様、本当にありがとうございました。

取材の段階で、東邦大学医学部精神神経科の高橋紳吾助教授に、御多忙のなか時間を割いていただき、お話をうかがうことができたのは、たいへん幸せなことでした。本書に登場する連続殺人者は、あくまでもわたくし個人が創造したものであり、その現実的存在感の有無は、言うまでもなくわたくし一人の責任と力量にかかるものです。それでも、現実社会と向き合い、犯罪心理の研究に携わっておられる先生の〝今〟を垣間見る《かいまみる》ことは、貴重な経験でありました。本書だけでなく、今後の仕事につながる取材をさせていただきました。厚く御礼申し上げます。

週刊ポスト誌上で三年余の連載期間をいただき、その後加筆改稿に二年の時間を加えて、五年がかりの仕事でした。これまでにない長丁場を、辛抱強く伴走し激励を続けてくださった編集部の西澤潤さん、高橋健司さん、やっとこういうあとがきを書いて、お二人に御礼を申し上げられる時が来ました。お二人だけでなく、週刊ポスト編集部の皆さんには、どれだけ感謝しても足りないと思っています。ありがとうございました。

また、予定の倍以上の期間に延長されてしまった連載に、最後まで素晴らしい挿絵《さしえ》をくださった山野辺進さんにも、あらためて御礼申し上げます。山野辺さんとは、デビュー短編で挿絵をつけていただいて以来のご縁ですが、今回もまた、いただいた挿絵から新しいヒントやインスピレーションを得るという、嬉《うれ》しい形で連載を続けることができました。

多くの方々に支えられ、本書を書き上げることができて、今、心から喜んでおります。ただひとつだけ、悔やんでも悔やみきれないのは、連載開始当時の編集長である故・岡成憲道さんに、この本を見ていただけないことです。

「どんと腰を据えて、思いっきり書いてください。我々がバックアップしますから」
ぽんと胸を叩《たた》いて笑っていたお顔を、懐《なつ》かしく思い出します。岡成さん、やっと本ができました。遅くなってごめんなさい。でも、どんなに時間がかかっても、必ず完成させますというお約束だけは、なんとか果たすことができました。

二〇〇一年三月吉日

宮部みゆき

# 文庫版のためのあとがき

文庫版『模倣犯』全五巻。

読者の皆様から、場所も時間も大きく頂戴《ちょうだい》することになる作品でございます。まことに恐縮ではございますが、新潮文庫収録の他の拙作同様、ご愛読いただけますことを切に願っております。

なにしろこのように長大なものですので、文庫版制作の手間も時間も、他の作品とは比較にならず、担当の佐野久男さんと、新潮社校閲部の皆様にはひとかたならぬお世話になりました。まことにありがとうございました。

大橋歩さんに装丁していただいた小学館刊行の単行本上下巻の姿があまりに美しかったので、さて文庫版はどうすればいいものかと頭を悩ませたのですが……案ずるより産むがやすし。藤田新策さんに素晴らしい「五連作」の装丁をいただくことができました。藤田さん、いつもありがとうございます。制作進行中から、装丁画のカラーコピーを見るたびに、やっぱり藤田さんはカッコいい！　と歓声をあげておりました。

この大長編に、今さら著者がくどくど書き添えることなどないはずなのですが、ひとつだけ、この場をお借りして記しておきたいことがございます。

二〇〇一年に単行本を上梓《じょうし》した当時、少なからぬ数の読者の皆様から、登場人物の一人「高井和明」の視覚障害についてお尋ねをいただきました。ご自身が、あるいは身近な方が、同じ症状に悩んでいるので、もっと詳しいことを教えてほしいという内容のものでした。

本書はフィクションであり、高井和明の患《わずら》っている視覚障害の症状も、そのフィクションの内にあります。どうぞ、作中の描写を、現実の切実な健康問題の自己診断基準とされることのございませんよう、お願いいたします。

末尾ながら、この大部の長編が世に出るまでわたくしの悪戦苦闘を支えてくださった皆様と、世に出た後、高い評価と強いご支持を与えてくださった皆様に、あらためまして篤《あつ》くお礼申し上げます。

二〇〇五年十一月吉日

宮部みゆき

# 解説

佳多山大地

物見高い御見物衆。君たちは、われわれが洞爺丸《とうやまる》の遺族だといっても、せいぜい気の毒にぐらいしか、考えちゃいなかったろうな。

――中井英夫『虚無への供物』

宮部みゆきの『模倣犯』は、「週刊ポスト」誌上で足掛け五年の連載（一九九五年十一月十日号―九九年十月十五日号）を経て、二〇〇一年四月、加筆改稿された単行本が小学館より上梓《じょうし》されるやいなや空前の反響を呼び起こしたベストセラー作品である。第五十五回毎日出版文化賞特別賞受賞、二〇〇二年芸術選奨文部科学大臣賞［文学部門］受賞という〝勲章〟も引《ひ》っ提《さ》げ、このたび新潮文庫に五分冊されて入った本書は、すでにエンターテインメント系の文芸賞を総嘗《な》めにしてきた著者の、現在までの最高傑作といってよい。しかし、これだけの作品をもってしても、おそらくまだ宮部の〝頂点〟ではないのだろうと、そうも確信させる著者の筆力にはただただ感服するよりほかない。

現代ミステリーの金字塔と呼ぶにふさわしい三千五百枚超の大作が描き尽くそうとするのは、「ピース」という愛称で呼びならわされる青年と彼の小学校以来の友人とが犯した、凶悪な連続誘拐殺人をめぐる顚末《てんまつ》である——。

一九九六年九月十二日、東京都墨田区にある大川公園内のゴミ箱から、切断された女性の右腕とルイ・ヴィトンのショルダーバッグが発見された。犯人はテレビ局の報道部に「警察の手間を省いてあげよう」と電話を寄越し、右腕の主とショルダーバッグの持ち主が別々の女性であることを告げる。「あのね、教えてあげようと思ったんです。大川公園からは、もう何も出てこないですよ。もちろん、古川鞠子《まりこ》さんの死体とかもね。ハンドバッグはあそこに捨てたけど、彼女は別のところに埋めてあるんです。だから、あの右腕も彼女のものじゃないです」と。

古川鞠子は、三ヵ月前から行方不明になっていた年若いOLである。鞠子の自宅にも挑発的な電話を掛けてきた犯人は、鞠子の生存に一縷《いちる》の望みをかける祖父・有馬義男《よしお》を夜の新宿の街に誘い出し、思うさま愚弄《ぐろう》するかたわら、古川家の郵便受けに白い封筒を手ずから届けていた。その中身は、義男が就職祝いに鞠子に買ってやった腕時計と、「これで僕が本物だってわかったろ?」と誇らしげにワープロ打ちした便箋《びんせん》。しかし、愉快犯的な演出を凝《こ》らした一大犯罪スペクタクルは、まだまだ開幕のベルさえ鳴り終わっていなかったのである——。

『模倣犯』には、全三部七十八章のうち実に六十五章でテレビにまつわる何らかの言及がある。それは作中で起こる出来事を〝テレビドラマのように〟などと比較・同一視する感想のレベルから、古川鞠子の遺体発見中継や報道番組に犯人が〝声の生出演〟をするハプニングといった、物語の重要な転換点としてテレビ放送が機能する場面も数多い。第一部「2」章の冒頭は、有馬豆腐店の事務所の電話が鳴り出すところから始まっているが、店主の有馬義男が受話器を上げると、娘の真智子は朝の挨拶《あいさつ》も抜きに「もしもし、お父さん？　テレビ観《み》た？」と訊《たず》ねる。朝のニュース番組で大川公園から女性の右腕が見つかったと報じられたため、真智子は、これが失踪《しっそう》した鞠子のものではないかと心配しているのだ。このとき、真智子から義男に掛けられた〈電話〉は、特定の利用者間での通話を目的とする電気信号であるわけだが、受像機《テレビ》に送り届けられる映像・音声は、不特定多数の視聴者による受信を目的とした電気信号である。『模倣犯』では、登場人物同士が〝テレビを観ているか？／観ていたか？〟と相手に確認する場面が頻繁に描かれる。マスメディアは無論テレビに限らないのであるが、情報伝達の即時性、ビジュアル面でのインパクトでは新聞やインターネットをはるかに凌駕《りょうが》している。

わが国では一九五三年に開始されたテレビ放送は、当初の街頭テレビの時代を経て、五九年の皇太子御成婚パレードの中継によって一般家庭へ急速に浸透してゆく。六四年に開催された東京オリンピックの大規模中継を機に、テレビは完全にお茶の間の主役の座をラジオから奪ったのである。旧経済企画庁（現在は内閣府に再編）の「消費動向調査」によれば、モノクロテレビの普及率は六〇年で四四・七％、六五年には九〇・三％にまで上がった。すでに六〇年にはカラー本放送が始まっていたが、六五年にわずか〇・三％であったカラーテレビの普及率は、十年後の七五年に九〇％台に乗り、さらに八〇年には九八・二％にまで達した。

八〇年代から九〇年代にかけて、テレビは一家に一台の「お茶の間時代」から、家族一人につき一台の「個室時代」に移行する。一般家庭におけるビデオ機器の普及もめざましく、いわゆるレンタルビデオの視聴も身近な娯楽になった。また、任天堂の「ファミコン」発売を契機に家庭用テレビゲームのプレイも陳腐《ちんぷ》化した日常風景となる。しかし、それでもやはりテレビの「画面」がその絶大な社会的影響力を真に発揮するのは、同時的な事件・災害の発生に際して、逐一情報が共有化される場面であるだろう。

テレビというマスメディアの発達は、いわゆる〈社会〉と〈お茶の間〉との心理的及び物理的距離を曖昧《あいまい》にした。テレビに映し出される都会的なライフスタイルが視聴者の欲望を画一的に駆り立て、消費生活は急速に均質化する一方、さらにテレビという名の劇場は、外に出かけていかないと決して「見る」ことのできなかった〈現場〉を電波に乗せて一様に届けてくれさえする（我々は家に居ながらにして、一九九一年の湾岸戦争を、〈9・11〉NY同時多発テロを、そして一連のオウム犯罪やJR西日本尼崎脱線事故を〝目撃〟した)。テレビでニュースを知った真智子が、父・義男のところに電話を掛けてきたように、あたかも家族が一台のテレビを観て——画面のサイズに差はあろうが——同じ絵を目にしているような〝疑似的なお茶の間〟がそこでは立ち現れている。古川鞠子の白骨化した遺体が「坂崎引っ越しセンター」で発見されたおり、近隣の人間ですら電波の届くもっとも遠方の御見物衆と同じ〈お茶の間〉でニュースを観ようと自宅に走った——「坂崎家の異変に気がついた近所の人びとも様子を見にやってくる。記者は現場からのレポートに取りかかる。坂崎家のすぐ向かいの家ではテレビをつけ、HBSにチャンネルをあわせて、ドラマの再放送が中断して臨時ニュースが始まったことを確かめた。やあ、本当にここがニュースの現場になってるんだ」。

当然のこと、発生した事件や災害の規模がより大きく且《か》つセンセーショナルなものであるだけ、このような〝疑似的なお茶の間〟はすさまじい勢いで拡大されてゆくことになる。あらゆるマスメディアを巻き込んだ本邦初の「劇場型犯罪」として記憶されるグリコ・森永事件の幕が上がったのは、一九八四年三月のこと。店頭に並べられたお菓子に「どくいり　きけん」のレッテルを貼《は》り、子どもたちを最大の被害者にして熱狂的な観客にもしてしまった前代未聞《みもん》の事件の真相は、昭和史の闇《やみ》の中に消えてしまった。そして、『模倣犯』における凶悪事件の犯人もまた、自らが作・演出する犯罪劇に未曾有《みぞう》の観客を呼び込むべくマスメディアを最大限利用するのだ。

――ところで。本篇を読むより先にこの解説に目を通されている向きに【警告】を。このあと、事件の犯人について名前を明らかにし、ストーリーの結末部にも触れて解説していくので、未読の方は注意されたい。

＊

一連の連続誘拐殺人事件の犯人は、「ピース」こと網川浩一《あみかわこういち》と、そのピースとは小学校時分から付き合いのあった栗橋《くりはし》浩美（通称ヒロミ）の両名である。第一部では主に、二人の犯罪にかかわる被害者遺族及び捜査関係者の視点から事件が描かれており、続く第二部では、主にヒロミの視点から、彼がピース主導の凶行にのめり込んだ末、幼なじみの蕎麦《そば》屋の息子・高井和明（通称カズ）を巻き込んで破滅の坂を転がり落ちるまでが描き出される。そして第三部は、カズとヒロミの不慮《ふりよ》の自動車事故死以後、事件の首謀者たるピースの栄光と凋落《ちようらく》の日々を追う。不運なカズはマスコミから事件の共犯者だと断罪されるが、カズの妹・由美子の前に白馬の騎士よろしく現れたピースは、敢然とカズの無実を訴えて一躍マスメディアの寵児《ちようじ》となった。だが遂には、テレビの報道特番への生出演中、ルポライター・前畑滋子《しげこ》の〝一連の事件にはオリジナルの事例が存在する。今度の犯行はその「サル真似《まね》」にすぎない〟との虚偽の挑発に「僕は自分で考えたんだ！（……）僕は模倣犯なんかじゃないぞ！」と激高し、自分こそが黒幕であることを暴露してしまうのだ。

犯罪を主題として扱うミステリー／サスペンス小説からは、〈犯人―被害者―探偵〉という鼎立《ていりつ》するキャラクター関係を取り出すことができる。ピースが自らを劇作家と任じたように、犯人とはまさしく「筋書き」を仕立てて舞台を演出する〈創造主〉といえよう。探偵とは、犯人の構築した〈犯罪（＝被害者＝被造物）〉の証拠を丹念に拾い集め、その作られし軌跡を逆にたどって〈推理（＝被造物からの被造物）〉を開陳する者にすぎない。いみじくも、本書に登場する捜査関係者のなかでもっとも名探偵の風格漂う〝建築家〟が、「俺たちは、試合終了後の評論家なんだ」と自嘲《じちょう》するように。

その昔、〈創造主〉ピースを身ごもった聖美《きよみ》は、当時交際していた網川啓介《けいすけ》と結婚するが、同時期に肉体関係を持っていた天谷英雄《あまたにひでお》との不倫も続行した。聖美と啓介との結婚生活は、ピース誕生からわずか一年で破綻《はたん》し、離婚の際、幼児は母に引き取られる。天谷は愛人の聖美を養子縁組して養女とするものの、正妻や正妻とのあいだに出来た子どもたちからの反発もあって、三歳のピースを網川の籍に戻させた。ただしこれは戸籍上のことだけで、ピースは母の愛人である養父・天谷の庇護《ひご》下で育てられたのであるが、天谷が幼いピースとの親子鑑定を行った際、両者に血のつながりがある可能性は「二十パーセント弱」と判定された。つまるところピースは、どちらの父からも子としては認めてもらえなかったのだ。やがて母を自らの手で殺害し埋葬したピースは、家系図の系統樹から自分の名前の上に延びる線を完全に断ち切ったことになる。いや、〈創造主〉を創造した者など、そもそも存在するはずがないのだ。

一方、ピースの〈筋書き（＝被造物）〉をなぞるように行動する栗橋の造形は、一見紋切り型のトラウマ論が援用されているようでありつつ、生い立ちからして〈被造物から被造物〉であることを周到に運命づけられている。ヒロミの母・寿美子《すみこ》は、最初の子である長女「弘美」を育児ノイローゼから窒息死させた過去を持つ。弘美の死後、新たに授かった長男に、彼女は周囲の反対を押しきって亡《な》き娘と同じ音《おん》の「浩美」という名前をつけた。子殺しの罪悪感から、死後にまるで天使のような子どもとして美化された弘美の〝出来の悪いイミテーション〟だと精神的な虐待《ぎゃくたい》を受けつづけたヒロミ。カズの懸命の心張り棒も、ヒロミを支えきることはとうとう叶《かな》わなかったのである。

そして、いよいよ第三部において、首謀者ピースは、いわゆる探偵役として華々しくマスコミに登場する。ピースは、ここで初めて網川浩一という本名で姿を現し、一連の誘拐殺人事件には黒幕たる第三の人物「X」が介在しているとカメラに向かって主張する。「事件の真犯人は、このXと栗橋浩美であり、主犯はXである」と。拉致《らち》監禁し殺害した「女優たち」の屍《しかばね》を乗り越え、今度は自らが主演男優も兼ねて、照明の当たる表舞台に上がってきたのだ。好男子で弁舌も爽《さわ》やかな網川は、お茶の間の見物衆の心をがっちりと鷲摑《わしづか》みにしたものの、しかし〈創造主〉たる犯人役から、その功績を批評するにすぎない探偵役に成り下がったことは、やはり彼の本意ではなかった。ピースはかつてヒロミにこのように語っていた――「歴史に残るのは犯人の名前だけ」と。

　物語の大詰めで、前畑滋子によって〈創造主〉の座から不当に引きずり下ろされそうになったとき、網川浩一は逮捕され処罰されることがわかってはいても、自らの「筋書き」の正当性を声高に表明せずにいられない。だが、皮肉なことに、網川が必死でその座に戻ろうとした〈創造主〉に自らが与えた名前は、そう「X」だった。網川が取り返した〈名前〉は、彼が社会の名もなき歯車――「愚かな大衆」――と蔑《さげす》み嘲《あざけ》った、テレビの前に坐《すわ》る不特定多数を指す〈未知数《エックス》〉だ。ピースマークに由来する網川の通称peace（平和）は、同じ音の piece（一片、［チェスでの］駒《こま》）と二重化される。網川《ピース》は逮捕され、長い長い裁判にかけられることだろう。だが、彼がまさにブラウン管の向こうに拡がる未曾有の大きさに膨《ふく》れ上がった〈お茶の間〉と一体化したように、テレビ画面を見入るX《ピース》たちのなかに次代の劇場型犯罪者はきっといるのだ。

　グリコ・森永事件の犯人（たち？）にとっては、食品会社への脅迫という行為がマスメディアによって報道されることも犯罪を成立させる不可欠の要素だった。特定の食品会社の商品に「どく」が混入されたと広く伝えられることこそが、その会社の製品を購買するのをためらわせる主因となり、企業から〝身代金〟を恐喝するという最大の目的を果たす最高の武器になるからだ。しかし、一九九七年に日本中を震撼《しんかん》させた神戸の十四歳「酒鬼薔薇聖斗《さかきばらせいと》」は、マスコミに報道されること、テレビを通じて自己の存在を満天下に知らしめること自体を目的化していた。「酒鬼薔薇」を〈神〉として尊敬していたという西鉄バスジャック事件（二〇〇〇年）の少年犯は、警察での取り調べ中に「僕の事件は新聞の一面で報じられているか」とマスメディアでの扱いをしきりに気にしていたといわれる……。

自ら好漢の仮面を剝《は》ぎ取り、とうとう悪の本性を顕《あらわ》した網川浩一は、テレビ局内の資材室に立て籠《こ》もっているさなか、有馬義男と携帯電話を通じて話をする機会をえる。義男は、網川がしきりに嘲笑している「大衆」など、かつて存在したことはなかったのだと諭《さと》す。

「（……）あんたが生まれるずっとずっと前に、私らは国が滅びるかっていうくらいの大戦争をした。だけどそのときだって、ひとまとめにして〝大衆〟なんて呼ばれるもんは、どこにもなかったよ。私らはみんな大日本帝国の国民だったけども、死んだり焼かれたり飢え死にしそうになったりする時には、みんな一人一人の人間だった。だから辛《つら》かったし、怖かったんだ。あんたは〝大衆〟だの〝若者〟だのの言葉を気軽に使って、それでもって何もかもひとくくりにしとるけど、そんなものは幻だ。あんたの頭のなかだけにある幻だ。（……）」

──だがしかし、それでも「大衆」は存在するはずである。武上刑事が述べたように「犯罪もまた『社会が求めている』形でしか起こり得ない」とするなら、網川浩一もまた、テレビの画面を共有する大衆の欲望の輪郭をなぞった模倣犯であったことは否定できない。人間は時に、残酷さを愉《たの》しむことのできる動物なのだ。

けれども、だからこそ宮部みゆきは、『模倣犯』という長大な「大衆」小説を、犯人たちの芝居の見物衆として〝建築家〟が名指しした「全国民」とは対蹠《たいしよ》的な、ミニマムな〈家族〉の姿を点描して締めくくる。有馬義男と塚田真一との疑似的な〈祖父─孫〉の関係と、有馬豆腐店の常連客だった女性とその幼い娘とのやりとりを。泥酔《でいすい》し、鞠子を返してくれと泣き叫ぶ義男を、真一は「いつか老人が彼にそうしてくれたように、抱きかかえた。黙って、ただ抱きかかえていた」。そして、一人の母親はわが娘を「この子だけは守りたい。何があっても、どんな不幸からでも」と「神様」に祈る。

時に都合よくも利用される〈大衆〉という「幻」。それを打ち砕《くだ》くことができるのは〈家族〉という絆《きずな》でしかない。たとえそれもまた「幻」だと言われようとも──。当代一流の語り部、宮部みゆきが畢生《ひつせい》の大作にこめた真摯《しんし》なメッセージは、我々「X」たる読者一人一人に向けて発せられている。

（平成十七年十一月、ミステリー評論家）

この作品は平成十三年四月小学館より刊行された。

宮部みゆき著

**魔術はささやく**

日本推理サスペンス大賞受賞

それぞれ無関係に見えた三つの死。さらに魔の手は四人めに伸びていた。しかし知らず知らず事件の真相に迫っていく少年がいた。

宮部みゆき著

**レベル7《セブン》**

レベル7まで行ったら戻れない。謎の言葉を残して失踪した少女を探すカウンセラーと記憶を失った男女の追跡行は……緊迫の四日間。

宮部みゆき著

**返事はいらない**

失恋から犯罪の片棒を担ぐにいたる微妙な女性心理を描く表題作など6編。日々の生活と幻想が交錯する東京の街と人を描く短編集。

宮部みゆき著

**龍は眠る**

日本推理作家協会賞受賞

雑誌記者の高坂は嵐の晩に、超常能力者と名乗る少年、慎司と出会った。それが全ての始まりだったのだ。やがて高坂の周囲に……。

宮部みゆき著

**本所深川ふしぎ草紙**

吉川英治文学新人賞受賞

深川七不思議を題材に、下町の人情の機微とささやかな日々の哀歓をミステリー仕立てで描く七編。宮部みゆきワールド時代小説篇。

宮部みゆき著

**かまいたち**

夜な夜な出没して江戸を恐怖に陥れる辻斬り〝かまいたち〟の正体に迫る町娘。サスペンス満点の表題作はじめ四編収録の時代短編集。

宮部みゆき著

淋しい狩人

東京下町にある古書店、田辺書店を舞台に繰り広げられる様々な事件。店主のイワさんと孫の稔が謎を解いていく。連作短編集。

宮部みゆき著

火車

山本周五郎賞受賞

休職中の刑事、本間は遠縁の男性に頼まれ、失踪した婚約者の行方を捜すことに。だが女性の意外な正体が次第に明らかとなり……。

宮部みゆき著

幻色江戸ごよみ

江戸の市井を生きる人びとの哀歓と、巷の怪異を四季の移り変わりと共にたどる。〝時代小説作家〟宮部みゆきが新境地を開いた12編。

宮部みゆき著

初ものがたり

鰹、白魚、柿、桜……。江戸の四季を彩る「初もの」がらみの謎また謎。さあ事件だ、われらが茂七親分――。連作時代ミステリー。

宮部みゆき著

平成お徒歩《かち》日記

あるときは、赤穂浪士のたどった道。またあるときは箱根越え、お伊勢参りに引廻し、島流し。さあ、ミヤベと一緒にお江戸を歩こう！

宮部みゆき著

堪忍箱

蓋を開けると災いが降りかかるという箱に、心ざわめかせ、呑み込まれていく人々――。人生の苦さ、切なさが沁みる時代小説八篇。

宮部みゆき著
# 理由
直木賞受賞

被害者だったはずの家族は、実は見ず知らずの他人同士だった……。斬新な手法で現代社会の悲劇を浮き彫りにした、新たなる古典！

松本清張著
# わるいやつら（上・下）

厚い病院の壁の中で計画される院長戸谷信一の完全犯罪！ 次々と女を騙しては金をまき上げて殺す恐るべき欲望を描く長編推理小説。

松本清張著
# 歪んだ複写
―税務署殺人事件―

武蔵野に発掘された他殺死体。腐敗した税務署の機構の中に発生した恐るべき連続殺人を描いて、現代社会の病巣をあばいた長編推理。

松本清張著
# 黒い福音

現実に起った、外人神父によるスチュワーデス殺人事件の顚末に、強い疑問と怒りをいだいた著者が、推理と解決を提示した問題作。

松本清張著
# ゼロの焦点

新婚一週間で失踪した夫の行方を求めて、北陸の灰色の空の下を尋ね歩く禎子がまき込まれた連続殺人！『点と線』と並ぶ代表作品。

松本清張著
# 眼の壁

白昼の銀行を舞台に、巧妙に仕組まれた三千万円の手形サギ。責任を負った会計課長の自殺の背後にうごめく黒い組織を追う男を描く。

綾辻行人著　霧越邸殺人事件

密室と化した豪奢な洋館。謎めいた住人たち。一人、また一人…不可思議な状況で起る連続殺人！　驚愕の結末が絶賛を浴びた超話題作。

綾辻行人著　殺人鬼

サマーキャンプは、突如現れた殺人鬼によって地獄と化した――驚愕の大トリックが仕掛けられた史上初の新本格スプラッタ・ホラー。

有栖川有栖著　絶叫城殺人事件

「黒鳥亭」「壺中庵」「月宮殿」「雪華楼」「紅雨荘」「絶叫城」――底知れぬ恐怖を孕んで闇に聳える六つの館に火村とアリスが挑む。

伊坂幸太郎著　オーデュボンの祈り

卓越したイメージ喚起力、洒脱な会話、気の利いた警句、抑えようのない才気がほとばしる！　伝説のデビュー作、待望の文庫化！

伊坂幸太郎著　ラッシュライフ

未来を決めるのは、神の恩寵か、偶然の連鎖か。リンクして並走する4つの人生にバラバラ死体が乱入。巧緻な騙し絵のごとき物語。

逢坂剛著　熱き血の誇り（上・下）

白濁した内臓、戦国哀話、追われるフラメンコ歌手、謎の新興宗教。そして、静岡、スペイン、北朝鮮……。すべてを一本の線が結ぶ超大作。

大沢在昌著
らんぼう
検挙率トップも被疑者受傷率120％。こんな刑事にはゼッタイ捕まりたくない！　キレやすく凶暴な史上最悪コンビが暴走する10篇。

北方謙三著
武王の門（上・下）
後醍醐天皇の皇子・懐良は、九州征討と統一をめざす。その悲願の先にあるものは――。男の夢と友情を描いた、著者初の歴史長編。

北方謙三著
棒の哀しみ
棒っきれのようにしか生きられないやくざ者には、やくざ者にしかわからない哀しみがある……。北方ハードボイルドの新境地。

北村　薫編
北村薫のミステリー館
小説だけでなく絵本・エッセイまで――読書の達人が選んだ18編。異次元へと読者を誘うアンソロジイ。胸躍る読書体験をあなたに！

桐野夏生著
ジオラマ
あたりまえのように思えた日常は、一瞬で、あっけなく崩壊する。あなたの心も、変わってゆく。ゆれ動く世界に捧げられた短編集。

桐野夏生著
冒険の国
時代の趨勢に取り残され、滅びゆく人びと。同級生の自殺による欠落感を埋められない主人公の痛々しい青春。文庫オリジナル作品！

真保裕一著　ホワイトアウト
吉川英治文学新人賞受賞

吹雪が荒れ狂う厳寒期の巨大ダムを、武装グループが占拠した。敢然と立ち向かう孤独なヒーロー！　冒険サスペンス小説の最高峰。

真保裕一著　奇跡の人

交通事故から奇跡的生還を果した克己は、すべての記憶を失っていた。みずからの過去を探す旅に出た彼を待ち受けていたものは——。

真保裕一著　ストロボ

友から突然送られてきた、旧式カメラ。彼女が隠しつづけていた秘密。夢を追いかけた季節、カメラマン喜多川の胸をしめつけた謎。

篠田節子著　アクアリウム

ダイビング中に遭難した友人の遺体を探すため、地底湖に潜った男が暗い水底で見た驚くべき光景は？　サスペンス・ファンタジー。

篠田節子著　家鳴り

ありふれた日常の裏側で増殖し、出口を求めて蠢く幻想の行き着く果ては……。暴走する情念が現実を突き崩す瞬間を描く戦慄の七篇。

篠田節子ほか著　恋する男たち

小池真理子、唯川恵、松尾由美、湯本香樹実、森まゆみ等、女性作家六人が織なす男たちのラブストーリーズ、様々な恋のかたち。

宮城谷昌光著

晏子（一〜四）

大小多数の国が乱立した中国春秋期。卓越した智謀と比類なき徳望で斉の存亡の危機を救った晏子父子の波瀾の生涯を描く歴史雄編。

宮城谷昌光著

玉人

女あり、玉のごとし――運命的な出会いをした男と女の烈しい恋の喜びと別離の嘆きを幻想的に描く表題作など、中国古代恋物語六篇。

山本周五郎著

虚空遍歴（上・下）

侍の身分を捨て、芸道を究めるために一生を賭けて悔いることのなかった中藤冲也――苛酷な運命を生きる真の芸術家の姿を描き出す。

山本周五郎著

樅ノ木は残った

毎日出版文化賞受賞（上・中・下）

「伊達騒動」で極悪人の烙印を押されてきた原田甲斐に対する従来の解釈を退け、その人間味にあふれた新しい肖像を刻み上げた快作。

天童荒太著

孤独の歌声

日本推理サスペンス大賞優秀作

さぁ、さぁ、よく見て。ぼくは、次に、どこを刺すと思う？　孤独を抱える男と女のせつない愛と暴力が渦巻く戦慄のサイコホラー。

天童荒太著

幻世《まぼろよ》の祈《いの》り

家族狩り　第一部

高校教師・巣藤浚介、馬見原光毅警部補、児童心理に携わる氷崎游子。三つの生が交錯したとき、哀しき惨劇に続く階段が姿を現わす。

# 模《も》倣《ほう》犯《はん》（五）

新潮文庫 み-22-18

平成十八年一月一日発行

著者 宮《みや》部《べ》みゆき

発行者 佐藤隆信

発行所 株式会社 新潮社

郵便番号 一六二―八七一一
東京都新宿区矢来町七一
電話 編集部(〇三)三二六六―五四四〇
読者係(〇三)三二六六―五一一一
http://www.shinchosha.co.jp

価格はカバーに表示してあります。

乱丁・落丁本は、ご面倒ですが小社読者係宛ご送付ください。送料小社負担にてお取替えいたします。

印刷・錦明印刷株式会社　製本・錦明印刷株式会社



ISBN4-10-136928-3 C0193